iPad
完全マニュアル 2021

i P a d   P e r f e c t   M a n u a l   2 0 2 1

standards

Cont

e n t s

4 Section 04 トラブル解決総まとめ

12:34 11月9日(月)
FaceTime
カレンダー
時計
ホーム
写真
カメラ
リマインダー
メモ
ボイスメモ
連絡先
マップ
App Store
ブック
Podcast
TV
株価
計測
設定

iPad Perfect Manual 2021

ほとんどお手上げの人も もっとしっかり使いこなしたい人もどちらも しっかりフォローします

いつでもどこでもサッと取り出して、メールやSNS、写真や動画、地図にノートと数え上げてもきりがないほど多彩な用途に活躍するiPad。すぐに起動し直感的に扱えるように作られているとは言え、基本の仕組みや操作法、必須の設定ポイントは押さえておきたいところだ。本書はiPadをはじめて手にした初心者でも最短でやりたいことができるよう、要点をきっちり解説。iPadOSや標準アプリの操作をスピーディにマスターできる。また、さらに便利に快適に使うための設定や一歩進んだ操作法、隠れた便利機能、活用テクニックもふんだんに紹介。この1冊でiPadを「使いこなす」ところまで到達できるはずだ。

はじめにお読みください 本書の記事は2020年11月の情報を元に作成しています。iPadOSやアプリのアップデート、使用環境などによって、機能の有無や名称、表示内容、操作方法が本書記載の内容と異なる場合があります。あらかじめご了承ください。また、本書掲載の操作によって生じたいかなるトラブル、損失について、著者およびスタンダーズ株式会社は一切の責任を負いません。自己責任でご利用ください。

iPadを使う上で必須となる最初の設定手順を完全解説!

iPadの初期設定を始めよう

iPadの電源を入れて設定を済ませよう

iPadを購入したら、早速電源ボタンを押して画面を表示させよう。もし、白い背景画面で「こんにちは」と表示された場合は、まだiPadの初期設定が済んでいない状態だ。この場合、一連の設定を終えるまでiPadを使うことができない。一方で、ロック画面またはホーム画面が表示された場合は、購入したショップ側で最低限の初期設定がなされている状態だ。ただし、この状態でもWi-FiやApple IDなどの各種設定を自分で行う必要がある。そこで本記事では、iPadを初めて購入した人向けに、各種ケースにおける初期設定手順を詳しく紹介していきたい。

最初の起動画面によって手順が異なる

初期設定画面が表示された場合

こんにちは

初期設定術 1

P006へ

ロック画面が表示された場合

iPadの電源を初めて入れた時、上記のどちらの画面が表示されるかで初期設定の手順が異なる。「こんにちは」画面が表示された場合はこのページから、ロック画面の場合はP011からの解説に従って、必要な設定を済ませておこう。

初期設定画面で設定を行う

iPadの初期設定画面では、Wi-FiやFace(Touch) IDなどの重要項目をまとめて設定することができる。iPadの購入直後だけでなく、端末をリセットした場合やパソコンを使って復元作業を行った場合も、最初にこの画面が表示されるので覚えておこう。なお、「クイックスタート」機能を使えば、ほかのiPhoneやiPadからWi-FiやApple IDなどの設定を引き継げる。iPhoneやiPadをすでに持っている人は試してみよう。

端末をリセットするには?

すべての設定をリセット

すべてのコンテンツと設定を消去

端末のデータをすべて消して工場出荷時の状態に戻し、初期設定からやり直したい場合は、「一般」→「リセット」→「すべてのコンテンツと設定を消去」を実行すればOKだ。

※本項で解説している設定手順は一例です。環境や状況によっては設定画面の順序が異なったり、ここでは解説していない設定画面が表示されることがあります。

利用する言語の設定

1 初期設定を開始する

初期設定画面が表示されたら、画面を下から上にスワイプするかホームボタンを押そう。あとは画面の指示に従って、初期設定を進めていく。

2 使用する言語や国を設定する

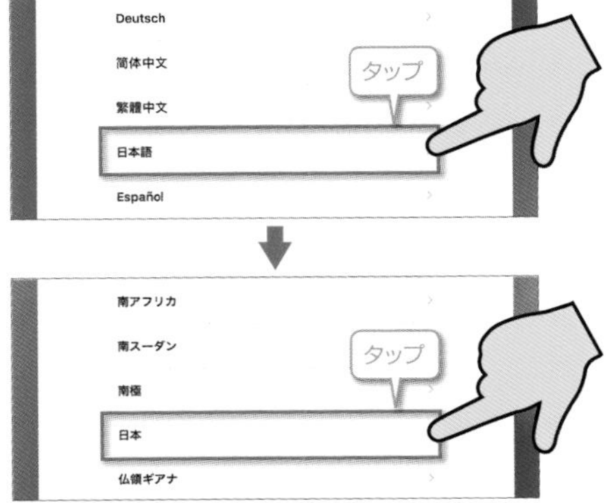

言語の選択画面で「日本語」をタップし、続けて国または地域の選択画面で「日本」をタップしよう。状況によってはこれらの設定が表示されないこともある。

3 クイックスタートは使わず手動で設定する

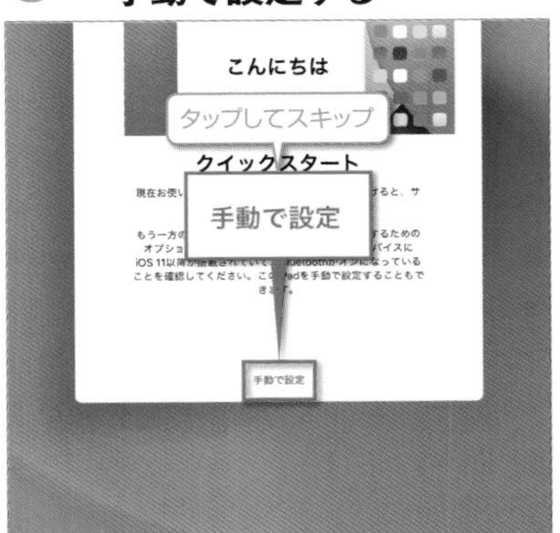

クイックスタートの画面になるが、別のiPhoneやiPadを持っていないのであれば「手動で設定」をタップ。クイックスタートを使う場合は次ページ下の記事を参照。

文字入力やWi-Fiネットワークを設定する

解説

アクセシビリティを使って設定する

クイックスタート画面の右上にあるアクセシビリティボタンをタップすると、最初にVoiceOverやAssistiveTouchなど、視覚や身体のサポート機能を有効にした上で、初期設定を進めることが可能になる。

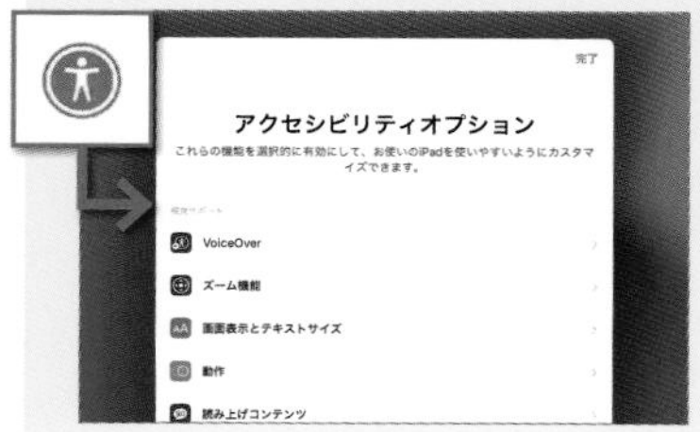

1 文字入力や音声入力を設定する

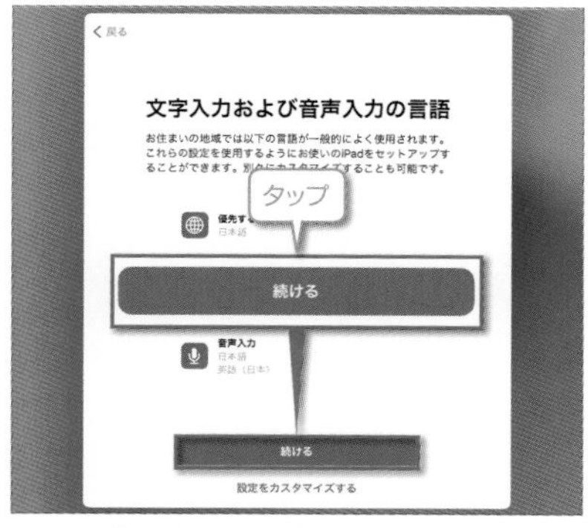

iPadで使用するキーボードや音声入力の種類を設定する。標準のままでよければ「続ける」をタップする。変更するなら「設定をカスタマイズ」をタップして設定しよう。

2 Wi-Fiネットワークを設定する

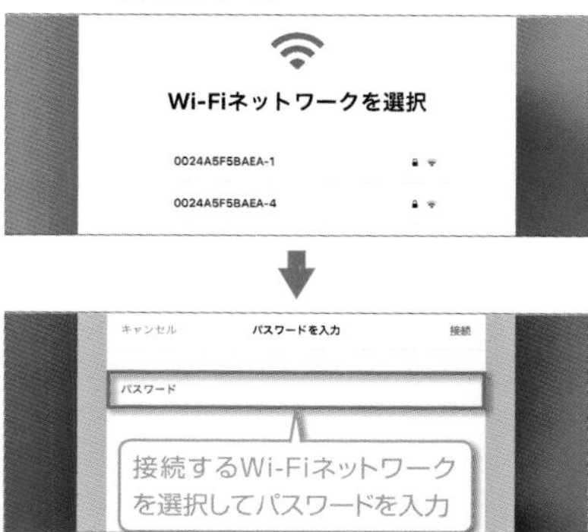

付近のWi-Fiネットワーク名(SSID)が一覧表示されるので、接続するネットワークをタップしよう。続けて接続パスワードを入力したら、「接続」をタップする。

Face(Touch) IDとパスコードの設定

1 Face IDの設定を行う

Face IDやTouch IDを登録しておけば、端末ロックの解除や各ストアの購入処理を、顔認証や指紋認証で行える。ここではFace IDを登録する。

2 自分の顔を登録する

「開始」をタップし、画面の枠内に自分の顔を合わせたら、指示に従って顔をゆっくり動かして登録しよう。2回登録すれば設定完了。

3 パスコードを設定する

6桁の数字を2回入力してパスコードを作成する。「パスコードオプション」をタップすれば、4桁の数字や英数字のコードに変更することも可能だ。

解説

端末の設定を引き継げる「クイックスタート」機能を使いたい場合は?

「クイックスタート」機能を使えば、Wi-Fi接続やApple ID、パスコードといった設定内容を、別のiPhoneやiPadから自動で引き継ぐことができる。複数のデバイスを所持しているユーザーは、従来よりも簡単に初期設定を行えるのだ。ただし、Face(Touch) IDなど一部の設定は、別途手動での設定が必要となる。なお、本機能はあくまで一部設定項目が引き継がれるだけであり、別の端末のコンテンツやデータを引き継ぐには別途バックアップデータが必要だ。

1 ほかのデバイスを近づけて設定開始

クイックスタート画面のiPadに別のiPhoneやiPadを近づけたら、「続ける」をタップして作業を開始しよう。

2 iPadの模様をカメラで撮影して認証

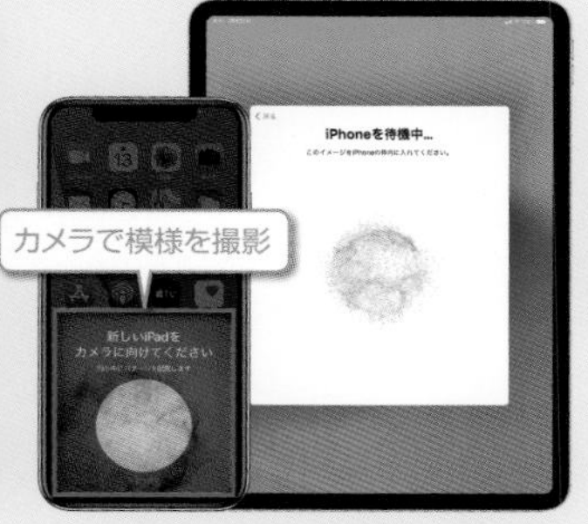

iPad上に円形の青い模様がアニメーション表示されるので、引き継ぎ元のiPhoneやiPadで撮影する。

3 パスコードを入力して残りの設定を行う

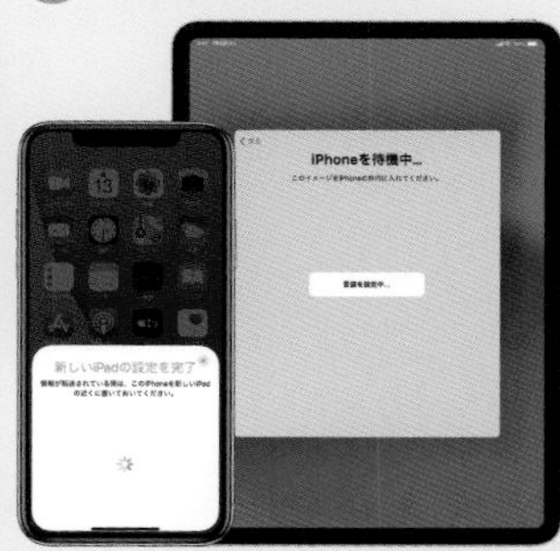

引き継ぎ元の端末のパスコードをiPad側で入力。あとは残りの設定を行えば初期設定が完了だ。

新しいiPadとして設定する

1 「Appとデータを転送しない」をタップする

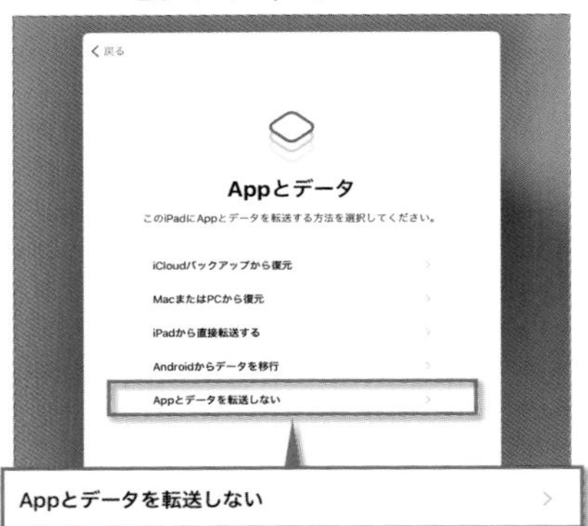

初めてiPadを購入した場合は「Appとデータを転送しない」を選択する。バックアップデータを復元・移行したい場合は、ほかの項目を選択しよう。

各種バックアップから復元・移行する方法

iCloudやパソコンにiPadのバックアップデータがある場合は、ここで復元することができる。復元したいバックアップデータを選択し、画面に表示される指示に従おう。また、Android 用の「iOSに移行」アプリを使って、Android端末から各種データを移行することも可能だ。

iCloudバックアップから復元

iCloudバックアップから復元する場合はWi-Fi接続が必須。Apple IDを入力して復元作業を行おう。

WindowsやMacから復元

パソコン内に保存してあるバックアップデータを復元するには、USB接続してiTunes(MacではFinder)で復元作業を行う。

Androidからデータを移行

Android用アプリ「iOSに移行」を使えば、Android端末の写真やメッセージなどをiPadへ移行することができる。

Apple IDの新規作成とサインイン

1 Apple IDの設定を開始する

次に、Apple IDの設定になる。Apple IDを持っていない人は「パスワードをお忘れかApple IDをお持ちでない場合」をタップして新規取得しよう。

2 Apple IDを新規作成する

Apple IDは、アプリや音楽をダウンロードしたり、iCloud などを利用するのに必須となる。「無料のApple IDを作成」で新規作成しておこう。

Apple IDを持っている場合は?

すでにApple IDを取得している場合は、手順1の画面でApple IDのメールアドレスとパスワードを入力し、「次へ」をタップしよう。ほかの端末と同じApple IDでサインインしておけば、以前購入したアプリやミュージックなどを、新しいiPad上でも引き継ぐことができる。

3 自分の誕生日と名前を入力する

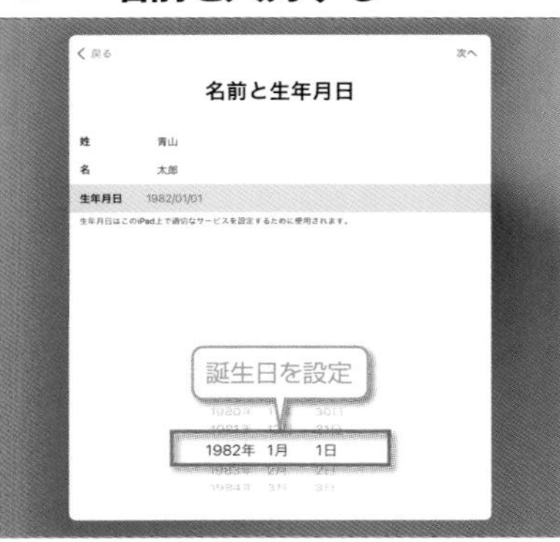

Apple IDの新規作成では、まず自分の誕生日と名前を登録する。アカウントの本人確認時にも使われることがあるので、正確に入力しておこう。

4 Apple IDで利用するメールアドレスを設定

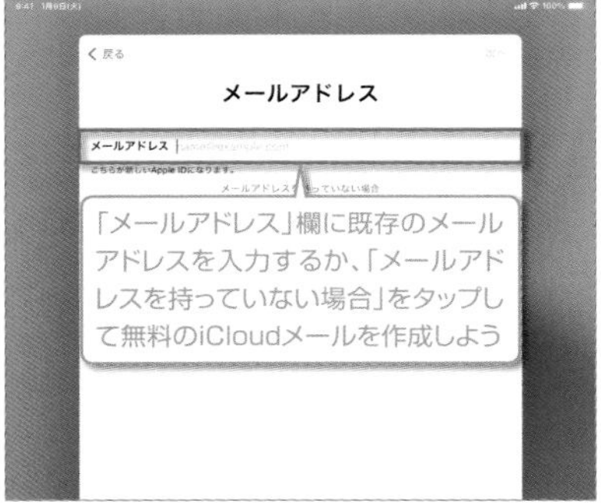

次に、Apple IDのアカウントとして利用するメールアドレスを設定する。メールアドレスを持っていない場合は、無料でiCloudメールを取得することが可能だ。

5 メールアドレスとパスワードを入力

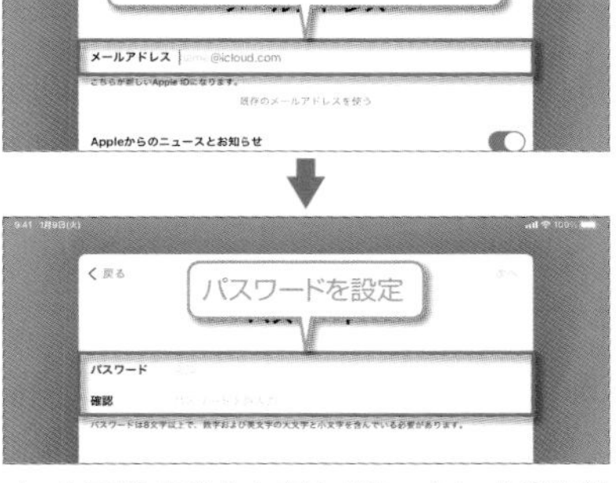

メールアドレスを入力する。iCloudメールを取得する場合は、「○○@icloud.com」のアカウント名部分を入力。あとはパスワードも入力しておく。

6 電話番号を設定する

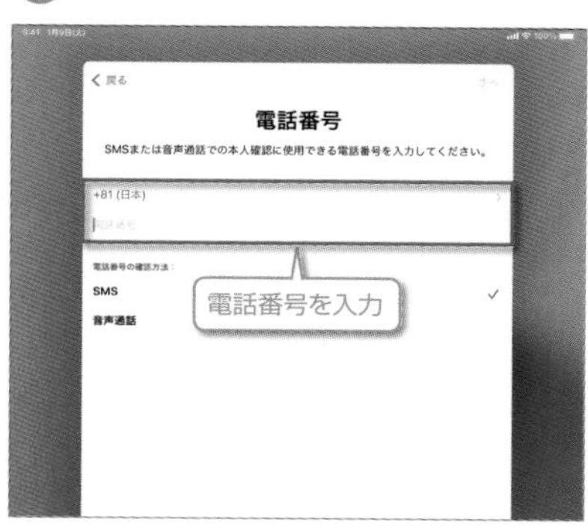

本人確認のために、SMSまたは音声通話できる電話番号を入力する。スマートフォンか携帯電話がある場合は「SMS」にチェックを入れて、SMSでの認証にすると手軽だ。

7 SMS認証の場合は確認コードを入力

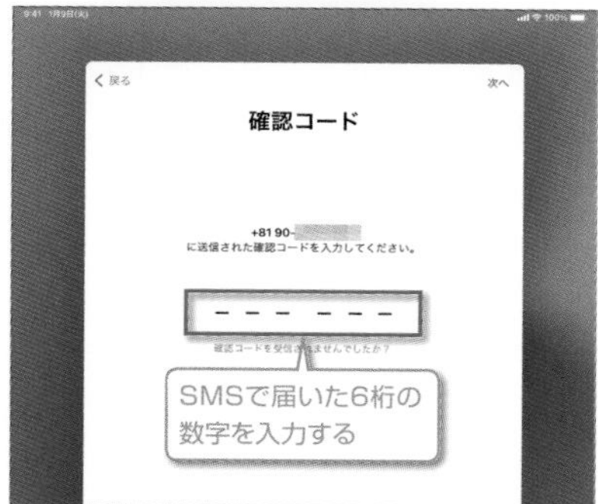

SMS認証を選択した場合、入力した電話番号宛に確認コード（6桁の数字）がSMSで送信される。SMSを受信したらiPad側で確認コードを入力しよう。

8 利用規約に同意する

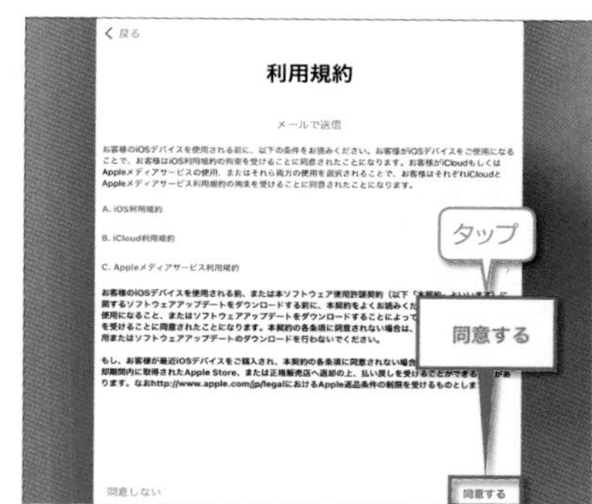

利用規約が表示されるので、確認して問題なければ「同意する」をタップしよう。これでApple IDの登録は完了だ。さらに残りの初期設定を進めていこう。

解説

iPadや各種アプリを利用する上で必須となる「Apple ID」を理解する

「Apple ID」は、Appleが提供するさまざまなサービスの利用に必須となる重要なアカウントだ。たとえば、App StoreやiTunes Storeでの購入およびダウンロード、FaceTimeでの通話、iCloudの各種サービスなどを利用するには、すべてApple IDが必要となる。また、Apple IDはユーザー1人につき1つ取得すればよく、iPhoneやiPad、Macを複数所持している場合は、ほかの端末と同じApple IDを利用することが可能だ。また、過去に購入したアプリや曲などは、購入時と同一のApple IDでサインインした端末上であれば、無料で入手できる仕様となっている。なお、Apple IDを初期設定画面ではなく、あとで設定したい場合は、「パスワードをお忘れかApple IDをお持ちでない場合」→「あとで"設定"でセットアップ」をタップすればいい。

●Apple IDが必要な主要サービス

App Store／iTunes Store
コンテンツのダウンロード、購入、自動アップデートで必須となる。

iCloud
iCloudで提供される同期サービスや紛失時の「探す」、各種バックアップなどにApple IDが必要だ。

FaceTime／iMessage
FaceTimeやiMessageでのやりとりは、Apple IDによる認証が必須となる。

パソコン版のiTunes
パソコンのiTunesでも、コンテンツの購入やバックアップなどを利用する上でApple IDが必要となる。

Apple Pay、iCloudキーチェーンの設定

1 エクスプレス設定の画面になる

位置情報やデータ解析といった設定をまとめて有効にする場合は「続ける」をタップ。個別に設定する場合は「設定をカスタマイズする」をタップしよう。基本的には「続ける」で問題ない。

2 Apple Payで使うカードの登録をスキップ

Appleの決済サービス「Apple Pay」の設定になるが、ここでは設定をスキップする。実際に利用する時に「設定」→「WalletとApple Pay」で登録すればよい。

3 iCloudキーチェーンを設定する

Webサイトやアプリでのパスワードを iPhoneやiPad、Mac間で共有できる「iCloudキーチェーン」が設定できる。「続ける」をタップしておこう。

解説

保存したログインIDやクレジットカード情報をワンタップで呼び出せる「iCloudキーチェーン」

「iCloudキーチェーン」は、一度ログインしたWebサイトやアプリのIDとパスワード、登録したクレジットカード、接続したWi-Fiネットワークなどの情報を保存しておき、次回からはワンタップで呼び出して、自動入力ですばやくログインすることができる機能だ。非常に便利なのでぜひ有効にしておこう。iCloudキーチェーンに保存されているIDやパスワードは、「設定」→「パスワード」で確認できる（P095で詳しく解説）。この画面では、漏洩の可能性があるパスワードや使いまわしているパスワードがないかもチェックできる。

iCloudキーチェーンに保存されたIDやパスワードは、同じApple IDでサインインした、iPhoneやMacなどとも共有して利用できる。

Siriやスクリーンタイムの設定と操作のヒント

1 Siriの設定を済ませる

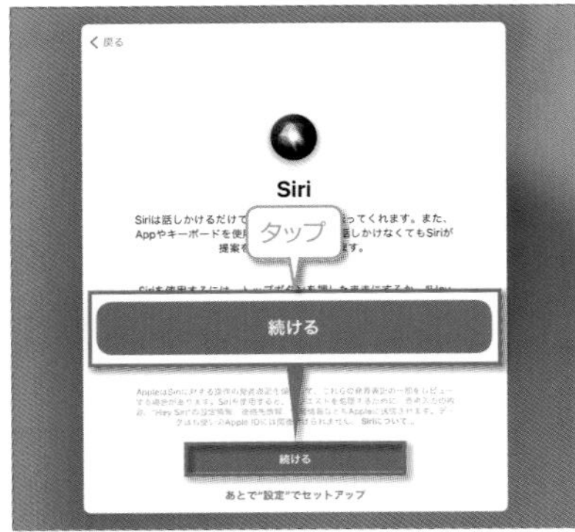

Siriの設定で「続ける」をタップするとSiriが有効になる。指示に従って自分の声を登録し、「Hey Siri」の呼びかけでSiriが起動するようにしよう。

2 スクリーンタイムを有効にする

スクリーンタイムは、画面を見ている時間についての詳しいレポートを表示してくれる機能。「続ける」をタップして有効にしておこう。

3 外観モードを選択する

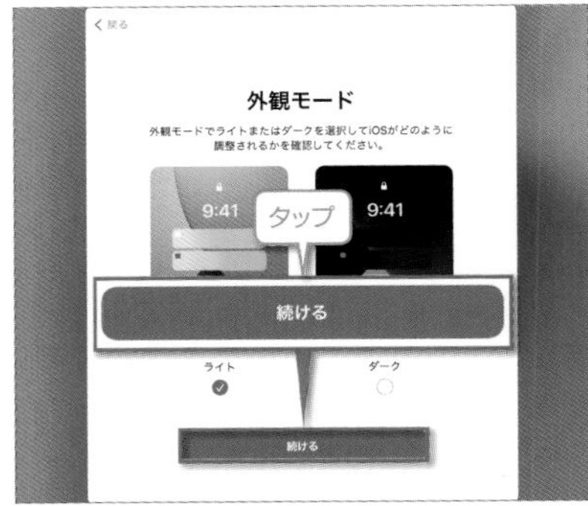

外観モードを、画面の明るい「ライト」か、黒を基調にした「ダーク」から選択し、「続ける」をタップ。あとから、夜間だけ自動的に「ダーク」に切り替わるよう設定しておける。

4 すべての初期設定が終了

初期設定完了!

その他、操作のヒントなどを確認したら設定終了。「さあ、はじめよう!」をタップすれば、ホーム画面が表示される。

スキップした設定をあとで設定する

初期設定画面では、いくつかの設定をスキップすることができる。初期設定が終了した後で、これらの内容を設定したい場合は「設定」アプリから設定しよう。なお、重要な未設定項目が残っている場合は、「設定」アプリ上で通知が表示されるようになっている。「設定」アプリの「iPadの設定を完了する」をタップすれば、何が設定されていないのかがすぐわかるので便利だ。

解説 初期設定後に最低限確認しておきたい設定項目

ここでは、初期設定が完了した後に、追加で設定しておきたい項目をピックアップしておいた。自分に必要そうな項目は「設定」から変更しておくといいだろう。

❶ 最新のiPadOSにアップデートしておく

まずは「設定」→「一般」→「ソフトウェア・アップデート」を確認しておこう。最新のiPadOSが存在する場合は、すぐにアップデートしておくのがオススメだ。旧バージョンで見つかった不具合などが修正される。

❷ Face (Touch) IDに関する詳細設定を行う

iTunesやApp Storeの購入時にFace IDやTouch IDを使いたい場合は、「設定」→「Face(Touch) IDとパスコード」の「iTunes StoreとApp Store」をオンにする。

❸ iCloudの各種機能で使わないものをオフにする

iCloudの機能で使わないものがあれば、「設定」→「アカウント名」→「iCloud」を表示してオフにしておこう。ただし、「iCloudバックアップ」はオンのままにしておくこと。iCloudの各種機能についてはP030を参照。

❹ 「iPhoneから通話」の設定を行っておく

iPadとiPhoneで同じApple IDを使うと、iPhoneの電話着信時にiPadでも着信音が鳴ってしまう。これを防ぐには、iPhone側で「設定」→「電話」→「ほかのデバイスでの通話」を開き、iPadの通話許可をオフにすればよい。

❺ FaceTime着信用の連絡先を設定する

iPhoneやiPad、Macを別途所持している場合は、「設定」→「FaceTime」を表示し、「FACETIME着信用の連絡先情報」と「発信者番号」を設定しておこう。それぞれ別の連絡先を設定しておくことで、着信と発信を個別に行うことができる。

❻ iPadからもSMSやMMSを送信できるようにする

iPadのメッセージアプリはSMSやMMSに対応していないので、Androidスマートフォンとやり取りできない。しかしiPhoneがあれば、「SMS/MMS転送」機能をオンにすることで、iPhone経由でSMSやMMSの送受信が可能になる。詳しくはP058で解説する。

「設定」アプリで設定を行う

iPadを購入したショップで最低限の初期設定が済んでいる場合、初回起動時に初期設定画面が表示されない。ロック画面が表示され、そのままiPadが使えるはずだ。とはいえ、Wi-Fi接続設定やApple IDなどの細かい設定がまだ済んでいないので、「設定」アプリから各種設定を行っておこう。

設定は「設定」アプリから

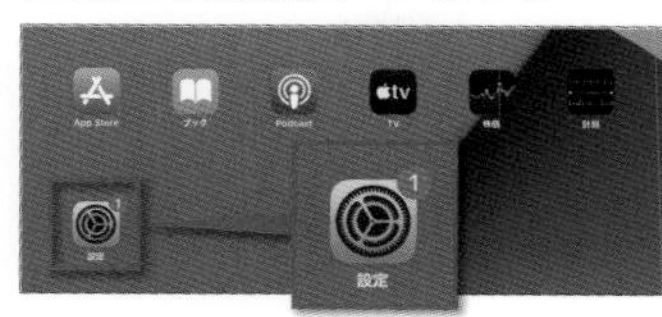

iPadの設定は、すべて「設定」アプリで行う。ホーム画面にある「設定」アイコンをタップすれば、設定画面が表示される。

キーボード／Wi-Fi／位置情報サービス／Face(Touch) IDの設定

1 キーボードの設定

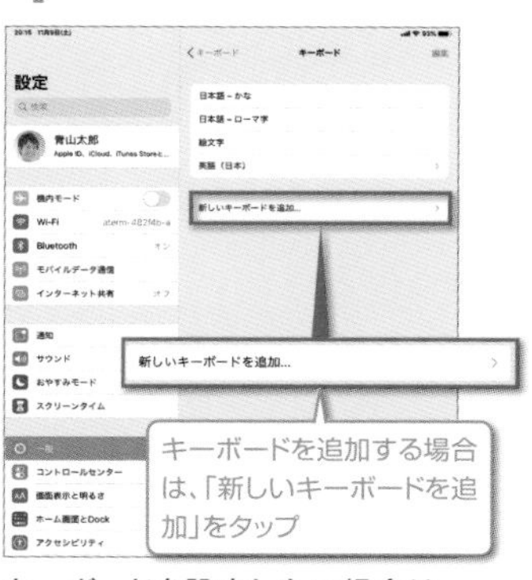

キーボードを設定したい場合は、「一般」→「キーボード」→「キーボード」を表示する。ここから、キーボードの追加や削除が可能だ。

2 Wi-Fiの設定

Wi-Fi に接続する場合は、「Wi-Fi」設定から接続したいネットワーク名をタップする。接続パスワードを入力して接続を完了させよう。

3 位置情報サービスの設定

位置情報サービスの設定は、「プライバシー」→「位置情報サービス」から。アプリごとに位置情報を使うかどうかも切り替えることができる。

4 Face(Touch) IDとパスコードの設定

「Face(Touch) IDとパスコード」で、顔や指紋を登録して、ロック解除や各ストアでの購入に利用する設定を行える。パスコードも設定しておこう。

Apple IDとiCloudの設定

1 Apple IDでサインインする

Apple IDにサインインする場合は、左メニューの最上部にある「iPadにサインイン」をタップ。メールアドレスとパスワードでサインインしよう。

2 Apple IDの設定を開く

サインインを済ませると、左メニュー最上部のユーザー名をタップして、Apple IDやiCloud(P030で解説)の設定を確認できるようになる。

Apple Payの設定

1 Apple Payでカードを追加する

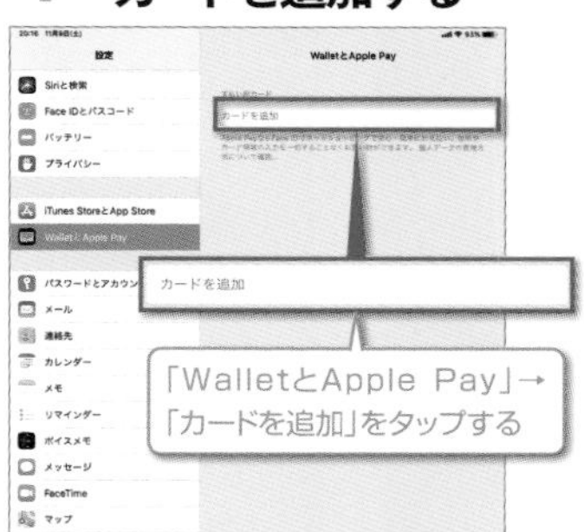

Apple Payにカードを登録したい場合は、「WalletとApple Pay」→「カードを追加」→「続ける」をタップしていこう。

2 カードを撮影して登録する

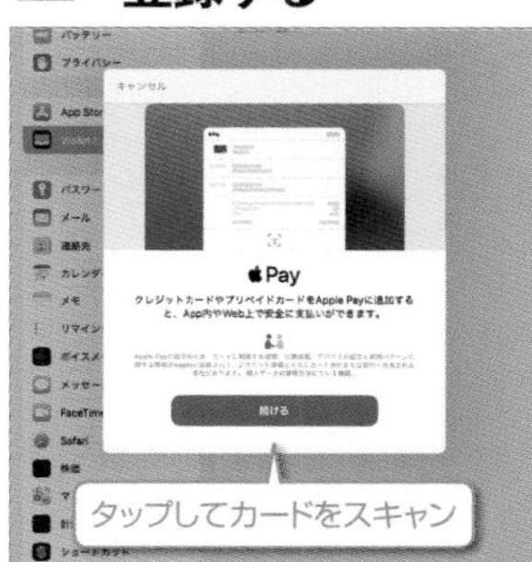

「続ける」をタップし、カメラの枠内にカードを収めよう。その後、必要な認証作業を行えばApple Payでカードが使えるようになる。

解説 設定画面でApple IDを新規作成するには?

Apple IDをまだ所持していない人は、「設定」→「iPadにサインイン」→「Apple IDをお持ちでないか忘れた場合」から新規作成しよう。

解説 必要ならFaceTimeの設定もしておこう

iPhoneやiPad、Macを別途使っている人は、「設定」→「FaceTime」を表示し、「FACETIME着信用の連絡先情報」と「発信者番号」で、使いたい連絡先にチェックしておこう。

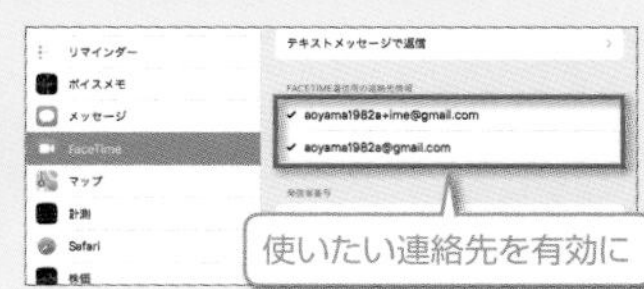

iPadの初期設定を始めよう

使い始める前にチェック

iPadの気になる疑問Q&A

iPadを使いはじめる前に、必要なものは何か、ない場合はどうなるか、まずは気になる疑問を解消しておこう。

Q1 パソコンやiTunesは必須？

A なくても問題ないが一部操作に必要

バックアップや音楽CD取り込みに使う

パソコンがあれば、「iTunes」（Macでは標準の「Finder」）を使ってiPadを管理できるが、なくてもiPadは問題なく利用できる。ただし、音楽CDを取り込んでiPadに転送したり（P075で解説）、パソコン内のデータをiPadに転送するには、iTunesやFinderでの操作が必要。また、パソコンでバックアップを作成（P111で解説）すれば、iCloudではバックアップしきれない端末内のファイルも含めて復元できるほか、「リカバリーモード」でiPadを強制的に初期化する際にも、パソコンとの接続が必要だ。

バックアップ

自動的にバックアップ

iCloud
iPad内のもっとも重要なデータをiCloudにバックアップします。

このコンピュータ
iPadの完全なバックアップはこのコンピュータに保存されます。

ローカルバックアップを暗号化
これにより、アカウントパスワード、ヘルスケアデータ、およびHomeKitデータのバックアップを作成できるようになります。

パスワードを変更...

端末内に保存された写真やビデオ、音楽ファイルなども含めたバックアップを作成する場合など、一部の操作にパソコンが必要となる

Q2 クレジットカードは必須？

A なくてもApp Storeなどを利用できる

ギフトカードやキャリア決済でもOK

Apple IDで支払情報を「なし」に設定しておけば、クレジットカードを登録しなくても、App Storeなどから無料アプリをインストールできる。クレジットカードなしで有料アプリを購入したい場合は、コンビニなどでApp Store & iTunesギフトカードを購入し、App Storeアプリの「Today」画面などを下までスクロール。「コードを使う」をタップしてiTunesカード背面の数字を入力し、金額をチャージすればよい。クレジットカードを登録済みの場合でも、iTunesカードの残高から優先して支払いが行われる。毎月の通信料と合算して支払う、キャリア決済も利用可能。

App Store & iTunesギフトカードは、コンビニなどで購入できる。「バリアブル」カードで購入すると、1,500円～50,000円の間で好きな金額を指定できる

Q3 iPadで格安SIMは使える？

A SIMロックを解除すれば使える

端末購入日から101日以上経過後に解除可能

ドコモやau、ソフトバンクで購入したセルラーモデルのiPadには、他社のSIMカードを挿入しても使えないよう「SIMロック」という制限がかけられているが、2015年5月以降に発売された機種は、すべてSIMロックを解除できる。SIMロックを解除すれば、iPadに格安SIMを挿入して利用することが可能だ。ただし購入から101日以上経過（一括払いなど条件によっては即日）しないとSIMロックを解除できない。またSIMロックの解除を店頭で行うと、3,000円の手数料がかかってしまう。オンラインでSIMロック解除の手続きを行えば無料だ。

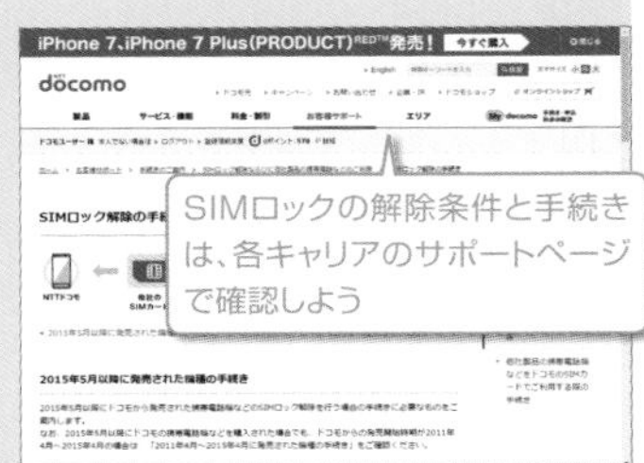

SIMロックの解除条件と手続きは、各キャリアのサポートページで確認しよう

Q4 Wi-Fiは必須？

A iPadOSアップデートなどに必須

セルラーモデルでもWi-Fiは必要

セルラーモデルのiPadならモバイルデータ通信が使えるが、Wi-Fiなしで数百MBのアプリをダウンロードするのはあまり現実的ではないし、iPadOSのアップデートにもWi-Fi接続が必須だ。また、YouTubeなどで動画を再生するとあっというまに通信量を消費してしまう。iPadを快適に使うためにも、Wi-Fi環境は用意しておこう。高速無線LAN規格の「11ax」や「11ac」に対応した製品がおすすめだ。

Wi-Fiルータは11ax対応の製品がもっとも高速だが、iPad側で11axに対応するモデルがまだ少なく、ルータの価格も高額。一つ前の11ac対応ルータでも十分高速で価格も安価。このバッファロー「WSR-1166DHP4」は、11ac対応で約5,800円と価格も手頃でおすすめだ

Q5 iPhoneで買ったアプリは使える？

A ユニバーサルアプリなら使える

iPhone専用アプリはインストール不可

購入時と同じApple IDでサインインしていれば、一度購入した有料アプリは無料で再インストールできる。購入済みのアプリは、購入ボタンが雲型のクラウドボタンに変わっているはずだ。ただしiPadにインストールできるiPhoneアプリは、iPhone／iPad両対応のユニバーサルアプリのみ。iPhone専用アプリだと、iPadのApp Storeアプリで検索しても表示されない。

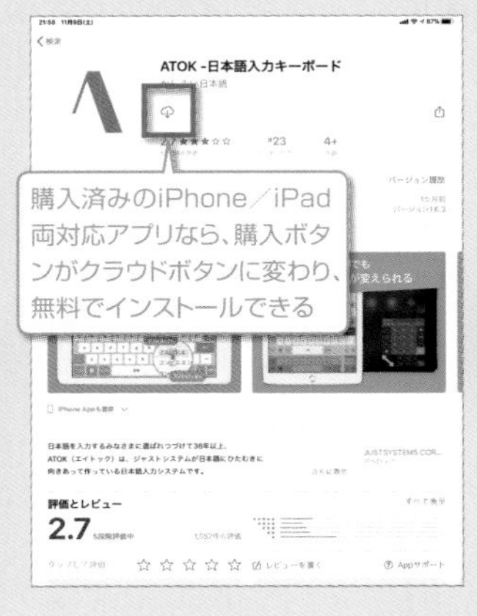

購入済みのiPhone／iPad両対応アプリなら、購入ボタンがクラウドボタンに変わり、無料でインストールできる

Section 01

iPadスタートガイド

iPadを手にしたらまずは覚えたいボタンやタッチパネルの操作、ホーム画面の仕組みやできることなど、基本中の基本を総まとめ。また、文字入力やiCloudの操作法にもしっかりボリュームを取って解説している。

01

電源や音量をコントロールしよう

iPad本体に備わるボタンの操作法

全てのiPadは、本体上部に「電源／スリープボタン」、右側面に「音量ボタン」を搭載している。また、現行ラインナップの中では、iPadとiPad miniの画面下に「ホームボタン」が備わっている。

ボタンの役割と使い方

すべてiPadには「電源／スリープボタン」と「音量ボタン」が搭載されており、iPadやIPad miniなどの機種には「ホームボタン」も備わっている。画面を点灯した後の操作は、ほぼすべてタッチパネルに指で触れて行うが、それ以前の基本操作はこれらのボタンを使用する。電源のオン／オフとスリープ／スリープ解除は、iPadを使い始めるための基本中の基本なのでしっかり覚えておこう。また、音量ボタンは、設定によって使い方が異なる点を把握しておきたい。ここでは、起動後に表示されるロック画面の操作を含めて、ボタンの操作法を解説する。

オールスクリーン(ホームボタンのない)iPadに備わるボタン

現行のiPad Proや2020年発売の最新iPad Air(第4世代)など、ホームボタン非搭載のオールスクリーンモデル

電源／スリープボタン(Touch IDセンサー)
電源のオン／オフやスリープ／スリープ解除を行うボタン。詳しくはP016で解説している。Siriの起動やスクリーンショット撮影時にも利用する。最新のiPad Air(第4世代)の電源／スリープボタンには、指紋認証を行えるTouch IDセンサーが内蔵されており、ロック解除などに利用できる。

音量ボタン
iPadで再生される音楽や動画の音量を調整するボタン。設定により、通知音や着信音の音量もコントロールできるようになる(P017で解説)。

マルチタッチディスプレイ
iPadのほとんどの操作は、画面をタッチして行う。タッチ操作の詳細は、P018~019で解説している。

USB-Cコネクタ
本体下部のコネクタ。付属のケーブルを接続し、充電やデータ転送を行う。また、USB-C対応の各種周辺機器を接続して利用可能。ホームボタン搭載iPadのLightningコネクタとは形状が異なるので注意しよう。

一番はじめに
表示される画面

ロック画面を理解する

iPadの電源をオンにした際や、スリープで消灯状態の画面を点灯した際にまず表示される「ロック画面」。パスコードやFace ID（顔認証）、Touch ID（指紋認証）でロックを設定すれば、ロックを解除しない限りこの画面より先に進んでiPadを操作することはできない。なお、ロック画面ではなく初期設定画面が表示される場合は、指示に従って設定を進めよう（P006で解説）。各種ロックの設定法方はP043で解説。

ホームボタン搭載iPadに備わるボタン

iPadやiPad mini、旧モデルのiPad AirやiPad Proなどホームボタンを搭載したモデル

電源／スリープボタン
電源のオン／オフやスリープ／スリープ解除を行うボタン。詳しくはP016で解説している。スクリーンショット撮影時にも利用する。

音量ボタン
iPadで再生される音楽や動画の音量を調整するボタン。設定により、通知音や着信音の音量もコントロールできるようになる（P017で解説）。

マルチタッチディスプレイ
iPadのほとんどの操作は、画面をタッチして行う。タッチ操作の詳細は、P018~019で解説している。

ホームボタン（Touch IDセンサー）
操作のスタート地点となる「ホーム画面」（P020で解説）をいつでも表示できるボタン。指紋認証を行えるTouch IDのセンサーが内蔵されており、ロック解除などに利用できる。

Lightningコネクタ
本体下部のコネクタ。付属のLightning - USBケーブルを接続し、充電やデータ転送を行う。オールスクリーンiPadのUSB-Cコネクタとは形状が異なるので注意しよう。

ホームボタンのないオールスクリーンiPadのスリープおよび電源操作

iPadをスリープもしくはスリープ解除する

画面が表示されている状態で電源/スリープボタンを押すと、画面が消灯しスリープ状態となる。逆に画面消灯時に押すとスリープが解除されロック画面が表示される。これでタッチパネル操作を行えるようになる。なお、ホームボタンのないiPadでは、画面をタップしてスリープ解除を行うこともできる(右の記事で解説)。

電源をオンもしくはオフにする

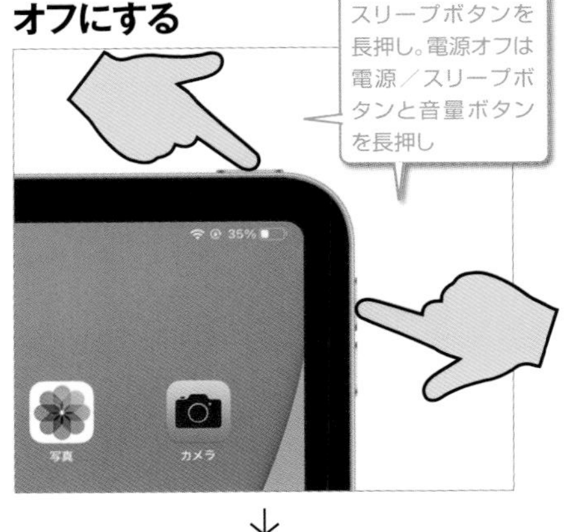

消灯時に電源/スリープボタンを押しても画面が表示されない時は、電源がオフになっている。電源/スリープボタンを2~3秒長押ししてアップルのロゴが表示されたら電源がオンになる。電源をオフにする場合は、電源/スリープボタンとどちらかの音量ボタンを同時に長押しし、表示される「スライドで電源オフ」を右へスワイプすればよい。

画面をタップしてスリープを解除する

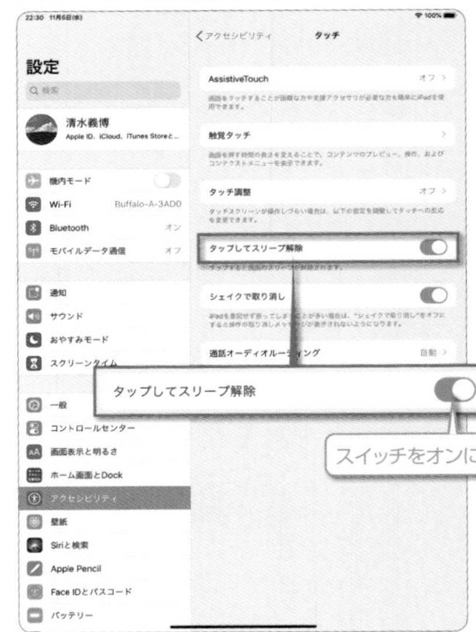

「設定」の「アクセシビリティ」→「タッチ」→「タップしてスリープ解除」のスイッチをオンにしておけば、(電源オンの状態で)消灯中の画面をタップするだけでスリープを解除できる。なお、ホームボタン搭載モデルでは、この機能は利用できない。

ホームボタン搭載iPadのスリープおよび電源操作

iPadをスリープもしくはスリープ解除する

画面表示時に電源/スリープボタンを押すと、画面が消灯してスリープ状態になる。スリープ解除は電源/スリープボタンを押してもよいが、ホームボタンを押せばそのままロック解除も行えてスムーズだ。

電源をオンもしくはオフにする

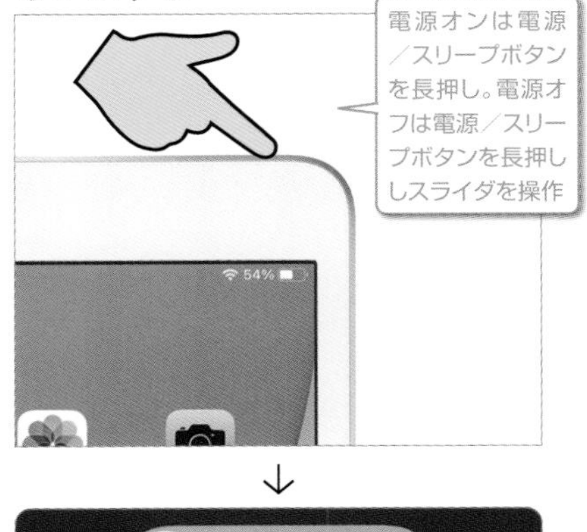

消灯時に電源/スリープボタンを押しても画面が表示されない時は、電源がオフになっている。電源/スリープボタンを2~3秒長押ししてアップルマークが表示されたら電源がオンになる。電源をオフにする場合は、電源/スリープボタンを長押しし、表示される「スライドで電源オフ」を右へスワイプすればよい。

Touch IDセンサーに指を当ててロック解除

最新のiPad Airでもチェック

「設定」の「アクセシビリティ」→「ホームボタン」(第4世代のiPad Airでは「トップボタン」)で「指を当てて開く」のスイッチをオンにしておけば、ロック画面でホームボタンを押し込まなくても、指を当てるだけでロック解除が可能になる。

音量ボタンとその他の操作方法(全モデル共通)

音量ボタンで音楽や動画の音量を調整

本体右側面の「音量ボタン」で、再生中の音楽や動画の音声ボリュームを調整できる。標準状態では、音量ボタンでメールやFace Timeの通知音、着信音のボリュームを調整することはできない。

通知音や着信音を音量を調整する

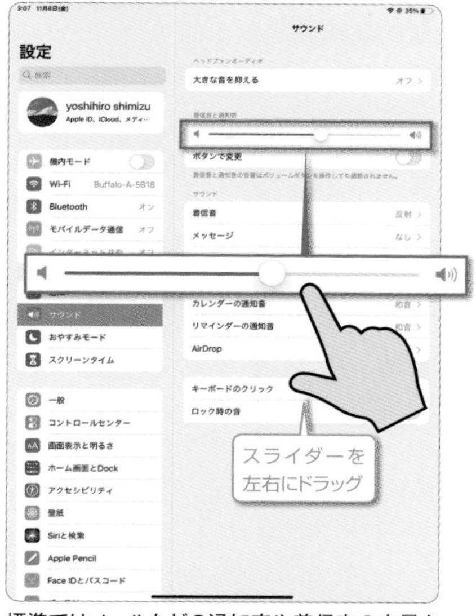

標準ではメールなどの通知音や着信音の音量を音量ボタンで調整することはできない。「設定」→「サウンド」にあるスライダーを左右にドラッグして調整しよう。

通知音や着信音の音量をボタンで操作する

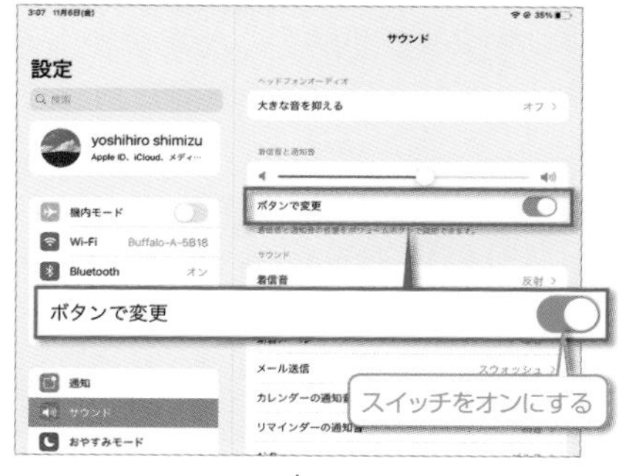

↓

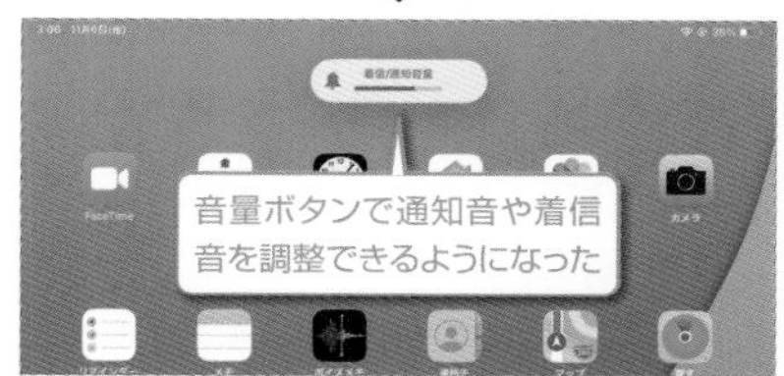

「設定」→「サウンド」にある「ボタンで変更」のスイッチをオンにすると、音量ボタンで通知音や着信音の音量を調整できるようになる。ただし、音楽などの再生中にボタンを押すと、メディアのボリューム調整が優先される。

消音モードを利用する

通知音や着信音を消音したい場合は、コントロールセンター(P024で解説)で消音モードを有効にしよう。ボタンで音量を操作できるかどうかに関わらず即座に消音になる。なお、音楽やアラームは消音されないので注意しよう。

ボタンの長押しでSiriを起動する

音声でさまざまな操作を行える「Siri」。ホームボタンのないiPadでは電源／スリープボタンを長押し、ホームボタン搭載iPadでは、ホームボタンを長押しすることで起動できる(P044で詳しく解説)。

画面の黄色味が気になる場合は

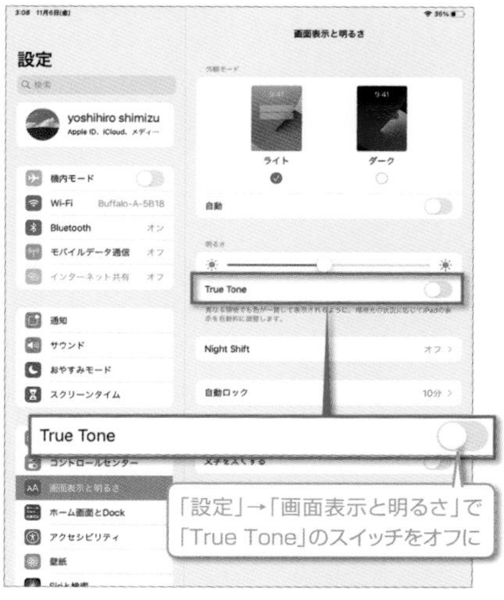

一部のiPadに搭載されるディスプレイの「True Tone」機能。周辺の環境光を感知し、画面の色や彩度を自動調整する機能だ。この機能を有効にすると、特に室内だと画面が黄色っぽい色になりがちだ。気になるなら機能をオフにしておこう。

使いこなしヒント

スリープと電源オフの違いを理解する

電源をオフにすると通信もオフになりバックグラウンドの動作もなくなる。バッテリーの消費はほとんどなくなるが、メールやメッセージの受信、FaceTimeの着信をはじめとする全ての機能が無効となる。一方スリープは、画面を消灯しただけの状態で、メールやメッセージの受信をはじめとする通信機能や音楽の再生など、多くのアプリのバックグラウンドでの動作は継続される。電源オフとは異なり、すぐに操作を再開できるので、特別な理由がない限り、通常はiPadを使わない時もスリープにしておこう。

ほとんどの操作は画面タッチで行う

タッチパネルの操作方法をしっかり覚えよう

前ページで解説した電源や音量、ホームボタン以外のすべての操作は、タッチパネルに指で触れて行う。単純に画面にタッチするだけではなく、画面をなぞったり2本指を使用することで、さまざまな操作を行うことが可能だ。

iPadを操るための7つの必須操作法

アプリの起動や文字の入力、設定のオン／オフなど、iPadのほとんどの操作はタッチパネルで行うことになる。最もよく使う、画面を指先で1度タッチする操作を「タップ」と呼び、タッチした状態で画面をなぞる「スワイプ」、画面をタッチした2本指を開いたり閉じたりする「ピンチイン／ピンチアウト」など、ここで紹介する7つの基本動作を覚えておけば、どんなアプリでも操作することができる。iPhoneやスマートフォンを使っているユーザーなら、まったく同じ動作でタッチパネルを操作できるので、迷うことはないだろう。また、本書では、ここで紹介する「タップ」や「スワイプ」といった操作名を使って手順を解説しているので、しっかり覚えておこう。

タッチ操作 1

タップ
トンッと軽くタッチ

画面を1本指で軽くタッチする操作。ホーム画面でアプリを起動したり、画面上のボタンやメニューの選択、キーボードでの文字入力などを行う基本中の基本となる操作。

タッチ操作 2

ロングタップ
1〜2秒タッチし続ける

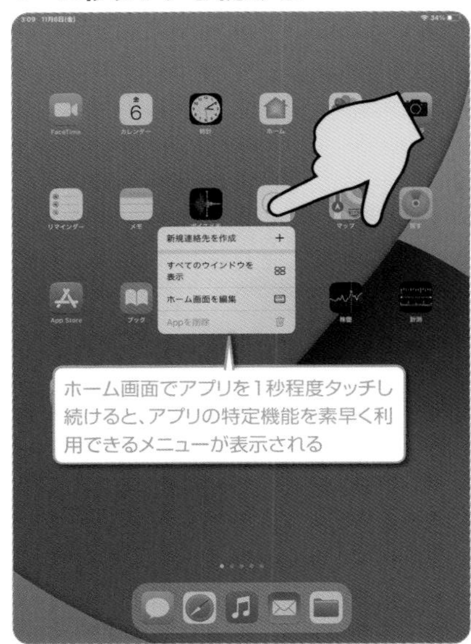

画面を一定時間（1〜2秒間）タッチしたままにする操作。ホーム画面でアプリをロングタップしてメニューを表示させたり、メールなどの文章をロングタップして、文字を選択することができる。

タッチ操作 3

ダブルタップ
軽く2回タッチする

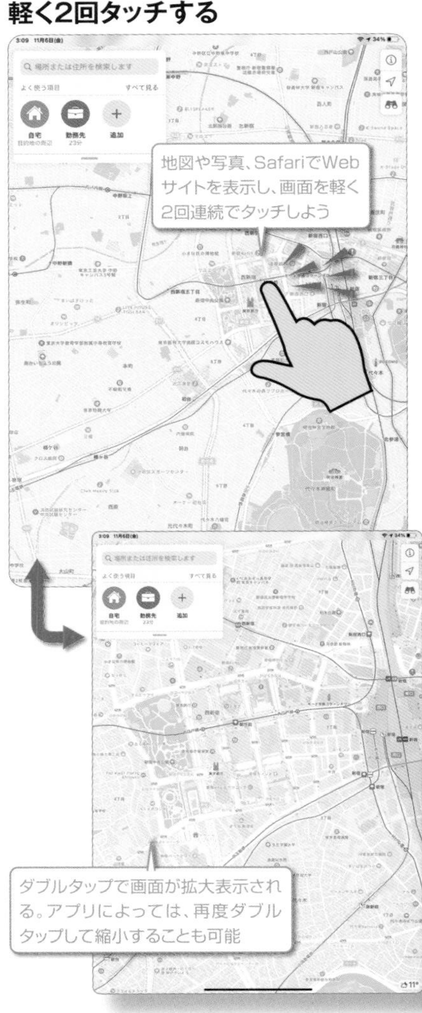

タップを2回連続して行う操作。「トントンッ」と素早く行わないと、通常の「タップ」と認識されることがある。主に画面の拡大 や縮小表示に利用する以外は、あまり使わない操作だ。

タッチ操作 4

スワイプ
画面を指でなぞる

画面のさまざまな方向へ指を「すべらせる」操作。ホーム画面を左右にスワイプしてページを切り替えたり、マップの表示エリアを移動する際など、さまざまなアプリで頻繁に使用する操作法だ。

タッチ操作 5

フリック
タッチしてはじく

画面をタッチしてそのまま「はじく」操作で。「スワイプ」とは異なり、はじく強さの加減よって、勢いを付けた画面操作が可能。ゲームの操作でも頻繁に使用する操作法だ。

タッチ操作 6

ドラッグ
押さえたまま動かす

画面上のアイコンなどを押さえたまま、指を離さず動かす操作。例えばホーム画面でアプリをロングタップし、そのまま動かせば、位置を変更できる。文章を選択する際にも使用する。

タッチ操作 7

ピンチアウト/ピンチイン
2本指を広げる/狭める

画面を2本の指(基本的には人差し指と親指)でタッチし、指の間を広げたり(ピンチアウト)狭めたり(ピンチイン)する操作法。主に画面表示を拡大/縮小する際に使用する。

まれに使用する特殊な操作 1

2本指で回転
画面をひねるように操作

マップなどの画面を2本指でタッチし、そのままひねって回転させると、表示を好きな角度に回転させることができる。ノートやスケッチアプリでも使える場合があるので、試してみよう。

まれに使用する特殊な操作 2

2本指でスワイプ
2本指で画面をなぞる

マップを2本指でタッチし、そのまま上へ動かしてみよう。地図の表示角度が変わり、建物が立体的に見えるはずだ。このように、アプリによっては2本指のスワイプが使える場合がある。

使いこなしヒント

3本指以上を使った操作法も

iPadは、3~5本指を使った操作も行える。4~5本指でアプリ画面をピンチインするか上へスワイプすると、ホーム画面に戻ることができる。ピンチインやスワイプを途中で止めると、Appスイッチャーを表示。また、4~5本指で左にスワイプすると、ひとつ前に使ったアプリに切り替えられる。4~5本指のジェスチャは、「設定」→「ホーム画面とDock」→「マルチタスク」→「ジェスチャ」がオンになっていないと利用できない。なお、3本指による文字入力操作をP040で解説しているのでご確認いただきたい。

操作の出発点となる基本画面を理解する

ホーム画面の仕組みとさまざまな操作方法

iPadの電源を入れ、画面ロックを解除するとまず表示されるのが「ホーム画面」だ。ホーム画面には、インストールされているアプリのアイコンが並んでいる。すべての操作のスタート地点となるホーム画面の仕組みと操作法をマスターしよう。

ホーム画面の構成とアプリの起動方法

ひとつのホーム画面には、横6列×縦5段で最大30個(後述のDockを除く)のアプリやフォルダを配置できる。また、ホーム画面は、左右にスワイプすることで複数のページを切り替えて利用する。アプリが増えてきた際は、よく使うアプリを1ページ目に配置しておくと使いやすい。ページを切り替えても画面下に固定して表示される「Dock(ドック)」には、最大13のアプリやフォルダを配置可能だ。標準では、メールやメッセージ、Safariなど5つのアプリがセットされている。画面上部の現在時刻やバッテリー残量が表示されているエリアを「ステータスバー」と呼び、Wi-FiやBluetoothなど現在有効な機能やモバイルデータ通信の電波状況がアイコンで表示される。

ホーム画面の基本構成

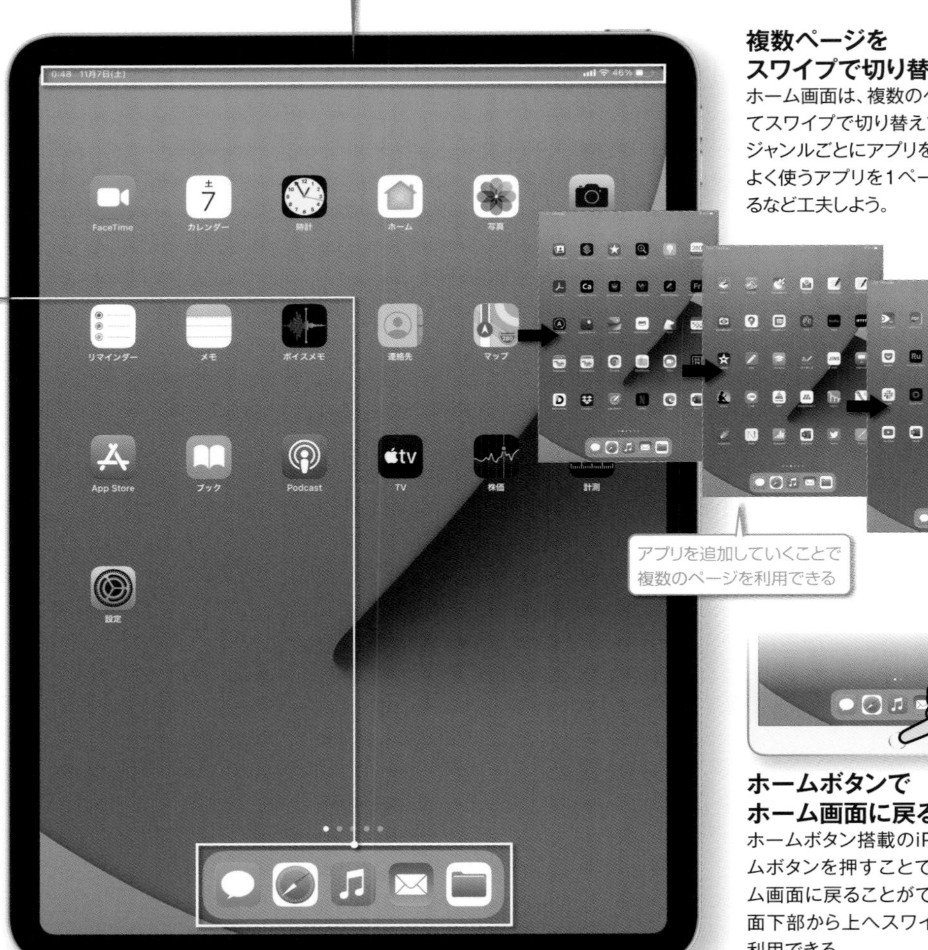

ステータスバーでさまざまな情報を確認
現在時刻などが表示されている、画面上部の細長いエリアを「ステータスバー」と呼ぶ。電波状況や電池残量などの基本情報に加え、位置情報やタイマーなどの利用状況がアイコンとして表示される。

最も良く使うアプリをDockに配置
画面下にある「Dock(ドック)」は、ホーム画面をスワイプしてページを切り替えても固定されて表示される。また、アプリ使用中に呼び出すことも可能だ。フォルダも配置できる。

画面下部から上へスワイプしてホーム画面に戻る
ホームボタンのないiPadでは、画面下部から上へスワイプすることで、いつでもどんなアプリを起動していてもホーム画面に戻ることができる。また、ホーム画面のページを切り替えている際も、この操作で1ページ目に戻れる。

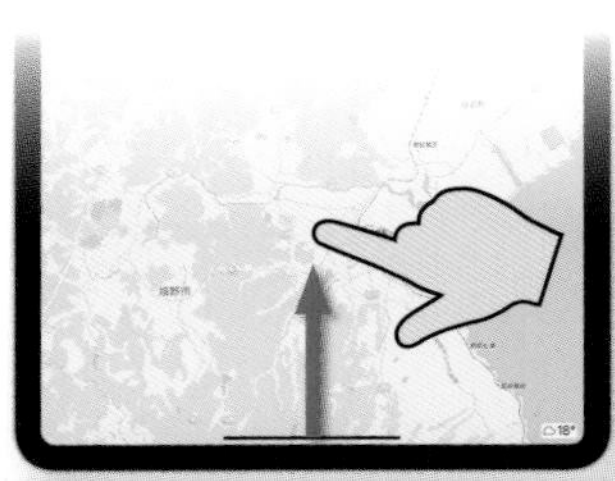

複数ページをスワイプで切り替え
ホーム画面は、複数のページを作成してスワイプで切り替えて利用できる。ジャンルごとにアプリを割り振ったり、よく使うアプリを1ページ目に配置するなど工夫しよう。

ホームボタンでホーム画面に戻る
ホームボタン搭載のiPadでは、ホームボタンを押すことでいつでもホーム画面に戻ることができる。また、画面下部から上へスワイプする方法も利用できる。

ホーム画面の各種操作法

1 ホーム画面のアプリをタップして起動する

ホーム画面にあるアプリをタップすると、即座に起動して利用できる。あらかじめインストールされているApple製の標準アプリから使ってみよう。Webサイトを見る場合は、Dockにある「Safari」をタップ。

2 アプリが起動し機能を利用できる

アプリが起動してさまざまな機能を利用できる。アプリの終了は、画面下部から上へスワイプする。ホームボタン搭載モデルの場合は、ホームボタンを押してもよい。

3 終了させたアプリを再度起動する

多くのアプリは、終了させた後、再度タップして起動すると、終了した時点の画面から操作を再開できる。見ていたWebサイトを再度開いたり、書きかけのメモの続きを入力するといったことがすぐに行える。

4 アプリ使用中にDockを利用する

↓

ホーム画面に常時表示されるDockは、画面下部から上へスワイプすることでアプリ使用中でも呼び出せる。スワイプしすぎるとホーム画面に戻ったり、Appスイッチャー(P023で解説)が表示されるので要注意。

5 直前に使用したアプリがDockに表示される

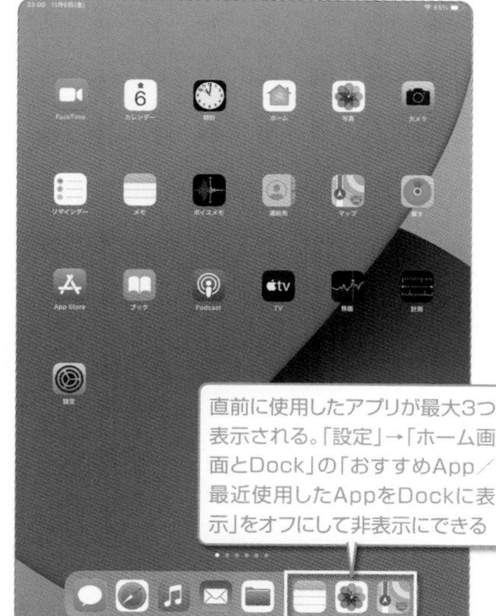

Dockの右端には、「オススメのApp／最近使用したApp」として、直前に使用したアプリが最大3つ表示され、再度使用しやすくなっている。「設定」で非表示にすることも可能。

6 ステータスアイコンの意味を覚えよう

ステータスバーに表示される、主なアイコンの意味を覚えておこう

使いこなしヒント

横画面でも利用できる

iPadにはセンサーが内蔵されており、本体を横向きにすると画面も自動で横向きに回転する。ホーム画面はもちろん、ほとんどのアプリも横向き表示に対応している。なお、画面を回転させるには、コントロールセンター(P024で解説)で「画面の向きのロック」がオフになっている必要がある。

7 ホーム画面を編集する

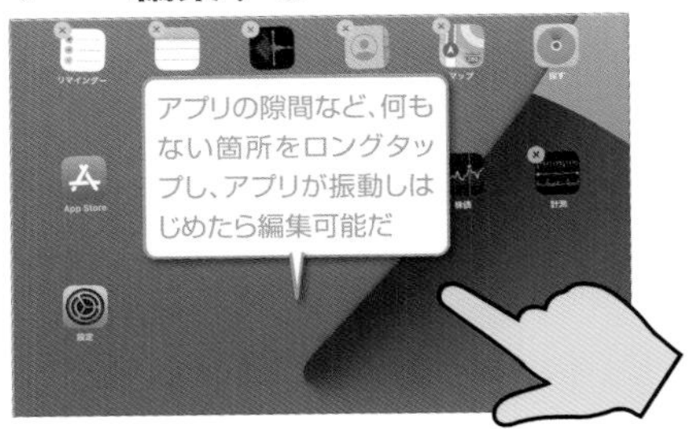

アプリの並べ替えや削除を行うには、ホーム画面の何もない箇所をロングタップして編集モードにする。アプリをロングタップして、メニューの「ホーム画面を編集」をタップしてもよい。

8 アプリの配置を並べ替える

ホーム画面が編集できる状態になったら、動かしたいアプリをドラッグして好きな位置に移動させよう。Dockへドラッグして追加することも可能だ。最も頻繁に使うアプリをDockにセットしておこう。

9 複数のアプリをまとめて移動させる

ホーム画面を編集可能な状態にし、移動させたいアプリを少しドラッグする。指を離さないまま別の指で他のアプリをタップするとアプリがひとつに集まり、まとめて移動させることが可能だ。

10 アプリを別のページへ移動させる

アプリの位置を変更させる際、ドラッグして画面の端へ持って行くと、左右のページへ移動させることができる。また、一番右のページで右端へ持って行くと、ページ自体を新たに追加可能だ。

11 フォルダを作成してアプリを整理する

アプリの移動時にドラッグして他のアプリへ重ねると、フォルダが作成され複数のアプリを格納できる。ジャンル別のフォルダを作るなど、わかりやすくホーム画面を整理しよう。

12 作成したフォルダを利用する方法

作成したフォルダをタップすると、格納されたアプリが1画面最大16個表示される。それ以上のアプリは、ホーム画面同様ページを追加して格納可能だ。また、フォルダ名もロングタップして変更できる。

使いこなしヒント

ホーム画面のレイアウトを元の状態に戻す

アプリの配置を最初の標準状態に戻したい時は、「設定」→「一般」→「リセット」→「ホーム画面のレイアウトをリセット」をタップしよう。なお、後からインストールしたアプリは、2ページ目以降に、アルファベット順、続いて五十音順で配置される。

ホーム画面のレイアウトをリセット

13 アプリをアンインストール（削除）する方法

アンインストール（削除）したいアプリをロングタップし、表示されたメニューで「Appを削除」をタップ。続けて「削除」をタップすればアンインストールが完了する。

14 削除したアプリを再インストールする

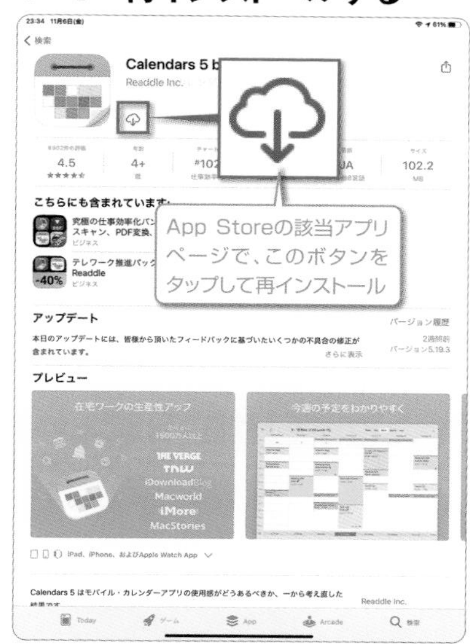

削除したアプリはApp Store（P064で詳しく解説）で再インストールできる。一度購入した有料アプリも、無料で再インストール可能だ。標準アプリもApp Storeでキーワード検索し、再インストールしよう。

15 Appスイッチャーでアプリを切り替える

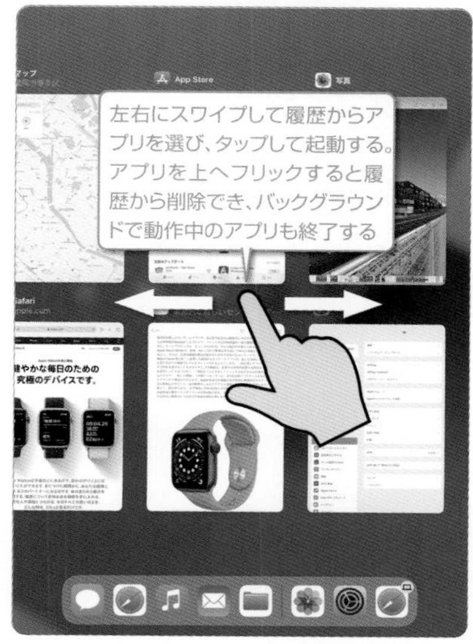

画面下から上方向へゆっくりスワイプすると「Appスイッチャー」が表示される。最近使ったアプリの履歴が一覧表示され、タップして素早く再起動することが可能。ホームボタンを2回連続で素早く押すことでも表示できる。

16 アプリを素早く切り替える方法

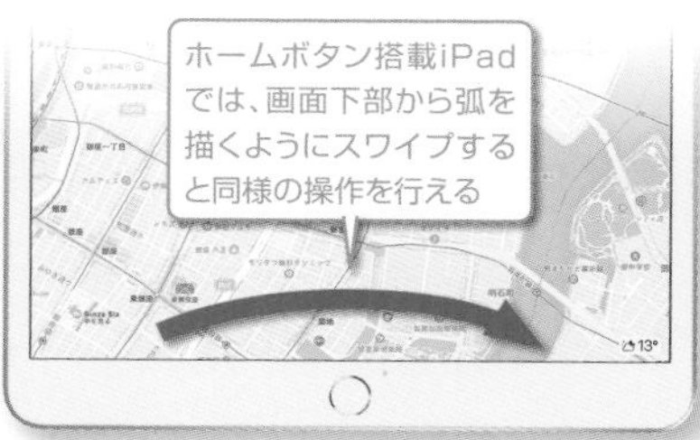

ホームボタンのないiPadでは、画面下部を右へスワイプするとひとつ前に使ったアプリを素早く表示できる。さらに右へスワイプして、過去に使ったアプリを順に表示可能。また、すぐに左へスワイプすれば元のアプリに戻ることもできる。

17 バックグラウンドで動作するアプリもある

「ミュージック」など一部のアプリは、ホーム画面に戻っても、終了することなくそのまま動作し続ける。停止ボタンをタップするかAppスイッチャーで終了させなければ、音楽を再生し続けるので注意しよう。

18 クイックアクションメニューを利用する

ホーム画面にあるアプリをロングタップすると、クイックアクションメニューが表示される。前述のホーム画面の編集やアプリの削除をはじめ、各アプリ固有の機能も素早く呼び出せる。

使いこなしヒント

複数のアプリを削除したい時は

複数のアプリを削除したい場合は、アプリをロングタップして表示されるメニューで「ホーム画面を編集」をタップ。編集可能な状態になったら、削除したいアプリアイコン左上の「×」をタップしていこう。

画面端から引き出すパネル型ツール

ウィジェット、通知センター コントロールセンターの使用方法

アプリに付随する各種ツールを表示できる「ウィジェット」、アプリからの通知を一覧表示できる「通知センター」、Wi-Fiの接続／切断や各種機能のオン／オフを素早く行える「コントロールセンター」。3つのパネル型ツールを解説。

各ツールの表示方法

1
左端から右へスワイプ
ウィジェット

ホーム画面の1ページ目で画面左端から右方向へスワイプすると、「ウィジェット」画面が表示される。各ウィジェットをタップすると、該当アプリが起動し、左へスワイプするかホームボタンを押すと、ホーム画面へ戻る。

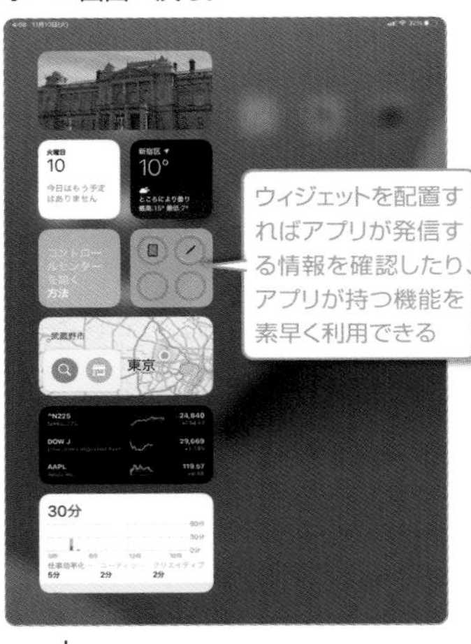

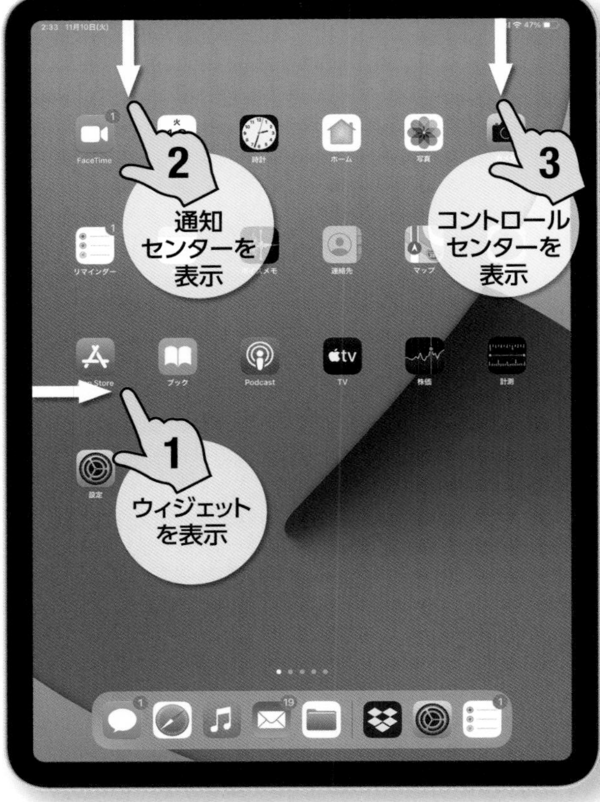

2
画面左上から下へスワイプ
通知センター

ホーム画面やアプリ使用中に画面左上から下へスワイプすると、各種アプリの通知が日にちごとにリスト表示される。各通知はタップやスワイプで操作可能だ。画面下部から上へスワイプすると、元の画面に戻る。

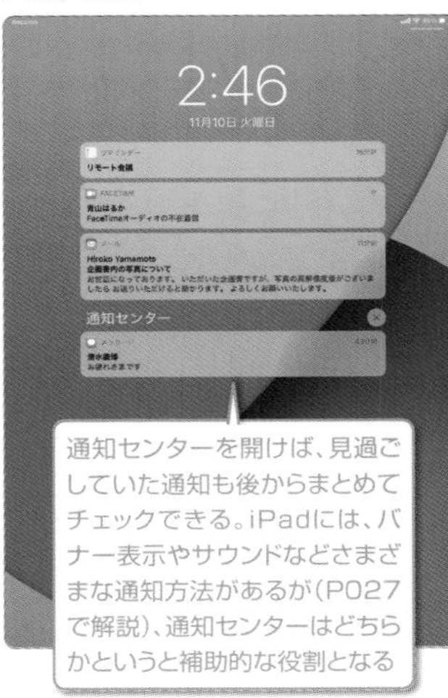

横画面でウィジェットを利用する

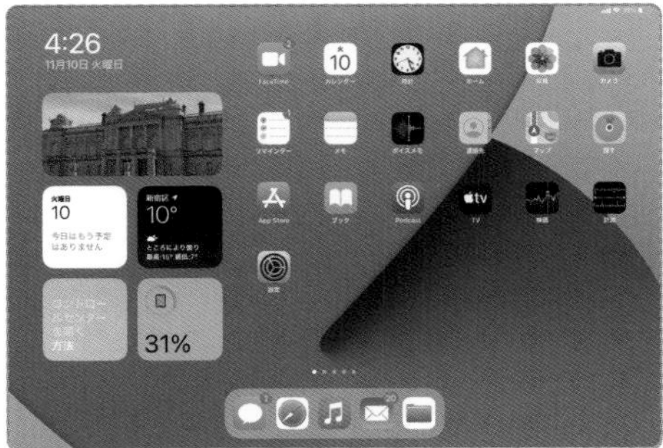

横画面でウィジェットを引き出すと、このようにホーム画面の一部としてレイアウトされる。横画面の編集モード(P025で解説)で「ホーム画面に固定」のスイッチをオンにすると、この状態で固定される。

3
画面右上から下へスワイプ
コントロールセンター

ホーム画面やアプリ使用中に、画面右上から下へスワイプして表示。各コントロールの中にはロングタップすることでさらにオプション機能を利用できるものもある(P025で解説)。画面を上へスワイプすると元の画面に戻る。

❶左上から時計回りに機内モード、モバイルデータ通信、Bluetooth、Wi-Fi
❷ミュージックコントロール
❸左から画面の向きのロック、おやすみモード
❹画面ミラーリング
❺左から画面の明るさ調節、音量調節
❻左上から右へ消音、フラッシュライト、メモ、カメラ、QRコードをスキャン

各ツールの操作方法

1 ウィジェットを追加、削除する

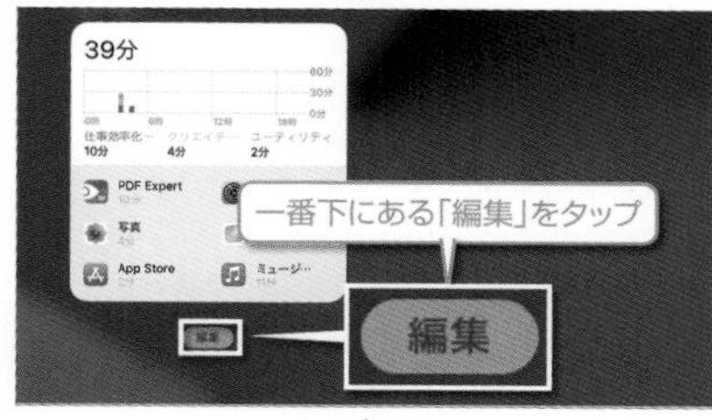

ウィジェットを表示し、スワイプして一番下にある「編集」をタップ。左上の「+」でウィジェットを追加でき、各ウィジェットの「−」をタップすれば削除できる。ウィジェットは削除しても、いつでも再追加可能だ。

2 アプリに備わるウィジェットを選択

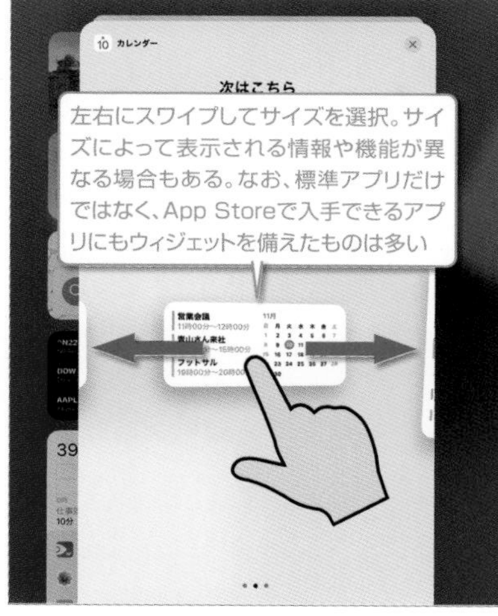

「+」をタップすると、追加できるウィジェット一覧が表示される。ウィジェットやアプリ名をタップし、続けて左右にスワイプしてウィジェットのサイズを選択。最後に「ウィジェットを追加」をタップしよう。

3 ウィジェットの位置を変更する

ウィジェットが追加されたら、好きな位置に変更しよう。ウィジェットをロングタップし、続けてドラッグすれば動かすことができる。頻繁にチェックしたいウィジェットを上の方へ配置しよう。

4 iPadOS 14非対応のウィジェットを配置する

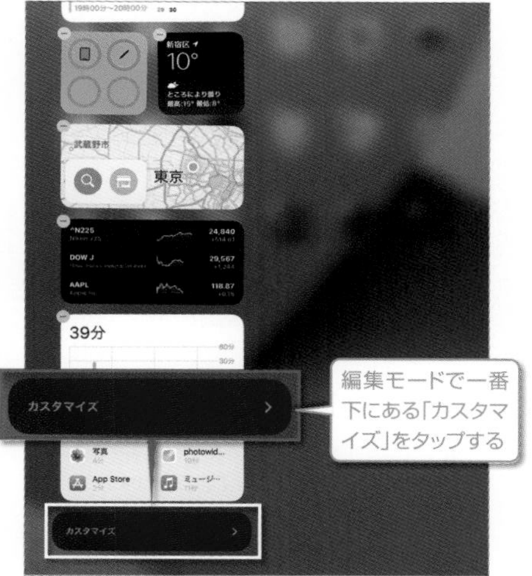

最新のiPadOS 14に対応していない旧仕様のウィジェットは、「編集」をタップした後、「+」ではなく一番下にある「カスタマイズ」から追加する。なお、旧仕様のウィジェットは好きな位置に配置できず、画面最下部にまとめて表示される。

5 スマートスタックで複数のウィジェットをまとめる

「スマートスタック」は複数のウィジェットをフォルダのようにまとめられる機能。編集モードでウィジェットを重ねるとスタックすることができる。なお、スタックできるのは同じサイズのウィジェットだけだ。

6 スマートスタックの内容を編集する

スタック内の並び順などを変更したい場合は、スマートスタックをロングタップし、表示されるメニューで「スタックを編集」を選択。ウィジェット名右の三本線部分をドラッグして並べ替える。また、左にスワイプして各ウィジェットを削除することもできる。

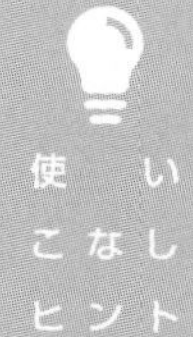

使いこなしヒント

写真アプリのウィジェットについて

「写真」アプリのウィジェットでは、さまざまなサイズで写真を表示できるが、表示されるのは写真アプリの「For You」で自動的に選択された写真のみ。好みの写真を表示させたい場合は、App Storeから「Photo Widget」などのアプリを入手しよう。

各ツールの操作方法

7 ウィジェットをピン固定する

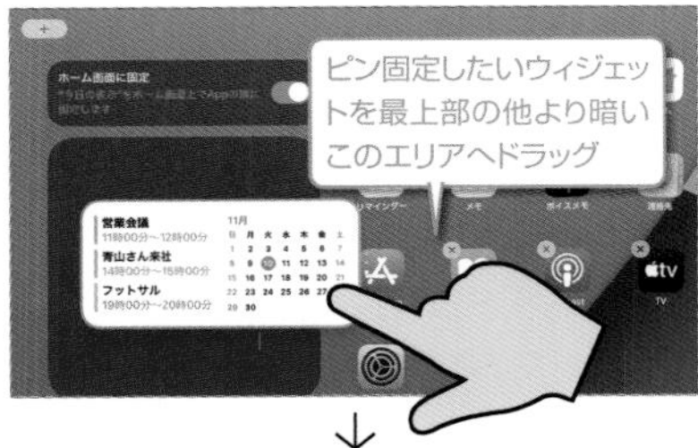

横画面で「ホーム画面に固定」(P024で解説)がオンだと、ウィジェットのピン固定を利用できる。お気に入りのウィジェットを上部のピン固定エリアにドラッグしよう。

8 ウィジェットの機能を設定する

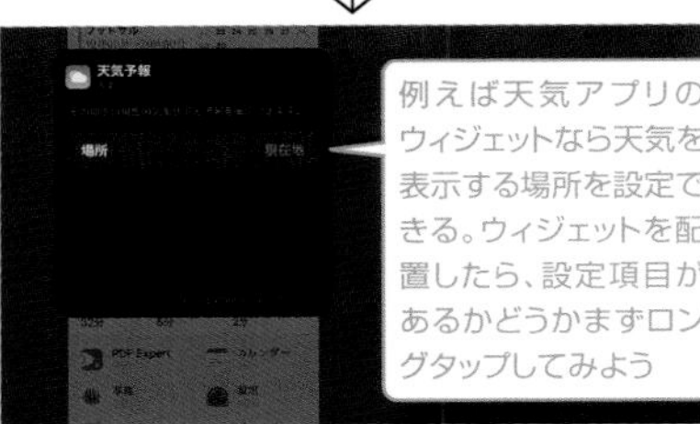

ウィジェットによっては、配置後に設定が必要なものや表示項目などを変更できるものがある。ウィジェットをロングタップして、表示されるメニューで「ウィジェットを編集」をタップしよう。

9 通知センターの通知を操作する

通知センターの通知をタップするか右へスワイプすることで、該当アプリを起動できる。また、通知をロングタップするか左へスワイプして「表示」をタップすると、通知センター内で詳細な内容を確認し、各種操作を行える。

10 受け取った通知から通知設定を変更する

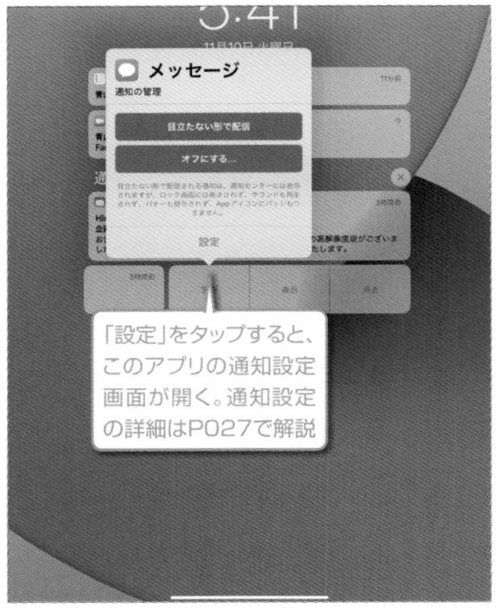

通知センターの通知から、各アプリの通知設定を変更することもできる。まず、通知を左へスワイプし「管理」をタップ。通知が不要なものは「オフにする」を選択しよう。「目立たない形で配信」を選ぶと、バナーやロック画面での通知、サウンド、バッジがオフになり、通知センターのみに通知されるようになる。

11 コントロールセンターをロングタップする

コントロールセンターに備わる各コントロールの中には、ロングタップしてさらなる機能を利用できるものもある。例えば、画面の明るさ調整スライダをロングタップすると、ダークモード、Night Shift、True Toneをオン/オフできるボタンが表示される。

12 コントロールセンターをカスタマイズする

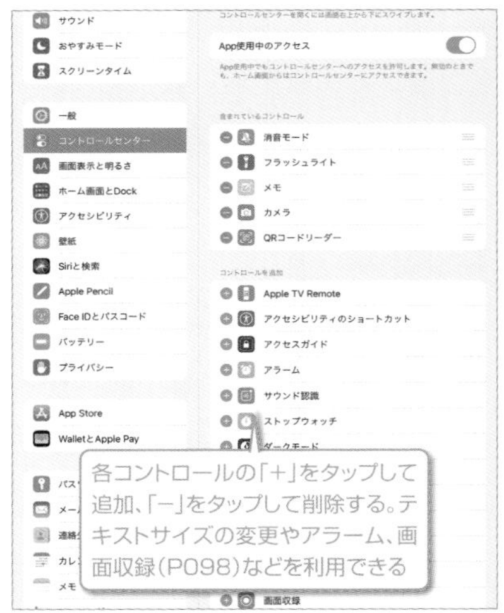

「設定」→「コントロールセンター」で、コントロールセンターに新たなコントロール(機能)を追加することができる。また、フラッシュライトやメモ、カメラなどのボタンは削除することも可能。

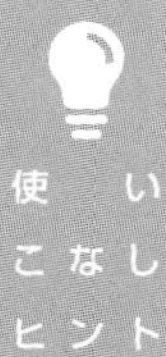

使いこなしヒント

各ツールのロック画面での利用方法

ウィジェット、通知センター、コントロールセンターは、ロック画面でも利用可能だ。ホーム画面同様に画面端からスワイプすることで表示できる。ただし、通知センターで過去の通知を一覧するには、ホーム画面の操作とは異なり画面を上へスワイプする必要がある。

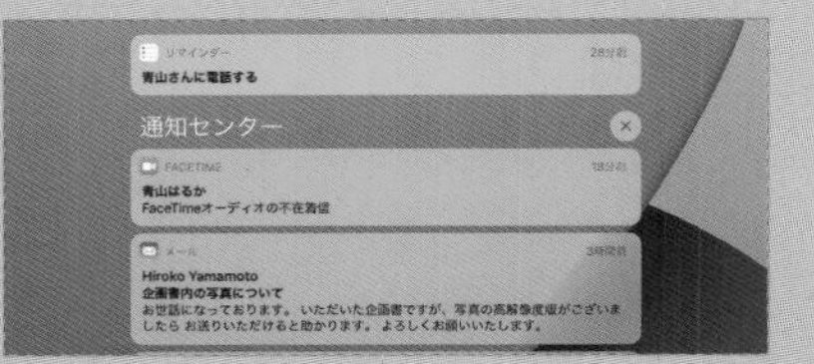

さままなアプリの新着情報を知らせてくれる便利な機能

さまざまな通知の方法を理解し適切に設定する

メールやメッセージの受信をはじめ、カレンダーやSNSなどさまざまなアプリの新着情報を知らせてくれる通知機能。通知の方法も音や画面表示など多岐にわたるので、あらかじめ適切に設定しておこう。

まずは不要な通知をオフにしよう

通知機能はなくてはならない便利な機能だが、きちんと設定しておかないと頻繁に鳴るサウンドや不要なバナー表示にわずらわされることも多い。そこで、あらかじめ通知設定をしっかり見直すことが肝心だ。まずは、通知そのものが不要なアプリを洗い出し、設定を無効にしよう。さらに、バナーやサウンド、バッジなどの通知方法を重要度によって限定したり、人に見られたくないものはロック画面に表示させせないなど細かく設定しておきたい。通知があることがわかればよいだけならバッジだけ有効にしたり、無効にはせず通知センターだけに表示するなど、柔軟に設定していこう。なお、すべての通知設定は、「設定」→「通知」でアプリを選んで行う。

各通知項目を設定していく

通知設定を確認する

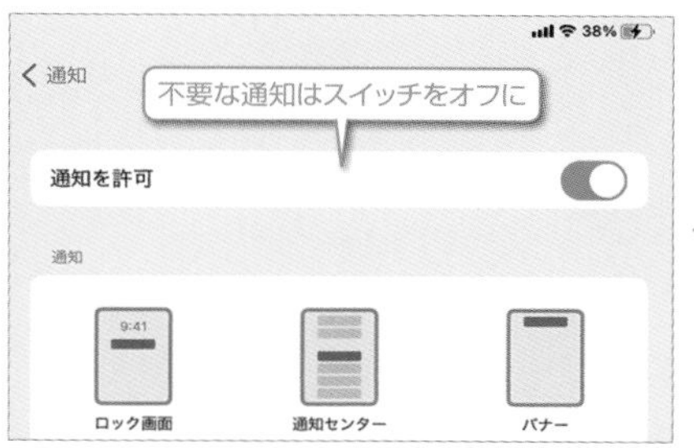

通知の設定は、「設定」→「通知」でアプリを選んで変更する。まずは、不要な通知を無効にすることからはじめよう。「設定」→「通知」でアプリを選び、「通知を許可」をオフにすれば、通知そのものを無効にできる。判断できないものはオンにしておき、届いた通知を確認した後に設定を見直そう。

1 通知の表示場所やスタイルを選択

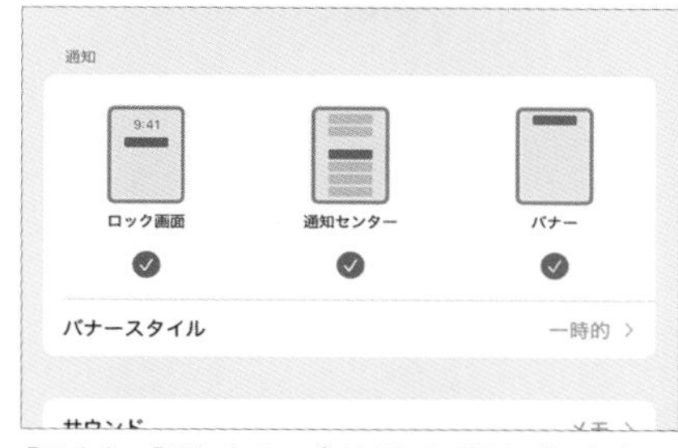

「設定」→「通知」でアプリを選び、「通知」欄を確認。まず、「ロック画面」や「通知センター」に表示するかどうかを指定。また、重要な通知は「バナー」表示を有効にしておこう。特に重要なものは、「バナースタイル」を「持続的」にしておけば、なんらかの操作を行わない限りバナーが表示され続けるので、通知を見落とすこともなくなる。

2 サウンドでの通知を設定する

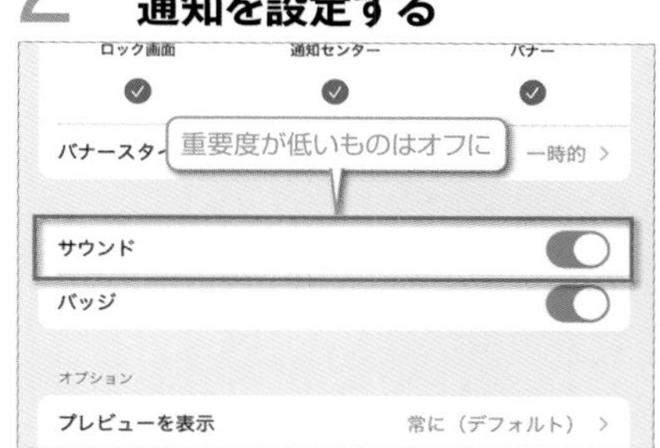

すぐに気付いて対処する必要がないなら、「サウンド」はオフに。メールやメッセージの場合、サウンド設定画面で「なし」を選択すればよい。また、メールやメッセージ、FaceTimeの着信／通知音の種類も選択できる。

使いこなしヒント

通知に関するその他の設定ポイント

通知設定にある「グループ化」は、通知センターやロック画面での通知をアプリごとにまとめるかどうかの設定だ。また、メールアプリは、設定しているアドレスごとに通知を設定できるので、仕事用アドレスだけサウンドを有効にするなど、重要度に応じて通知方法を変更しておこう。

3 アプリアイコンに表示されるバッジの設定

アプリアイコンの右上に赤い丸で表示される通知を「バッジ」と呼ぶ。メールの未読件数などが数字で表示される便利な機能だ。確認の優先度が低くて数字が増えていく一方のアプリは、設定で「バッジ」のスイッチをオフにしておこう。

4 通知に内容のプレビューを表示

メールやメッセージの通知で、バナーや通知センター、ロック画面に内容の一部を表示したくない場合は、「プレビューを表示」を「しない」か「ロックされていないときのみ」に変更しよう。

同じアプリを2画面で表示することも可能

2つのアプリを同時に利用できるマルチタスク機能の使い方

iPhoneにはないiPadならではのマルチタスク機能。画面を2分割して2つのアプリを同時に利用できる「Split View」と、画面上の小型ウィンドウでもうひとつアプリを起動する「Slide Over」の2種類を利用できる。

仕事や勉強で大活躍する便利機能

画面を分割して2つのアプリを同時起動する「Split View」と、画面上に小型のウィンドウを重ねて表示して別のアプリを利用できる「Slide Over」は、iPadならではの特徴的なマルチタスク機能だ。SafariでWebサイトを参照しながら書類を作成したり、画面の端からフリックでウィンドウを呼び出してメッセージを確認したりといったことが可能だ。さらに、対応していれば同じアプリを2画面で開くこともできるので、仕事や勉強を能率化するさまざまな活用法が考えられる。なお、これらの機能を使うには、「設定」→「ホーム画面とDock」→「マルチタスク」で、「複数のAppを許可」のスイッチがオンになっていなければならない。

マルチタスク機能を使い始める方法

画面を分割して2つのアプリを利用 Split View

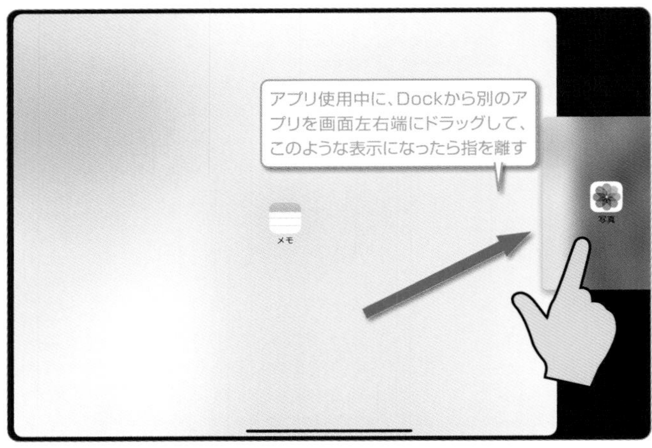

↓

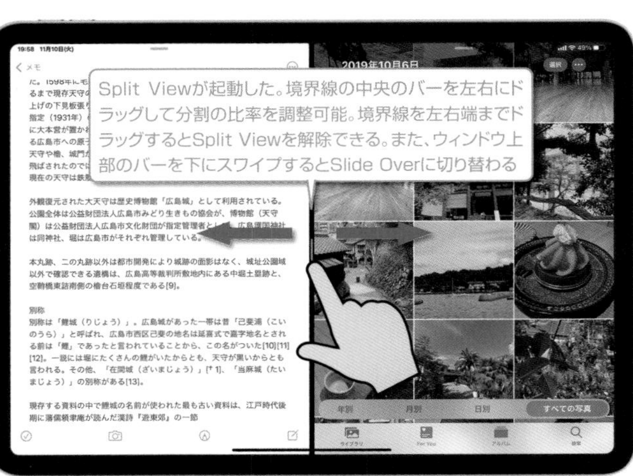

アプリ使用中にDockを表示（画面下部から少しだけ上へスワイプ）し、同時に開きたいアプリを少しロングタップして画面内へドラッグする。ロングタップしすぎるとメニューが表示されるので注意しよう。

アプリの上に別ウィンドを表示 Slide Over

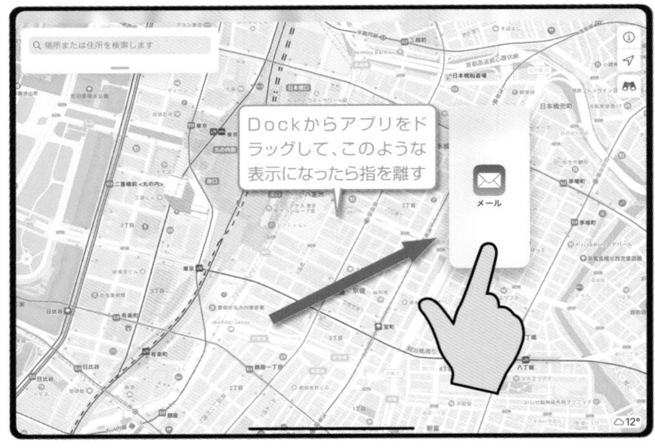

↓

アプリ使用中にDockを表示（画面下部から少しだけ上へスワイプ）し、小型ウィンドウで開きたいアプリを少しロングタップして画面内へドラッグ。ロングタップしすぎるとメニューが表示されるので注意しよう。

マルチタスク機能のさまざまな操作方法

1 同じアプリをマルチタスクで利用

iPadのマルチタスク機能は、2画面で同じアプリを開くこともできる。Split ViewとSlide Overどちらでも利用可能だ。ただし、マルチタスク自体には対応していても、同時に2画面で開けないアプリもあるので注意が必要だ。

2 Slide Overでウィンドウを出し入れする

Slide Overでは、ウィンドウが邪魔になったら画面の外に出しておき、必要になったら再度引き出すといった使い方が可能。ウィンドウ上部のバーを画面右端でフリックして出し入れすることができる。なお、左端で出し入れすることはできない。

3 Slide Overのアプリをスワイプで切り替える

Slide Overのウィンドウで開いたアプリは、すべて履歴が残っており、ウィンドウ下のバーを左右にスワイプすることでアプリを切り替えることができる。また、同じバーを上へスワイプすると、ウィンドウのAppスイッチャーを利用できる。

4 Split Viewの上にSlide Overを表示する

Split Viewを使用中にDockからアプリをドラッグすれば、さらにSlide Overのウィンドウを表示させることも可能だ。これで3つのアプリを同時に表示することができる。対応していれば、同じアプリを3画面表示することもできる。

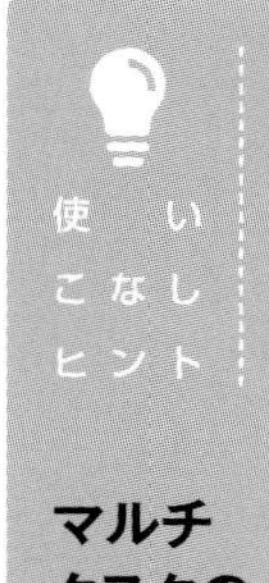

マルチタスクの活用例

文章やデータをドラッグ&ドロップ

マルチタスクの画面間では、テキストや写真、ファイルなどをドラッグ&ドロップでコピーできる。

作業しながら動画を再生

ピクチャインピクチャ（P046で解説）に対応していないYouTubeなども、他のアプリで作業しながら動画を再生できる。

リンクやファイルを別ウィンドウで開く

Safariのリンク先やファイルアプリ内のファイルを画面端へドラッグしてSplit ViewやSlide Overで表示することもできる。

iPadの大切なデータを保存しておける

iCloudでさまざまなデータを同期&バックアップする

「iCloud(アイクラウド)」とは、Appleが提供する無料のクラウドサービスだ。iPad内のデータが自動でバックアップされ、いざという時に元通り復元できるので、機能を有効にしておこう。

iPadのデータを守る重要なサービス

Apple IDを作成すると、Appleのクラウドサービス「iCloud」を、無料で5GBまで利用できる。iCloudの役割は大きく2つ。標準アプリなどの「同期」と、「iCloudバックアップ」の作成だ。設定でApple IDを開いて「iCloud」をタップすると、「写真」「メール」などのアプリが一覧表示される。これらのスイッチをオンにしておくと、アプリのデータがiCloudと同期する。つまり、iPadで撮影した写真や送受信したメッセージが、自動的にiCloudにも保存されるようになり、実質的なバックアップとして機能するのだ。iCloudに同期された写真やメールは、同じApple IDでサインインした他のiPhoneやMacからも利用できる。また、本体の設定や同期できないその他のアプリのデータは、「iCloudバックアップ」機能によって定期的にバックアップできる。iPadを初期化したり機種変更した時は、作成したiCloudバックアップから復元すれば本体の設定やその他のアプリが元に戻り、同じApple IDでサインインして同期を有効にするだけで標準アプリなどのデータも元通りになる。

iCloudの役割を理解しよう

iCloudの設定画面

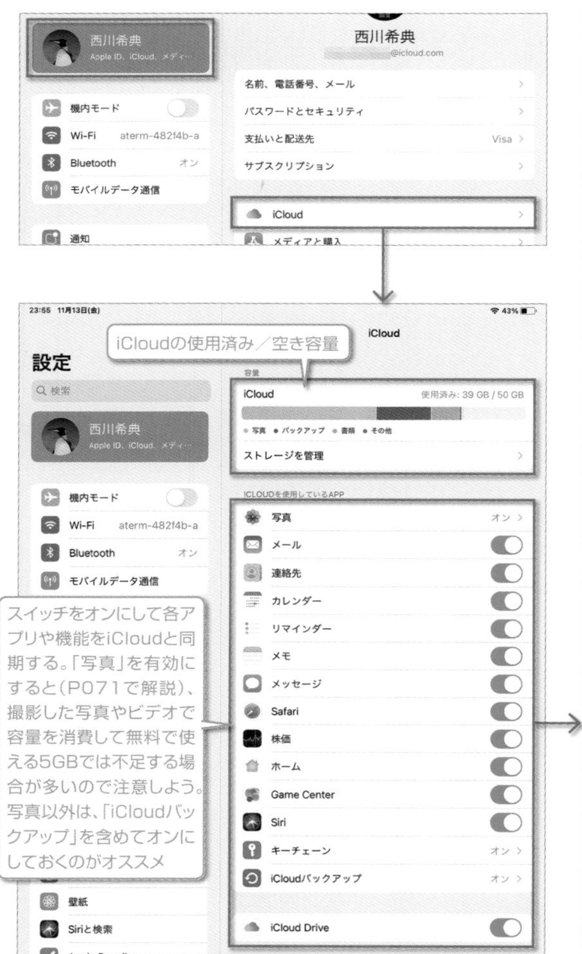

「設定」の一番上に表示されるユーザー名（Apple ID）をタップし、続けて「iCloud」をタップすると、iCloudの使用済み容量を確認したり、同期するアプリや機能をオン・オフできる。

iCloudで同期できるアプリや機能

写真
iPadの写真やビデオをiCloud写真やマイフォトストリームで同期できる。

Safari
ブックマークを同期したり、iPhoneやMacで開いているタブも同期できる。

メール
iCloudメール（○○@icloud.com）の送受信メールを同期できる。

株価
iPhoneやMacで追加した銘柄をiPadでも確認できる。

連絡先
連絡先データを同期できる。削除した連絡先の復元も可能（P062参照）。

ホーム
HomeKitに対応した感電などのアクセサリを操作、管理する。

カレンダー
スケジュールを作成／同期し、他の端末からも常に最新の予定を確認できる。

Game Center
対応ゲームアプリでスコアの記録、共有やオンライン対戦を行える。

リマインダー
やるべきことや覚えておきたいタスクを作成し、他の端末と同期できる。

Siri
Siriがデバイスやアプリの使用状況から学習したデータを同期する。

メモ
テキストや手書きでメモを作成し、他の端末と同期して編集できる。

キーチェーン
Webサービスのログイン IDやクレジットカード情報などを共有できる。

メッセージ
他の端末と、全く同じ状態の送受信画面を同期して利用できる。

iCloud Drive
iCloud Driveと連携するアプリの書類を保存して同期する。。

「iCloudバックアップ」の役割

iCloudの設定画面に一覧表示されている各アプリのスイッチは、基本的にiCloudと同期させるための設定だが、「iCloudバックアップ」は少し性質が異なる。この機能をオンにしておくことで、本体の設定や、ホーム画面の構成、同期できないその他のアプリのデータなどをiCloudにバックアップできるのだ。バックアップは、iPadが電源とWi-Fiに接続されており、画面がロックされている時に自動で作成される。またiCloudバックアップの対象にするアプリは、「iCloud」→「ストレージを管理」→「バックアップ」→「このiPad」で選択できる。

iCloudでデータを保存するための設定と復元手順

1 アプリの同期をオンにしておく

P030で解説しているように、iCloudの設定画面で「Safari」や「メッセージ」などのスイッチをオンにしておけば同期が有効になる。iPadで撮影した写真や送受信したメールは自動的にiCloudに保存され、実質的なバックアップになる。

2 iCloudバックアップを有効にする

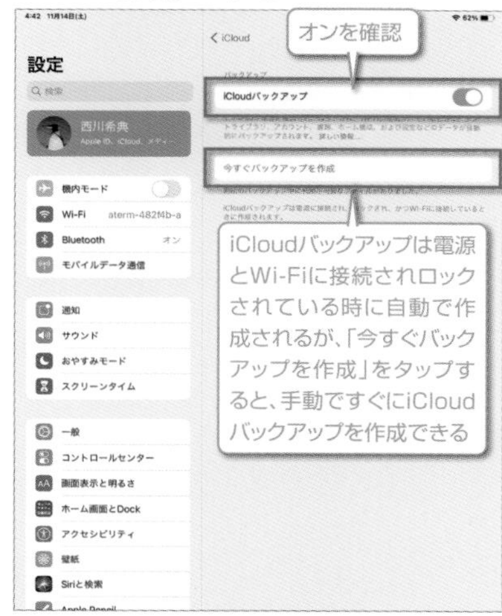

本体の設定やホーム画面の構成、またiCloudとの同期に対応していないその他のアプリのデータをバックアップするには、iCloudの設定画面にある「iCloudバックアップ」のスイッチをオンにしておく。

3 iCloudバックアップの対象にするアプリを選択

iCloudの設定画面で「ストレージを管理」→「バックアップ」→「このiPad」をタップすると、iCloudバックアップに含むアプリを選択できる。オンしておけば、iCloudバックアップから復元した時にアプリ内のデータを復元できる。

4 バックアップからiPadを復元する

iPadを初期化したり機種変更した際は、初期設定の「Appとデータ」画面で「iCloudバックアップから復元」をタップし、復元したい日時のiCloudバックアップを選択すると、その時点の状態にiPadを復元できる。

5 バックアップから復元中の画面

iCloudバックアップから復元すると、このように、バックアップ時点のアプリが再インストールされていく。同期を有効にしていたSafariやメッセージなどのアプリも、自動的にiCloud上のデータと同期して最新の状態に復元される。

POINT

Webブラウザで iCloud.comにアクセスする

同期を有効にした標準アプリのデータは、パソコンのWebブラウザでiCloud.com(https://www.icloud.com/)にアクセスして確認することもできる。メールや連絡先、カレンダー、写真などの項目をタップすると、iPadとまったく同じ内容で表示されるはずだ。また連絡先の復元やカレンダーの復元など、iCloud.com上でのみ行える操作もある。

POINT

iCloudの容量を追加で購入する

iCloudを無料で使えるのは5GBまでだが、アプリの同期やiCloudバックアップの作成には十分足りる容量となっている。ただし、写真やビデオをよく撮影していてすべてiCloudで同期している場合や、同じApple IDで使っているデバイスが複数ありiCloudバックアップも複数保存されていると、5GBでは足りなくなってくる。どうしてもiCloudの容量が足りない時は、「ストレージを管理」→「ストレージプランを変更」をタップして、iCloudの容量を追加購入しておこう。50GB／月額130円、200GB／月額400円、2TB／月額1,300円のプランが用意されている。

キーボードの使い方を覚えて
自由自在に文字を入力しよう

文字入力の基本操作法

操作に慣れてしまえば iPadの文字入力は快適!

iPadでの文字入力は、画面下部に表示されるソフトウェアキーボードで行う。日本語入力用のキーボードとしては、五十音表で文字入力を行う「日本語-かな」と、パソコンのキーボードに近い「日本語-ローマ字」の2種類が用意されている。さらに「絵文字」キーボードや「英語」キーボードも用意されており、これらのキーボードを自由に切り替えて入力することが可能だ。なお、初期状態ではiPadの初期設定(P006参照)で選択したキーボードのみが利用できる。使いたいキーボードがあれば「設定」から追加しておこう(P033参照)。

文字入力

01 キーボードの基本操作

標準キーボードの種類を知っておこう

iPadに用意されている標準キーボードは、右でまとめている4種類。各キーボードは文字入力中に切り替えて使うことになる。基本的には「日本語-かな」か「日本語-ローマ字」のどちらか好きな方をメインのキーボードとして利用することが多い。なお、キーボードを利用せずに音声で文字入力することも可能だ。

キーボードを使わず音声で文字入力

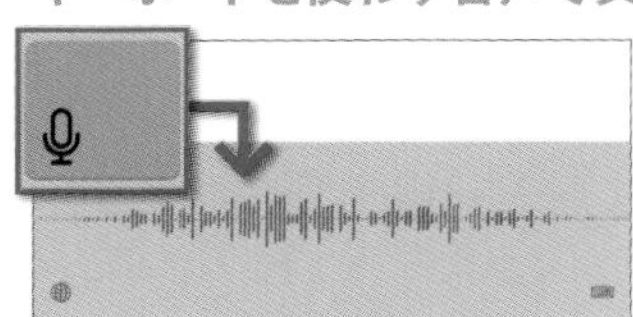

キーボード上の音声入力ボタンをタップすると、音声による文字入力も可能だ。

iPadに搭載された4つの標準キーボード

● 日本語-かな

→P034へ

五十音表で日本語やアルファベットなどを入力できる。パソコンのキーボードに慣れていない人に向いている入力形式だ。

● 日本語-ローマ字

→P036へ

パソコンとほぼ同じキー配置のキーボードで日本語をローマ字入力できる。アルファベットや数字、記号も入力が可能となっている。

● 絵文字

→P038へ

iPadOSとiOS独自の絵文字を入力できる。さまざまな種類が用意されており、メッセージやメール、LINEなどのやりとりで利用可能だ。

● 英語 (日本)

→P038へ

パソコンと同じキーボードでアルファベットや数字、記号を半角もしくは全角文字で入力できる。頻繁に英語を入力する人向けのキーボード。

キーボードの表示／非表示

1 キーボードを表示する

各種アプリ上で文字入力が可能な場所をタップすると、キーボードが画面下に表示される。

2 キーボードを非表示にする

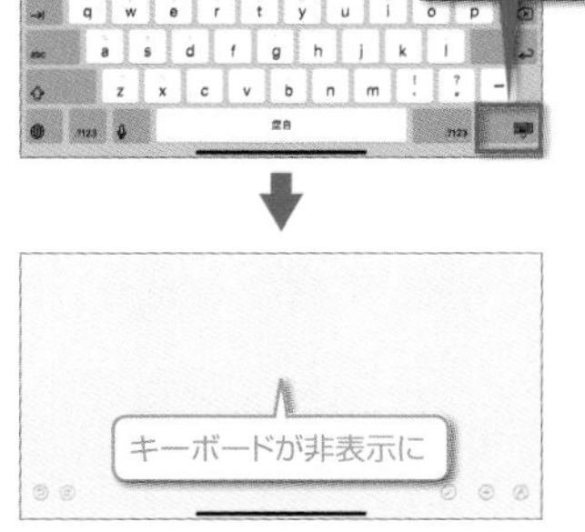

また、キーボードの画面右下にある「キーボード非表示キー」をタップすれば、いつでもキーボードを隠すことが可能だ。

キーボードの種類を切り替える

1 地球儀キーなどで切り替えできる

地球儀キーがあるなら、タップすると順番に切り替わる。地球儀キーがない時は、「abc」「あいう」「絵文字」キーなどで切り替える。

2 ロングタップでも切り替え可能

地球儀キーをロングタップすると、キーボードが一覧表示される。キーボード名をタップすれば、そのキーボードに直接切り替え可能だ。

利用するキーボードを設定しておこう

iPadでは、標準で用意された4つのキーボードをすべて使う必要はない。設定で不要なキーボードを削除し、必要なキーボードだけを追加しておくのがオススメだ。利用できるキーボード数が少なければ、より少ないタップ数でキーボードを切り替えでき、文字入力も快適になる。なお、キーボードは一度削除してもあとでまた追加し直せるので覚えておこう。

キーボードの追加と削除／キーボードの並べ替え

1 「新しいキーボードを追加」をタップする

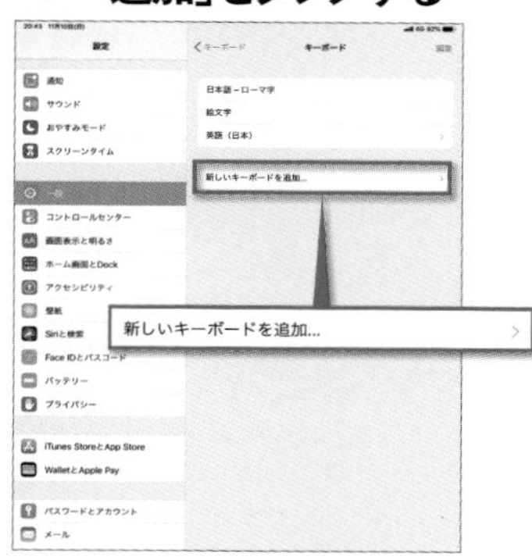

新しいキーボードを追加するには、「設定」→「一般」→「キーボード」→「キーボード」を開き「新しいキーボードを追加」をタップ。

2 キーボード名をタップして追加する

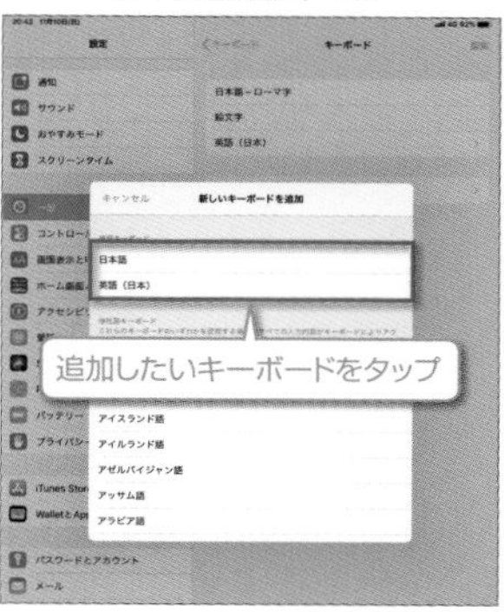

使いたいキーボード名をタップしていけば追加できる。日本語環境向けのキーボードは、「推奨キーボード」として上部にまとまっている。

3 不要なキーボードを削除する

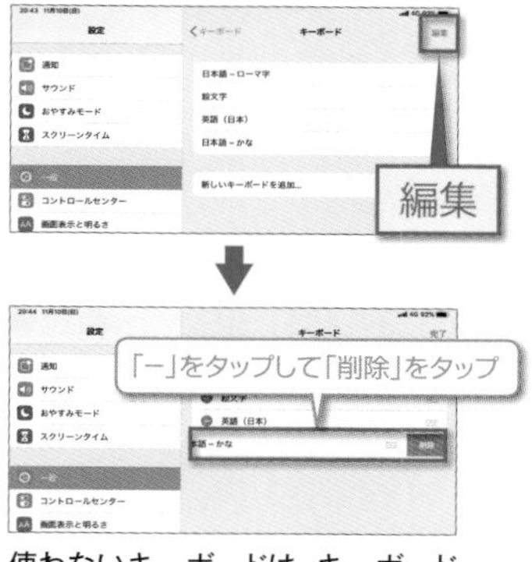

使わないキーボードは、キーボード一覧画面で「編集」をタップすれば削除できる。一度削除しても、また追加し直すことが可能だ。

4 キーボードの表示順を変更する

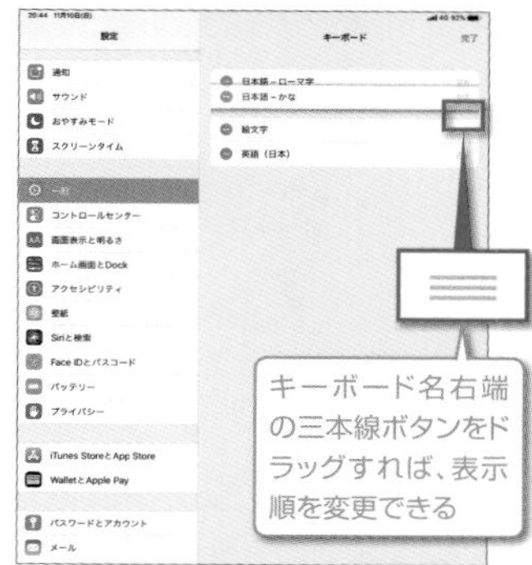

地球儀キーでキーボードを切り替える際の表示順も、キーボード一覧画面の「編集」から変更できる。自分で使いやすい順に並べよう。

他社製キーボードも導入できる

iPadOSでは、標準キーボードだけでなく、他社製キーボードアプリも利用することができる。まずはApp Storeで「Gboad」や「ATOK」、「Mazec」といった他社製キーボードアプリを入手してインストールしよう。あとは各アプリの説明に従って「設定」からキーボードを追加する。

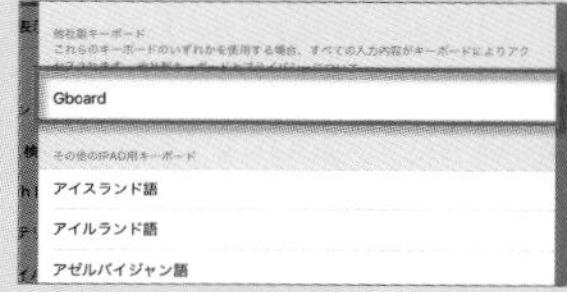

❶ **キーボードを追加**
App Storeから他社製キーボードを導入後、設定でキーボードを追加。

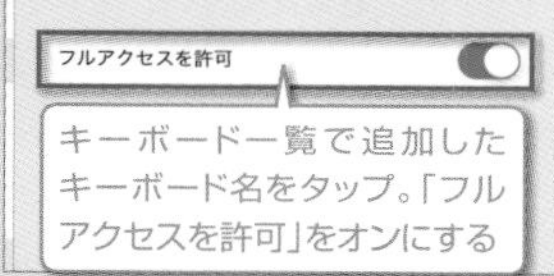

❷ **フルアクセスを許可**
キーボードの全機能を使うにはフルアクセスも許可しておく。

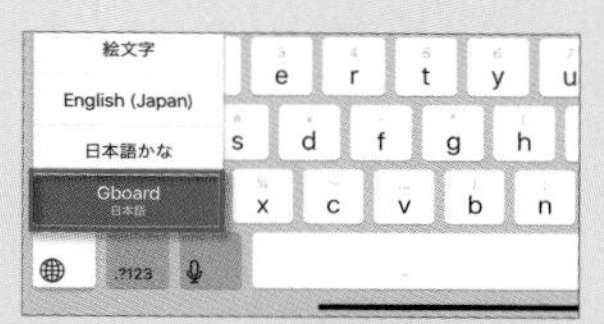

❸ **キーボードを切り替える**
導入後は、キーボード上の地球儀キーで切り替えが可能だ。

日本語入力の基本的な手順を覚えよう

キーボードで文字を入力するには、キーボードの上の各種キーをタップしていけばいい。日本語入力時は、まずひらがなが一時的に入力され、キーボード上部に漢字などの予測変換候補が表示される。変換候補をタップすれば変換が確定され、実際に文字が入力されるという仕組みだ。詳しい操作方法は次ページから解説するが、まずはここで基本の手順を覚えておこう。

日本語入力と変換の基本操作

1 入力したい場所をタップ

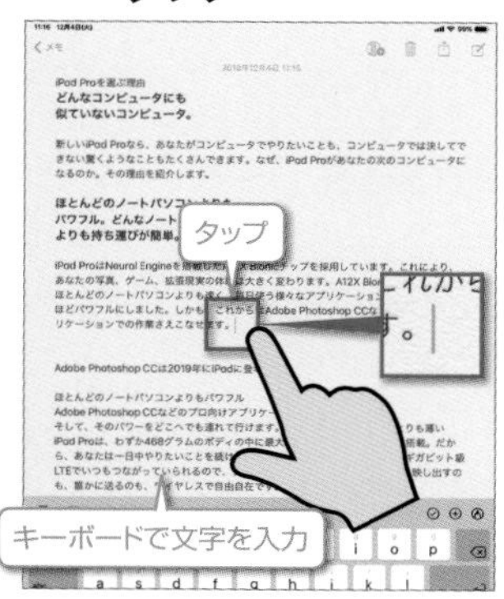

文字入力を行う場合は、入力したい場所をタップしよう。すると文字入力位置にカーソルが表示され、画面下にキーボードも表示される。

2 文字入力して変換候補を選択

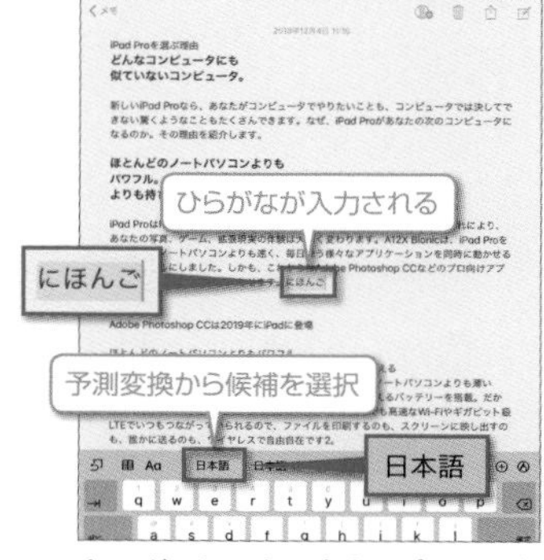

キーボードのキーをタップして日本語を入力すると、カーソル位置にひらがなが入力され、キーボードの上部には予測変換が一覧表示される。

3 文字変換を確定する

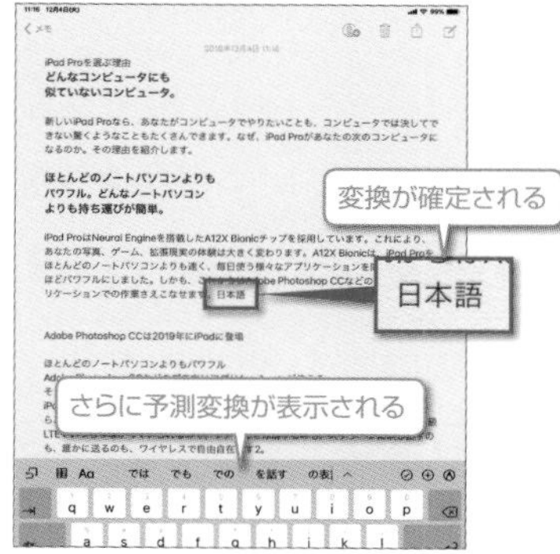

予測変換から候補をタップすると変換が確定される。なお、予測変換機能は次に入力されるものを予測して、さらに候補を表示してくれる。

4 変換候補を一覧表示する場合

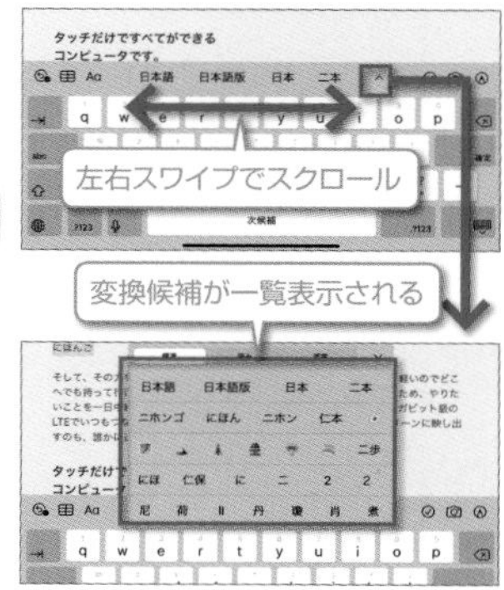

変換候補は左右にスワイプすれば、別の候補を表示できる。変換候補一覧の右端にある「∧」キーでさらに変換候補を表示することも可能。

文字入力

02 「日本語-かな」キーボードでの入力方法

日本語-かなキーボードの各種キーについて

1 各種文字キー
タップして文字を入力する。入力モードによって入力できる内容が変わる。

2 入力モード切り替え
入力する文字種を切り替える。「あいう」なら日本語、「ABC」ならアルファベット、「☆123」なら数字と記号用のキーボードに切り替わる。

3 音声入力
タップすると音声による文字入力が行える。

4 キーボード切り替え
タップで別のキーボードに切り替える。ロングタップするとすべてのキーボードがリスト表示され、直接切り替えが可能。

5 削除キー
カーソル位置より左側にある1文字を削除する。

6 空白／次候補キー
全角スペースを入力する。日本語入力後は次候補キーに変わり、予測変換の次候補を選択できる。

7 改行／確定キー
改行する。日本語入力後は確定キーに変わり、現在選択している変換候補を確定する。

8 キーボードの非表示
キーボードを非表示にする。キーボードの裏に隠れてしまったボタンなどを押したい時に便利。文字入力欄をタップすれば再度キーボードが表示される。

初心者向きのわかりやすいキーボード

日本語-かなキーボードでは、五十音表のように文字が並び、入力したい文字をすぐ探せるというわかりやすさがある。パソコンのキーボードに慣れていない人やローマ字入力が苦手な人でも、日本語や英語、数字・記号を快適に入力することが可能だ。

3つの入力モードで文字を入力

「あいう」キー 日本語入力モード

日本語入力時に利用するモード。キートップにひらがなが表示され、タップすることで日本語を入力できる。

「ABC」キー 英語入力モード

アルファベットやよく使う記号を入力するモード。大文字小文字の切り替えや全角文字にも対応している。

「☆123」キー 数字・記号入力モード

数字や記号を入力するモード。年、日、分など日時を示す漢字もすぐ入力できる。顔文字も入力可能だ。

日本語-かなキーボードの基本的な使い方

日本語-かなキーボードでは、各文字キーをタップすれば、キー上に書かれている文字がそのまま入力される。文字入力が行われると、キーボードの上部に漢字などの予測変換候補が表示されるので、タップして変換を確定させよう。また、上で解説した3つの入力モードを切り替えて使えば、アルファベットや記号・数字なども自由自在に入力することができる。

キーボード入力の流れ

1 文字キーをタップして文字入力

あかいはな

表示された文字キーを軽くタップすれば、キー上に表示された文字が入力される。

2 変換を確定させる

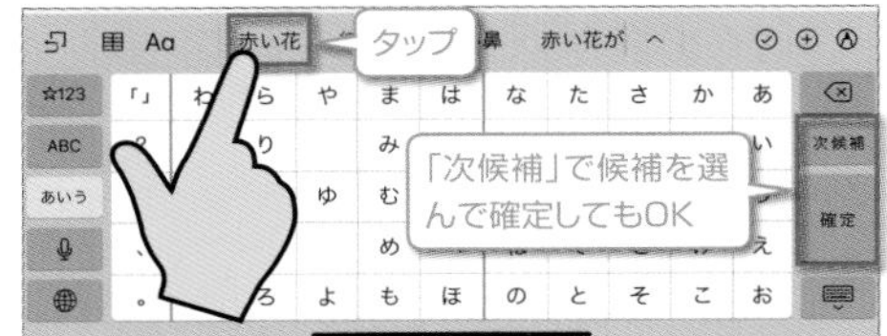

赤い花

文字入力されると、キーボード上部に予測変換の候補が表示される。タップして変換を確定させよう。

3 入力する文字種を切り替える

赤い花 flower

左端の「あいう」「ABC」「☆123」キーをタップすれば、それぞれに対応した入力モードに切り替わる。

日本語入力時に覚えておきたい操作法

日本語-かなキーボードで日本語を入力する際は、さまざまなキーを使いこなす必要がある。「っ」や「ぉ」などの小書き文字や、「ば」や「ぷ」などの濁点･半濁点を入力する方法も知っておこう。慣れてきたら、各種キーのロングタップやフリック操作での入力を併用すれば、よりスムーズな文字入力が実現可能だ。しっかり身につけてキーボード操作をマスターしよう。

小書き文字や濁点、半濁点の入力

文字入力後に「小」キーをタップ

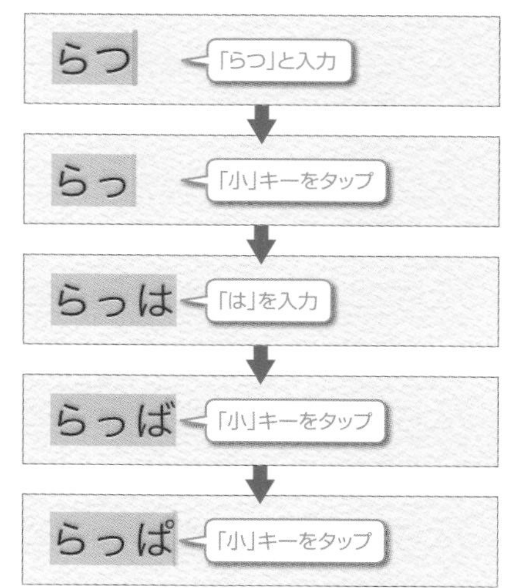

上で示した「小」キーで、直前に入力した文字を小書き文字にしたり、濁点や半濁点付きに変換することが可能だ。たとえば、「つ」を入力した後にこのキーを押すと「っ」になる。また、「は」を入力した後にこのキーを押せば「ば」になり、もう一度押すと「ぱ」に切り替わる。

句読点や感嘆符、カギ括弧の入力

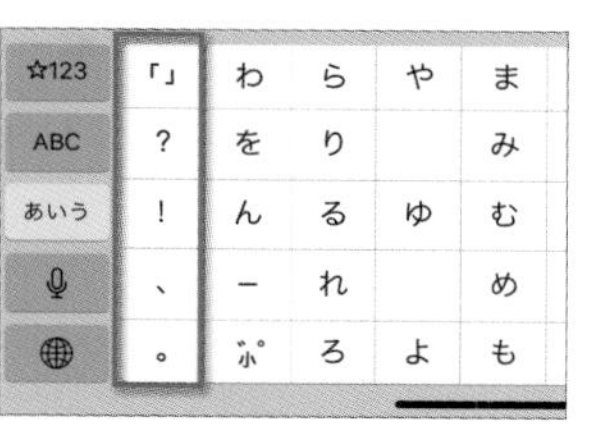

句読点や括弧の入力はここから

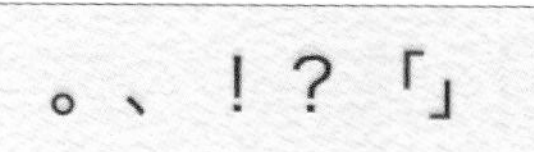

左で示した一連のキーをタップすると、句読点や感嘆符、疑問符、カギ括弧を入力できる。カギ括弧のキーは、一度タップすると右括弧、二度連続でタップすると左括弧の入力となるので覚えておこう。

別の括弧を入力する

カギ括弧キーをタップすると、予測変換候補に別種類の括弧が表示される。そのほかの括弧はここから入力しよう。

ロングタップ／フリック操作での入力

ロングタップで小書き文字や濁音を入力

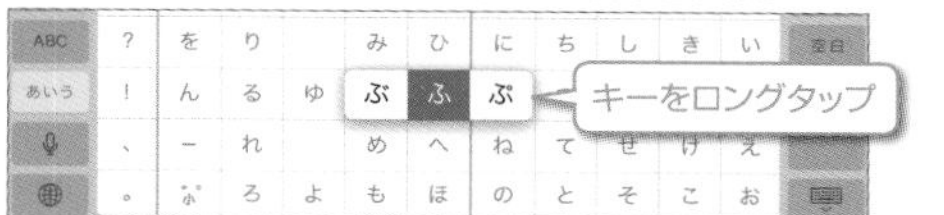

一部のキーでは、ロングタップすることで関連する文字（小書き文字／濁音／半濁音など）が表示される。キーをロングタップした後、上下左右に展開される文字に指をスライドして入力しよう。

フリック入力ならさらに素早く入力可能

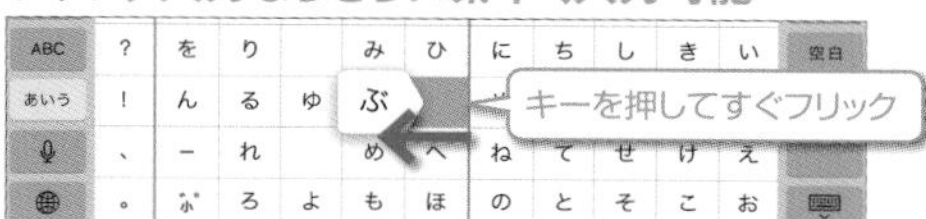

ロングタップ入力の応用がフリック入力だ。たとえば、「ふ」をはじくようににフリックすると「ぶ」を入力できる。「小」キーをいちいち押すよりもスピーディに入力できるので覚えておこう。

カタカナの入力方法

直接入力できないものは変換で入力

カタカナの入力は、一旦ひらがなの状態で文字を入力し、変換候補からカタカナを選んで確定すればよい。ほかに、キーボード上では直接入力できないような文字も変換を使えば自在に入力できる。

英語や数字･記号入力時に覚えておきたい操作法

アルファベットを入力する際は「ABC」キーで英語入力モード、数字や記号を入力する際は「☆123」キーで数字･記号入力モードに切り替えよう。これらのモードでは、シフトキーや全角キーといった特殊なキーが存在する。シフトキーは大文字アルファベットやそのほかの記号の入力に、全角キーは全角文字の入力に使うので覚えておこう。

大文字アルファベット／全角文字の入力

1 シフトキーを利用する

Abcdefg

「ABC」キーで英語入力モード切り替えたら、シフトキーをタップ。文字キーをタップすると、直後の1文字だけが大文字になる。

2 ダブルタップでシフトキーの固定

ABCDEFG

シフトキーをダブルタップすると、再びシフトキーを押さない限り解除されない。そのため、連続した大文字の入力が可能になる。

3 全角キーで全角文字の入力

ＡＢＣＤＥＦＧ

英語入力／数字･記号入力モードに用意されている、全角キーをタップすると、それ以降の文字入力がすべて全角文字になる。

顔文字を入力する

数字･記号入力モードのキーボードにある顔文字キーをタップすると、予測変換候補によく使われる顔文字が表示される。顔文字をよく使う人は利用しよう。

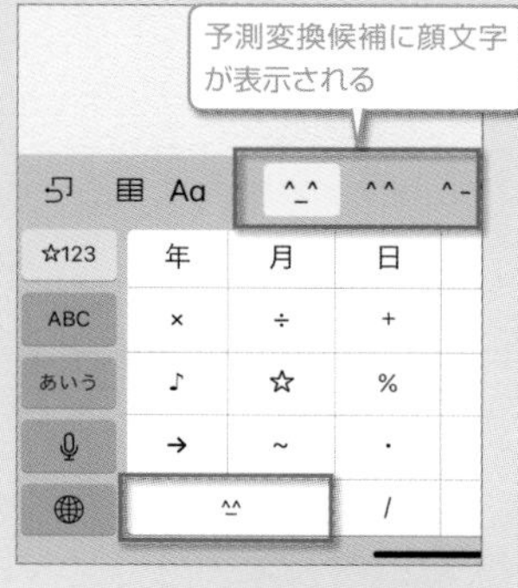

iPadスタートガイド

文字入力

03「日本語-ローマ字」キーボードでの入力方法

パソコンのキーボードと同じ感覚で使える

日本語-ローマ字キーボードでは、フルキーボード上で日本語入力を行える。パソコンのキーボード操作と同じようにローマ字入力ができるので、慣れている人はスピーディに文字を入力できるだろう。入力モードを切り替えれば、英語や数字記号も入力可能だ。

日本語-ローマ字キーボードの各種キーについて

1 各種文字キー
タップして文字を入力する。キートップに小さな文字が書かれたキーは、下フリックで入力できる。

2 音声入力
音声で文字を入力する。

3 空白/次候補キー
全角スペースを入力する。日本語入力後は次候補キーに変わる。

4 タブキー
入力エリアを切り替えたり文字の先頭を揃える。

5 英語/日本語入力モードの切り替え
タップするごとに英語入力と日本語入力のモードを切り替える。

6 シフトキー
大文字のアルファベットや別の文字種に切り替え。

7 キーボード切り替え
別のキーボードに切り替える。

8 削除キー
カーソル位置より左側にある1文字を削除する。

9 改行/確定キー
改行する。日本語入力後は確定キーに変わり、現在選択している変換候補を確定する。

10 数字・記号入力モードの切り替え
タップすると数字・記号入力モードに切り替わる。

11 キーボードの非表示
キーボードを非表示にする。キーボードの裏に隠れてしまったボタンなどを押したい時に便利。文字入力欄をタップすれば再度キーボードが表示される。

3つの入力モードで文字を入力

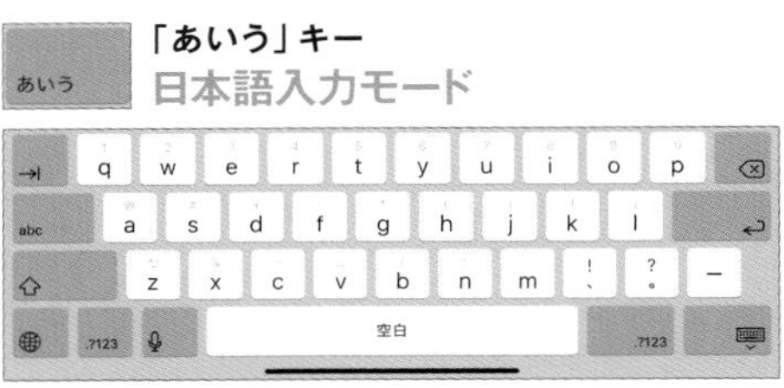

「あいう」キー 日本語入力モード

日本語入力時に利用するモード。ローマ字入力で日本語を入力することができる。

「abc」キー 英語入力モード

アルファベットやよく使う記号を入力するモード。大文字小文字の切り替えや全角文字にも対応している。

「123」キー 数字・記号入力モード

数字や記号を入力するモード。日本語入力用と英語入力用の2種類のモードが用意されている。

各入力モードの切り替えについて

2つの切り替えキーを使いこなす

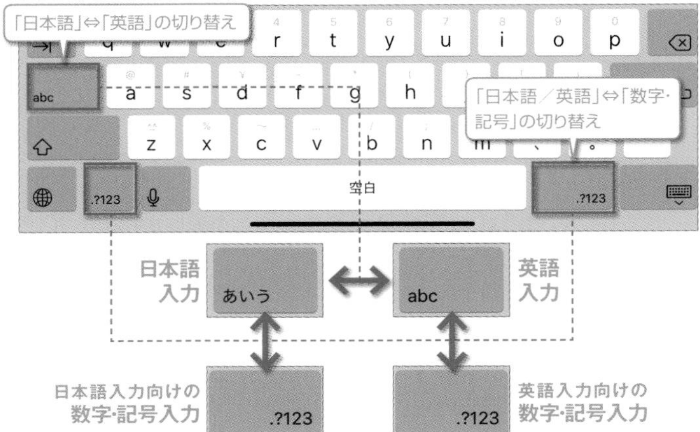

日本語入力と英語入力の切り替えはキーボード左のキーで行い、数字・記号入力の切り替えは下部のキーで行う。それぞれの役割を覚えれば、日本語やアルファベット、数字・記号のすべての文字種が入力可能だ。

数字・記号入力モードのシフトキーについて

「#+=」キーでさらに別の記号が入力できる

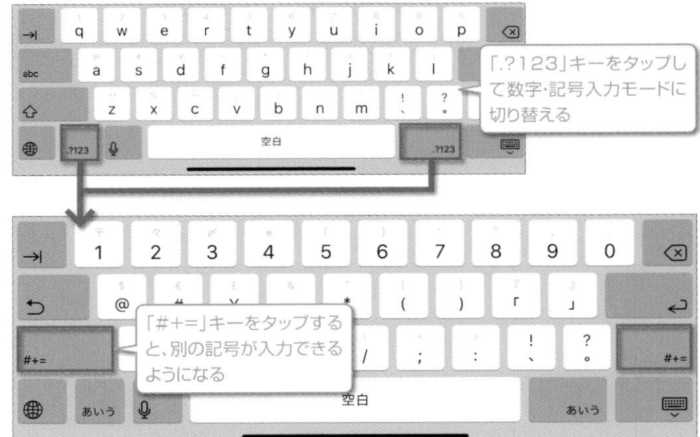

数字・記号入力モードに切り替えると、シフトキーなどが「#+=」キーに変化する。このキーをタップすると、さらに別の記号が入力可能だ。なお、日本語入力用と英語入力用では入力できる文字が異なっている。

日本語-ローマ字キーボードの基本的な使い方

日本語-ローマ字キーボードでは、ローマ字入力で日本語を入力できる。たとえば「にほんご」と入力したい場合は、「nihongo」と文字キーをタップしていけばよい。変換の方法は日本語-かなキーボード(P034参照)と同じで、変換候補から選んでタップすればOKだ。また、アルファベットや数字・記号を入力したい場合は、「abc」や「.?123」キーでモードを切り替えよう。

キーボード入力の流れ

1 ローマ字で文字を入力

にほんごにゅうりょく

日本語入力モードでは、「nihongo」のようにローマ字表記でキーをタップし文字を入力する。

2 変換を確定させる

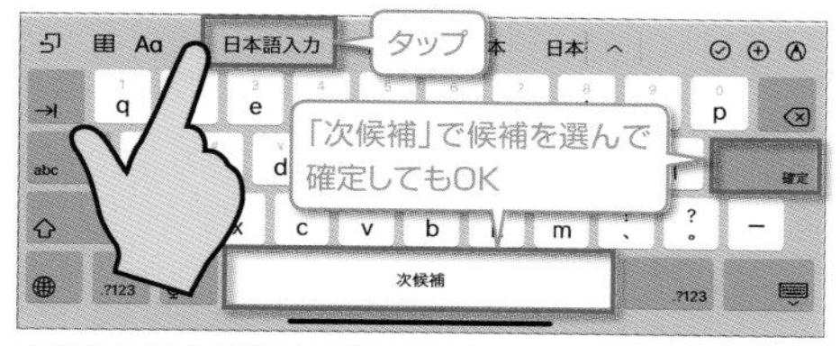

日本語入力

文字入力されると、キーボード上部に予測変換の候補が表示される。タップして変換を確定しよう。

3 入力する文字種を切り替える

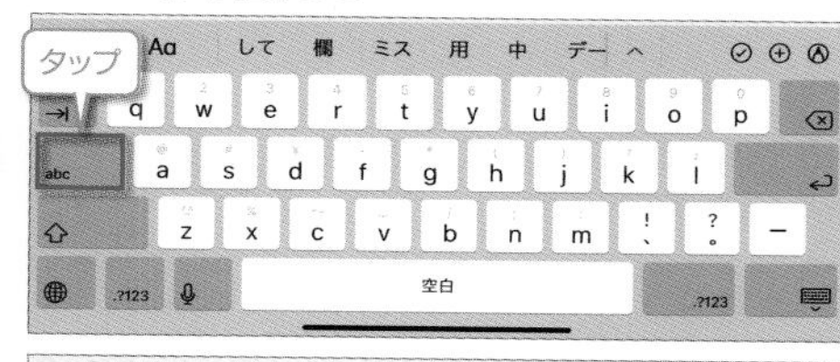

日本語入力 Japanese

英語を入力したい場合は、「abc」キーを押して英語入力モードに切り替えよう。

句読点や感嘆符の入力

シフトキーで感嘆符も入力可能

、。!?

句読点はキーボード右下にある「、」「。」キーを押せば入力できる。シフトキーを押すことで「!」「?」も同じキーで入力することが可能だ。

各種括弧の入力

予測変換も使ってさまざまな括弧を入力

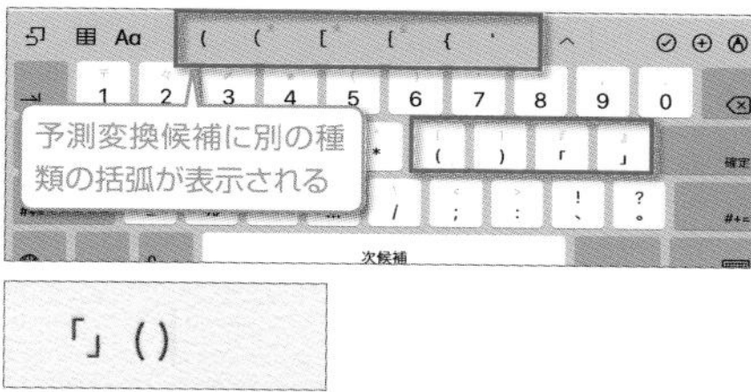

「」()

丸括弧やカギ括弧は、数字・記号入力モードで行う。各括弧のキーを押すと、予測変換候補に別の種類も表示されるので活用しよう。

下フリックで数字や記号を入力

モードを切り替えずに入力できる

1234@#¥-

キートップの上部に書かれている小さな文字は、下方向にフリックすることで入力ができる。モードを切り替えずに数字や記号を入力したいときに便利。

英語や数字・記号入力時に覚えておきたい操作法

アルファベットを入力する際は英語入力モード、数字や記号を入力する際は数字・記号入力モードに切り替えよう。シフトキー、全角キー、顔文字キーなどの操作は、日本語-かなキーボードと同様だ。さらに、「取り消す」「やり直す」といったキーも用意されているので、必要に応じて利用しよう。

大文字アルファベット/全角文字/顔文字の入力

1 ダブルタップでシフトキーの固定

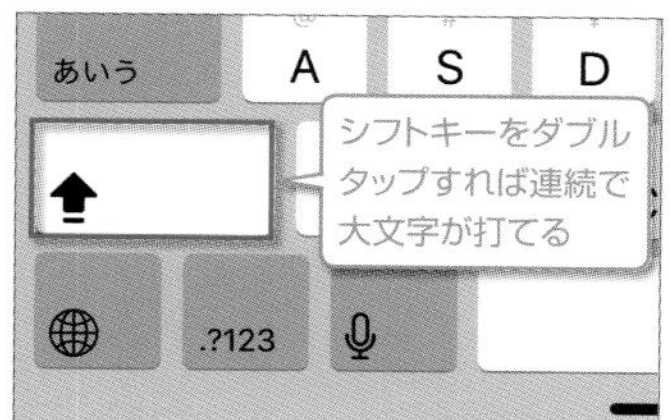

ABCDEFG

大文字アルファベットの入力方法は、日本語-かなキーボードと同様だ。シフトキーをタップすると、直後に入力した1文字だけが大文字になる。ダブルタップするとシフトキーが固定され、大文字を連続して入力することができる。

2 全角キーで全角文字の入力

Ａｂｃｄｅｆｇ

英語入力/数字・記号入力モードに用意されている全角キーをタップすると、それ以降の文字入力がすべて全角文字になる。または、文字キーをロングタップして上にフリックしても、全角文字を入力することができる。

3 顔文字の入力は顔文字キーで

^_^　^_^　^^　^_^

日本語入力向けの数字・記号入力モードに切り替えると、キーボードの左下に顔文字キーが用意されている。これをタップすれば、予測変換候補によく使われる顔文字が表示される。顔文字をよく使う人は利用しよう。

「取り消す」「やり直す」キーとは?

数字・記号入力モードには、「取り消す」「やり直す」キーが用意されている。直前の入力を取り消したり、入力をやり直すことが可能だ。

文字入力

04 絵文字&英語キーボードでの入力方法

そのほかのキーボードも使ってみよう

絵文字キーボードでは、iOSおよびiPadOS独自の絵文字が入力できる。顔や手など一部の絵文字はロングタップして肌の色を変更することも可能だ。英語キーボードは、英文を頻繁に入力する人向けのキーボードとなる。日本語-かな／日本語-ローマ字キーボードでのアルファベット入力に不満がなければ使わなくてもいい。

絵文字キーボードの各種キーについて

1 各種文字キー
タップして絵文字を入力する。左右スワイプでほかの絵文字候補を表示できる。

2 カテゴリ切り替え
絵文字のカテゴリを切り替える。左右スワイプでほかの絵文字候補を表示できる。

3 よく使う絵文字
よく使う絵文字を表示する。

4 キーボード切り替え
タップで別のキーボードに切り替える。

5 空白キー
タップで空白を挿入する。

6 削除キー
カーソル位置より左側にある1文字を削除。

7 キーボードの非表示
キーボードを非表示にする。

英語（日本）キーボードの各種キーについて

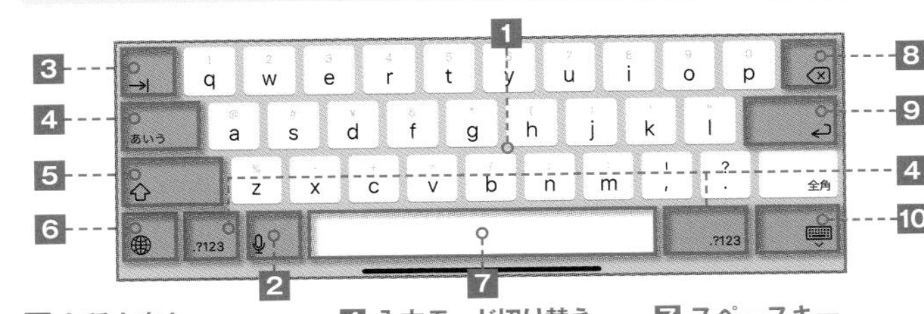

1 各種文字キー
タップして文字を入力。

2 音声入力
タップすると音声による文字入力が行える。

3 タブキー
入力エリアを切り替えたり文字の先頭を揃える。

4 入力モード切り替え
日本語や数字・記号入力モードに切り替える。

5 シフトキー
大文字のアルファベットや別の文字種に切り替える。

6 キーボード切り替え
別のキーボードに切り替える。

7 スペースキー
半角スペースを入力。

8 削除キー
左側にある1文字を削除。

9 リターンキー
改行する。

10 キーボードの非表示
キーボードを非表示にする。

文字入力

05 キーボードの便利機能を利用する

トラックパッドモードとショートカットを使う

iPadのキーボードでは、ノートパソコンのトラックパッドのように操作できる「トラックパッドモード」が搭載されている。このモードでは、キーボード部分を2本指でタッチすることにより、カーソル移動や選択範囲が自由自在に行えるようになる。また、やり直しやコピーといったよく使う機能は、キーボード上部のショートカットボタンからも呼び出せるので覚えておこう。

トラックパッドモードとショートカットボタンの使い方

1 2本指でタッチしてカーソル移動

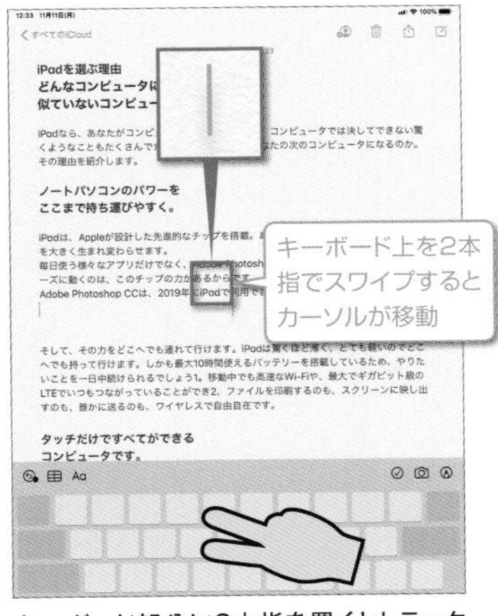

キーボード部分に2本指を置くとトラックパッドモードに切り替わる。2本指をそのまま動かせば、上下左右にカーソル移動が可能だ。

2 2本指で範囲選択もできる

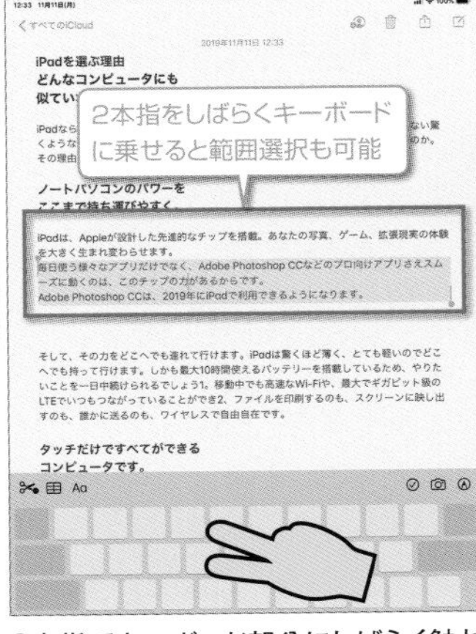

2本指でキーボード部分にしばらく触れていると、カーソルの形が変わって、スワイプ操作での選択範囲が可能になる。

3 ショートカットで機能を呼び出す

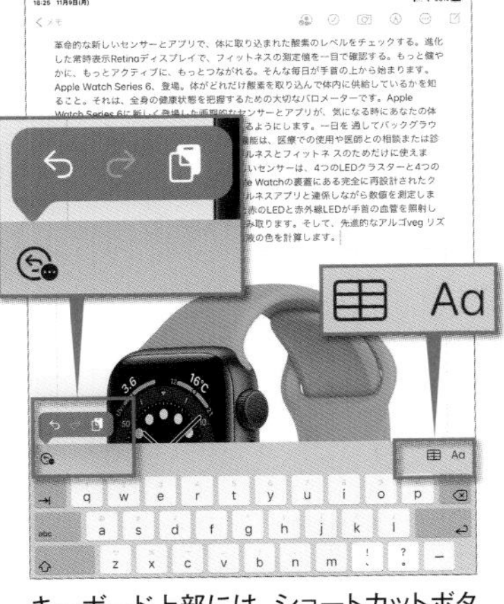

キーボード上部には、ショートカットボタンが用意されている。やり直しやコピーなど、よく使う機能をボタンで呼び出すことが可能だ。

キーボードを分割することも可能

キーボード非表示キーをロングタップして「分割」を選ぶと、キーボードを左右に分割できる。ただし、iPad Proの11インチや12.9インチ（第3世代）は分割キーボードに非対応。

文字入力

06 入力した文字の編集方法

文字の各種編集方法を覚えておこう

各種キーボードの使い方を理解したら、入力した文字の基本的な編集方法も把握しておこう。iPadでは、文字をタップしたり、ダブルタップしたりすると、カーソルの上に「選択」や「コピー」、「ペースト」などの各種編集メニューが表示されるようになっている。これを利用することで、パソコンと同じようにコピー&ペーストや範囲選択などの編集作業が可能だ。

文字の範囲選択やコピー&ペーストなどを行う

1 タップでカーソル挿入

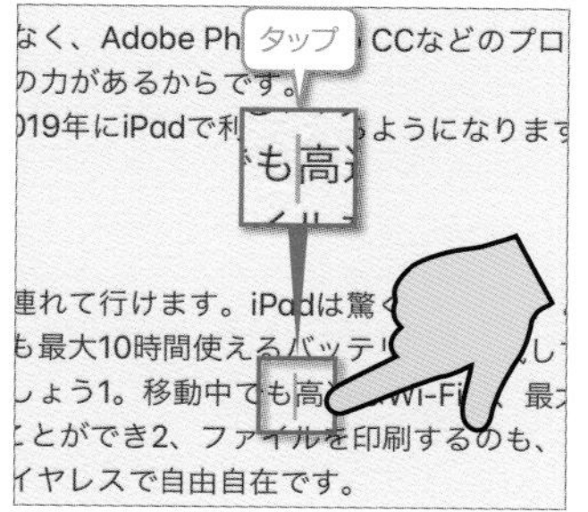

文字部分を軽くタップすると、その場所に「｜」マークでカーソルが表示される。文字の挿入や削除はこの位置で行われる。

2 カーソルをドラッグで移動

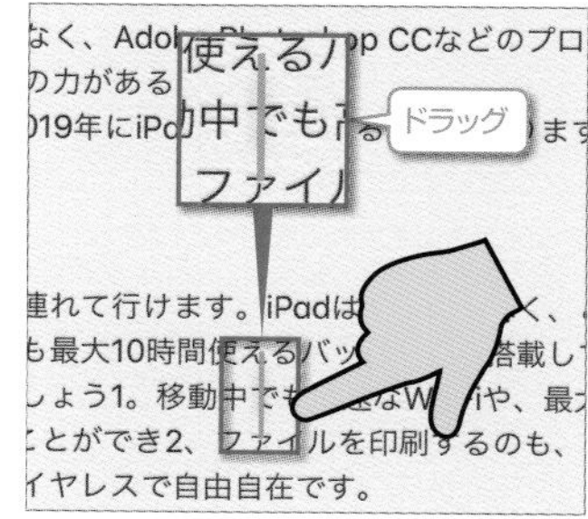

表示されるカーソルをドラッグすると、カーソルを自由な位置に移動できる。カーソルも大きく表示されるので移動箇所が分かりやすい。

3 メニューの表示

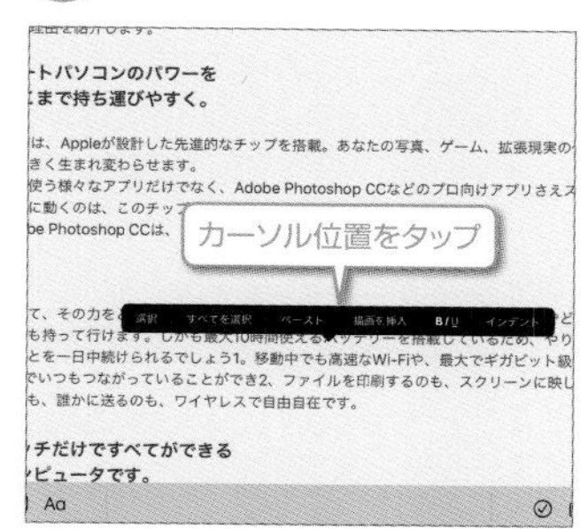

カーソル位置をタップすると、カーソル上部に「選択」や「すべてを選択」などのメニューが表示される。

4 選択範囲の設定

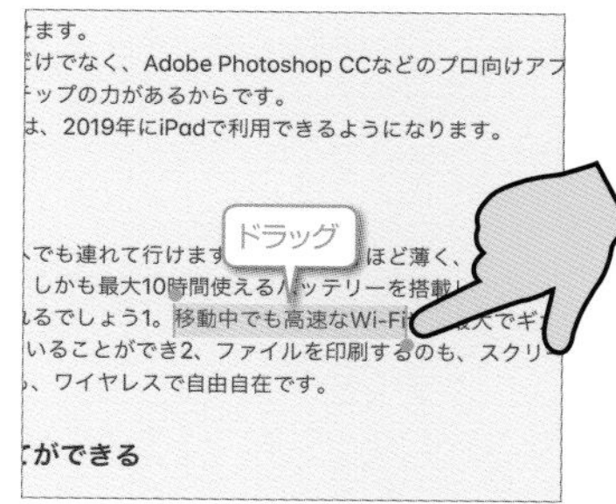

メニューから「選択」もしくは「すべてを選択」を選ぶと、選択範囲が表示される。左右端のカーソルをドラッグして範囲を調整しよう。

5 文字をカットもしくはコピーする

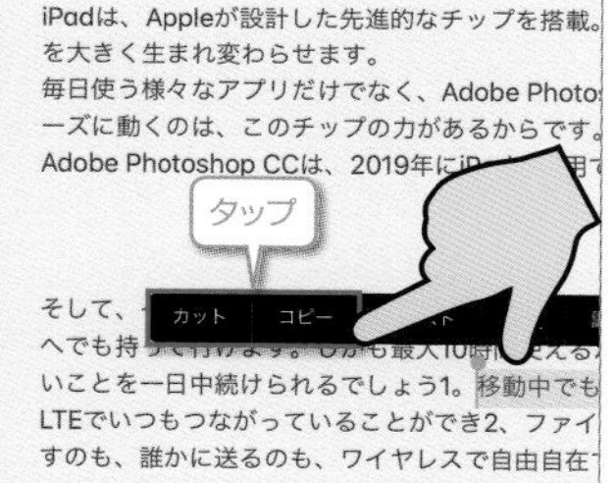

範囲選択を行うと、「カット」「コピー」などのメニューが表示される。文字のカットやコピーを実行したい場合は各項目をタップ。

6 文字をペーストする

「カット」、「コピー」した後にカーソル位置を指定し直すと、メニューに「ペースト」が表示される。これで文字の複製や切り貼りが可能だ。

7 編集の取り消し

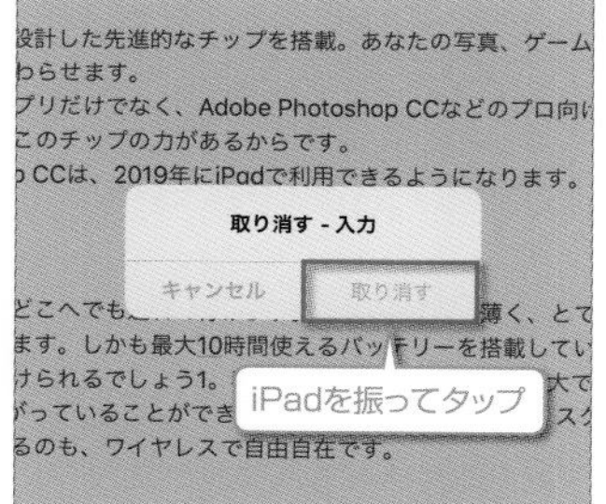

編集作業を1段階前の状態に戻したい場合は、3本指で左にスワイプするか（P040参照）、iPad本体を振れば取り消しメニューが表示される。

8 単語の選択と選択文字の削除

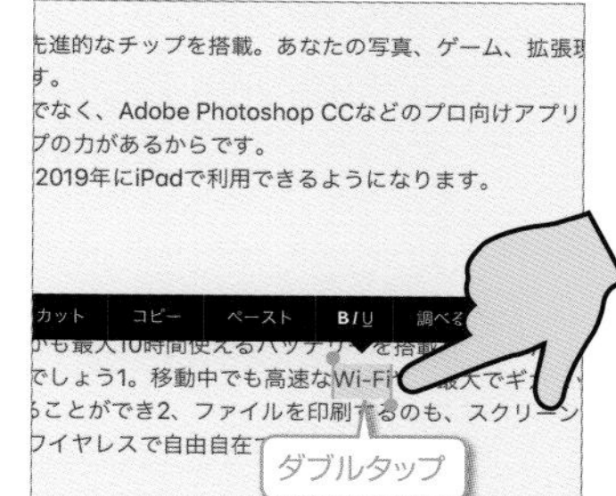

文字をダブルタップすると、単語だけを範囲選択できる。また、文字を選択中に削除キーをタップすれば、選択中の文字を削除可能だ。

9 3回タップで段落を選択

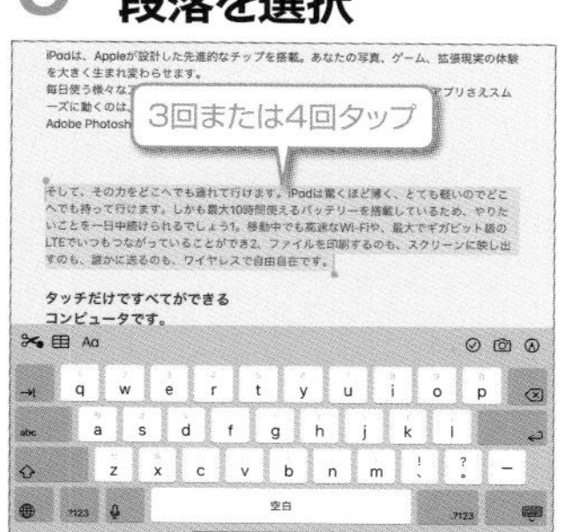

文字を3回タップすると、タップした部分の段落が選択される。

10 確定した文字を再変換する

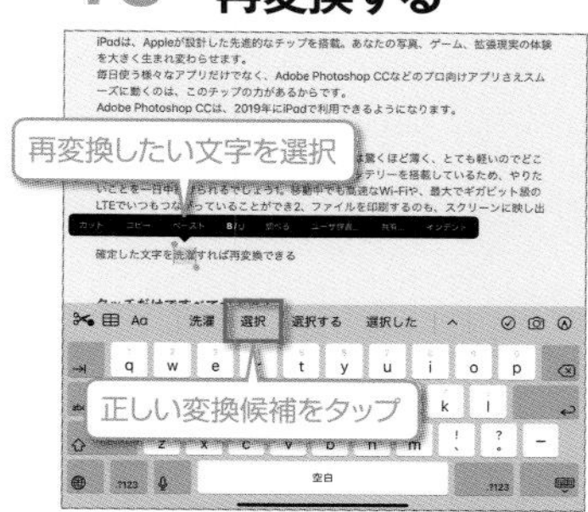

確定後に見つけた誤字は、一度削除して入力し直さなくても、誤字部分を選択状態にするだけで、変換候補から選んで変換し直せる。

11 ドラッグ&ドロップで文章を移動する

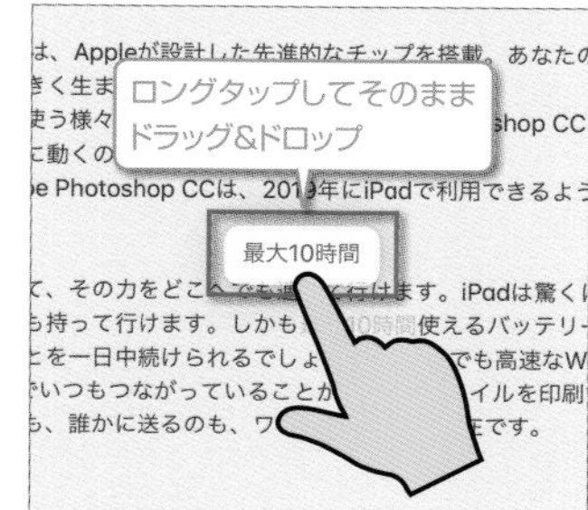

テキストを選択してロングタップすると、テキストが浮かび上がる。そのままドラッグ&ドロップすれば、好きな位置に移動できる。

12 長文の途中で一度変換させる

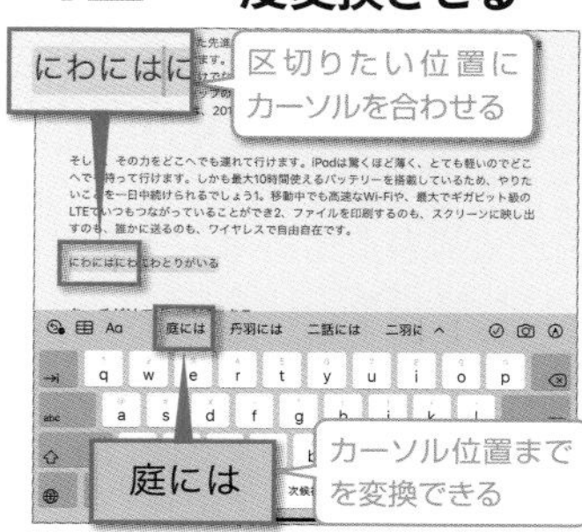

長文を入力していておかしな変換になった時は、変換を区切りたい箇所にカーソルを合わせると、その位置までを一つの文として先に変換できる。

文字入力

07 3本指のジェスチャーを使いこなす

3本指だけでコピーや取り消し操作が可能

iPadでは、3本指を使ったジェスチャーによって、文字のコピーやペースト、取り消し、やり直しといった操作を行えるようになっている。特に従来の取り消し操作は、重いiPad本体を振って「取り消す」ボタンを表示させるという、あまり実用的でないジェスチャーしか用意されていなかったので、より簡単な3本指のジェスチャーを覚えておこう。

文章編集で使える3本指ジェスチャーの種類

1 3本指ピンチインでコピー&カット

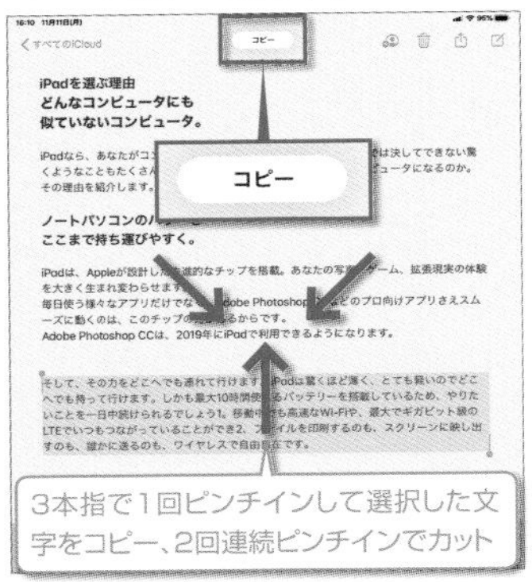

文字を選択し、3本指でピンチイン（指を閉じる）操作を行うと、選択した文字がコピーされる。ピンチインを2回繰り返すとカット。

2 3本指ピンチアウトでペースト

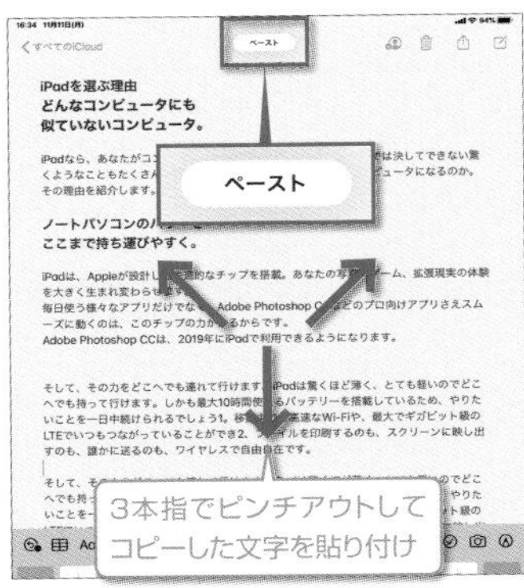

文字を貼り付けたい場所にカーソルを合わせ、3本指でピンチアウト（指を開く）操作を行うと、カーソル位置にコピーした文字が貼り付けられる。

3 3本指左スワイプで取り消し

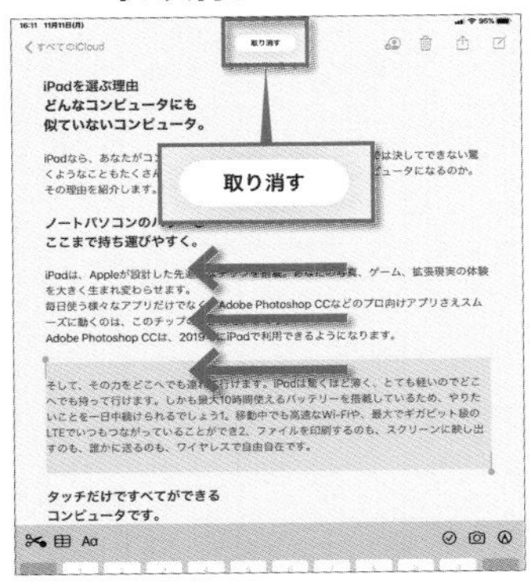

直前の編集操作を取り消したい時は、3本指で左にスワイプしてみよう。操作が取り消されて元の文章に戻る。

4 3本指右スワイプでやり直し

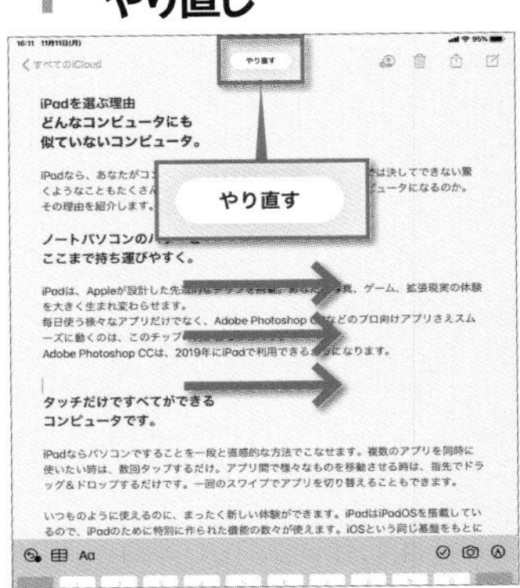

編集操作を誤って取り消してしまった場合は、3本指で右にスワイプしてみよう。取り消しをキャンセルしてやり直せる。

文字入力

08 辞書に単語を登録する

辞書登録で文字入力を効率化しよう

よく使用する固有名詞やメールアドレス、住所などは、辞書登録しておけば、予測変換から選んで素早く入力できる。本体の「設定」→「一般」→「キーボード」→「ユーザ辞書」を開き、「+」ボタンで「単語」と「よみ」を登録しよう。これで、「よみ」を入力するだけで、「単語」の文字が候補として表示されるようになる。

ユーザ辞書に新規単語を追加／削除する

1 「ユーザー辞書」をタップする

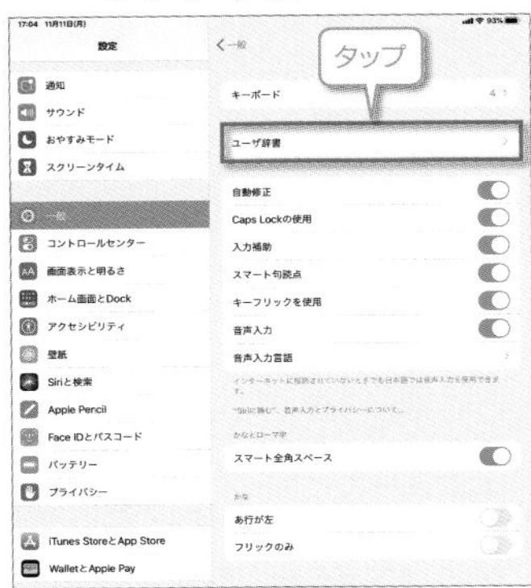

よく使う単語を辞書に登録するには、まず「設定」を開き、「一般」→「キーボード」→「ユーザ辞書」をタップする。

2 「+」をタップして単語と読みを登録

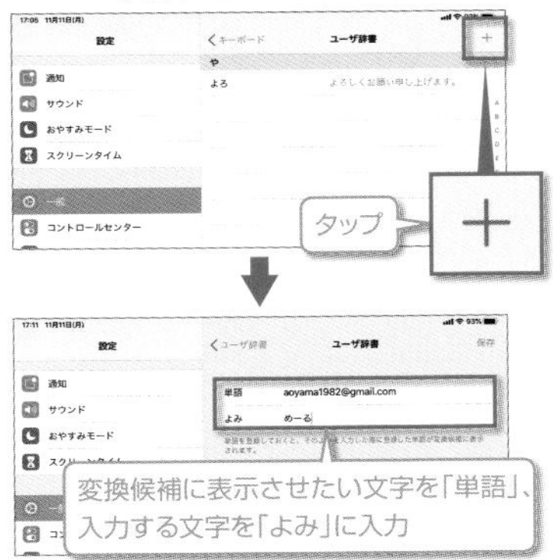

「+」をタップして登録する。例えば、「単語」にメールアドレス、「よみ」に「めーる」と入力しておけば、「めーる」の変換候補からアドレスを選択できる。

3 登録した辞書を削除するには

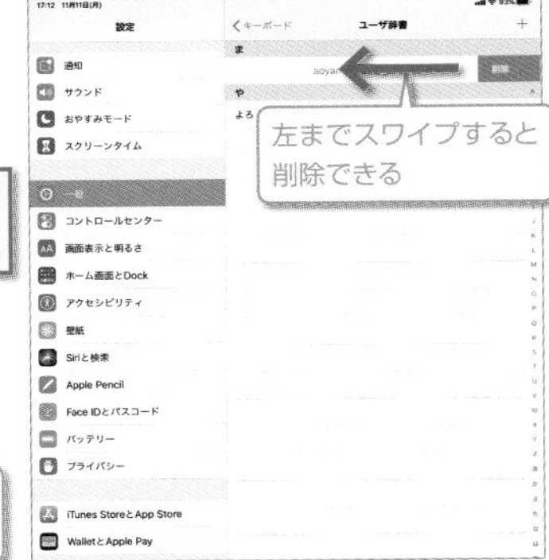

登録した単語とよみは、「ユーザ辞書」画面に一覧表示される。単語を選んで左にスワイプすると、辞書から削除できる。

選択文字を辞書に登録することも可能

Safariなどで文字を選択し、メニューから「ユーザ辞書」をタップすると、選択した文字をすぐに辞書登録することができる。

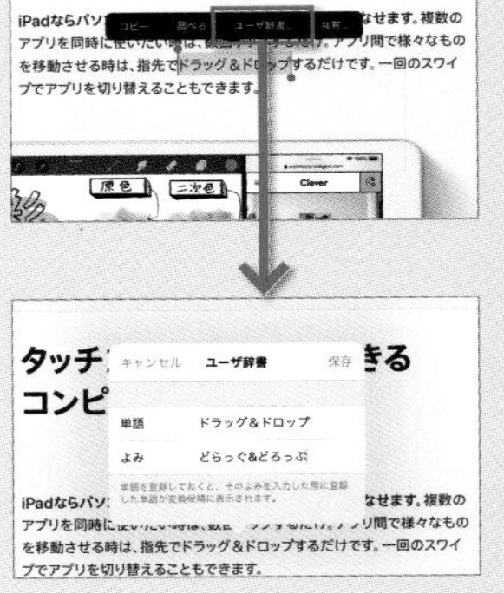

文字入力

09 フローティングキーボードを利用する

小さなキーボードで
画面を広く使える

iPadのキーボードは通常画面の下部いっぱいに表示されるが、「フローティングキーボード」に切り替えることで、サイズが小さくなり、画面を広く使えるようになる。また、フローティングキーボードの時は、iPhoneのようにフリック入力したり、キーをなぞるだけで素早く文字入力するといった機能も利用できる。

フローティングキーボードの切り替えと機能

1 フローティングキーボードにする

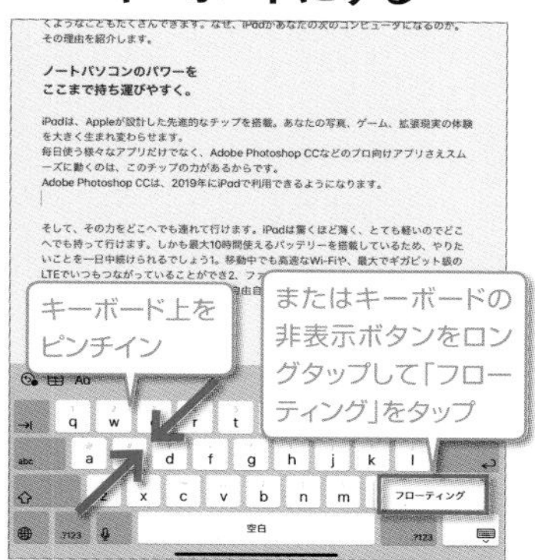

キーボード上をピンチインするか、右下のキーボードボタンをロングタップして「フローティング」をタップすると、フローティングキーボードに切り替わる。

2 iPadでフリック入力を使う

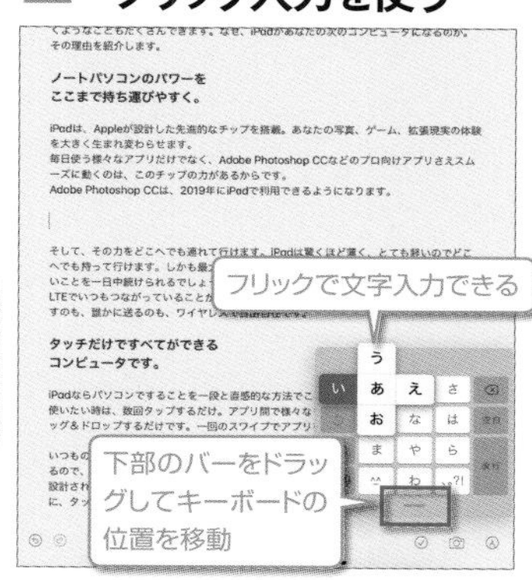

「日本語ーかな」キーボードに切り替えると、iPhoneのようなフリック入力が可能になる。下のバーをドラッグして、片手で入力しやすい場所に配置しよう。

3 なぞり入力で英字を入力する

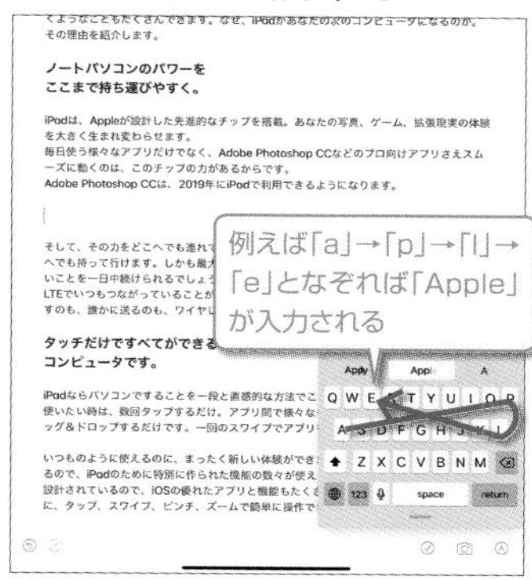

「英語」キーボードに切り替えて、キーボードを指を離さずに一筆書きのようになぞると、なぞったキーから予測された英単語が入力される。

4 元のキーボードに戻す

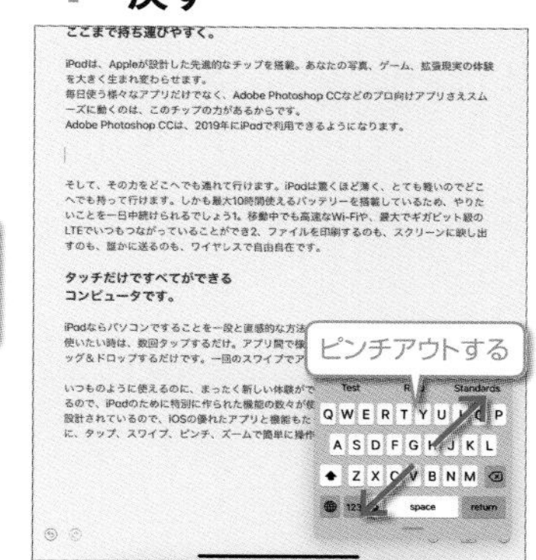

フローティングキーボードを解除したい場合は、キーボード上をピンチアウト。元のフルサイズのキーボードに戻る。

文字入力

10 音声で文字を入力する

音声入力を使えば
長文入力も快適

iPadでのタイピングが苦手な人は、音声入力の利用がおすすめだ。音声認識はかなり精度が高く、長文入力にも十分対応できる実用的な機能となっている。ただし、音声で句読点や記号を入力するには、それぞれに対応したワードを声に出す必要がある。また、音声入力時は変換候補から選択できず、削除やコピー&ペーストといった操作もできない。

音声入力の切り替えと入力方法

1 マイクボタンをタップする

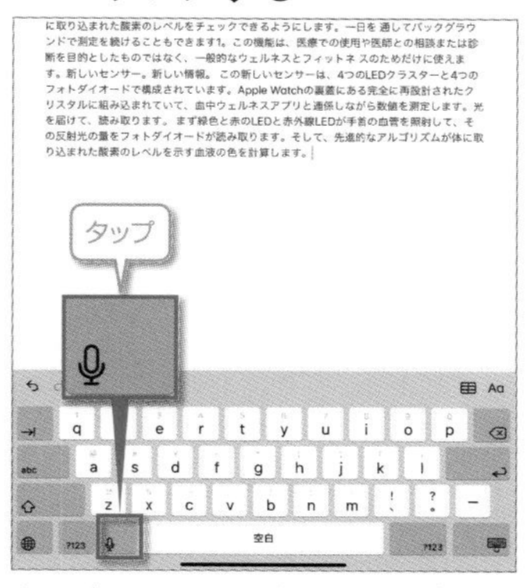

キーボードのマイクボタンをタップしよう。表示されない場合は、「設定」→「一般」→「キーボード」で「音声入力」がオンになっているか確認。

2 音声でテキストを入力していく

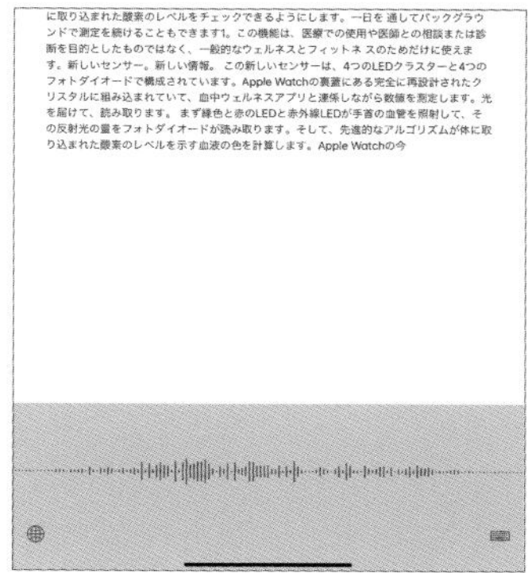

マイクに話しかけると、ほぼリアルタイムでテキストが入力される。句読点や主な記号の入力方法は右にまとめている。

3 キーボード画面に戻るには

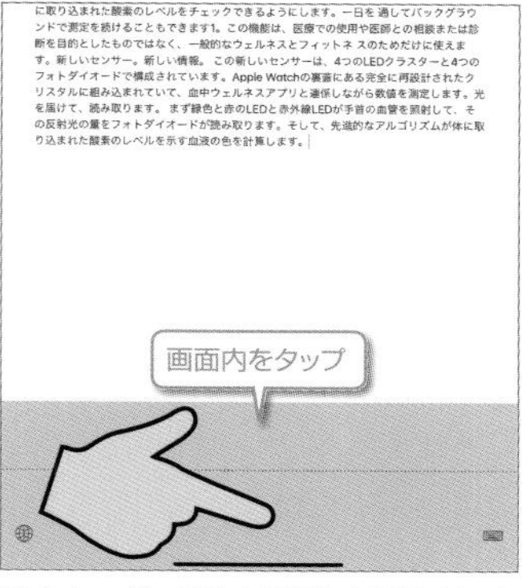

元のキーボード入力画面に戻るには、音声入力の画面内を一度タップするか、右下のキーボードボタンをタップすればよい。

句読点や記号を音声入力するには

読み	記号
かいぎょう	改行
たぶきー	スペース
てん	、
まる	。
かぎかっこ	「
かぎかっことじ	」
びっくりまーく	!
はてな	?
なかぐろ	・
さんてんリーダ	…
どっと	.
あっと	@
ころん	:
えんきごう	\
すらっしゅ	/
こめじるし	※

スムーズに操作するために!

まずは覚えておきたい操作&設定ポイント

iPadを本格的に使い始める前に覚えておきたい操作や、確認したい設定項目をまとめて紹介。ストレスなく操作するために、ぜひ最初にチェックしておこう。

03 自動ロックするまでの時間を設定する

短すぎると使い勝手が悪い

セキュリティと利便性のバランスを考慮する

iPadは一定時間タッチパネル操作を行わないと、画面が消灯し自動でロックされてしまう。ロックされるまでの時間は、標準の2分から変更可能。すぐにロックされて不便だと感じる場合は、長めに設定しよう。なお、Face ID搭載iPad Proでは、画面への視線が認識されている限りスリープに移行しない。この機能が不要なら、「設定」→「Face IDとパスコード」で「画面注視認識機能」をオフにしよう。

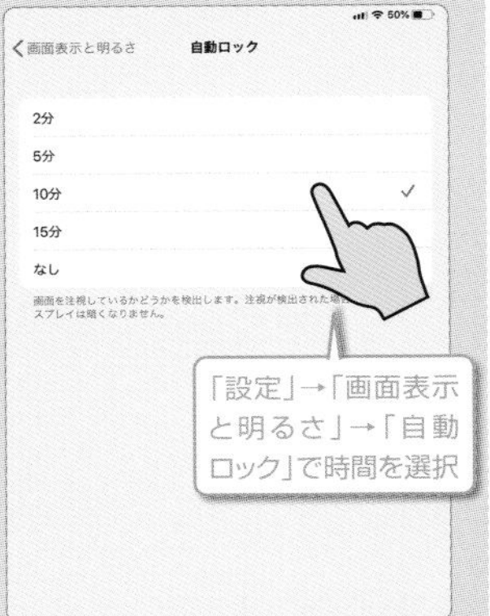

01 画面を縦向きや縦向きに固定する

勝手に回転しないように

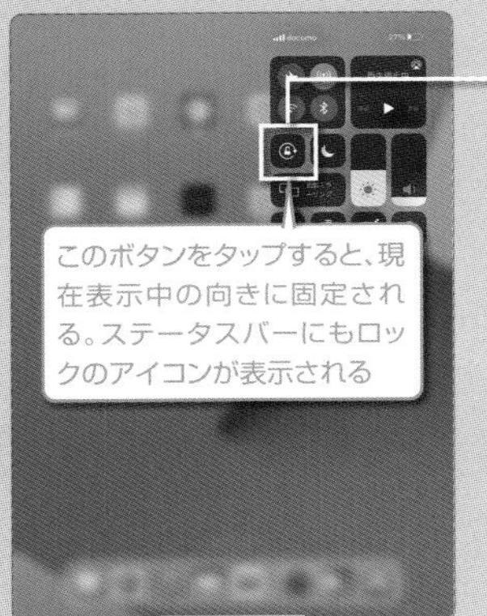

寝転んで画面を見るときなどは固定する

iPadは、内蔵センサーによって本体の向きを感知し、それに合わせて画面の向きも自動で回転する。寝転がってWebや動画を見る際など、画面が回転してわずらわしい場合は、コントロールセンターの「画面の向きのロック」で、画面の向きを固定しよう。

04 画面の一番上へワンタップで移動する

スクロールの手間を省く操作法

ステータスバーをタップしよう

メールや設定、ミュージック、Twitter、ニュースアプリなどで、画面をどんどん下へ読み進めた後、ページの一番上へ戻りたい時は、スワイプやフリックを繰り返す必要はなく、ステータスバーをタップするだけでよい。それだけで即座にページの一番上に画面がスクロールする。縦にスクロールするほとんどのアプリで利用できる操作法なので覚えておこう。

02 キーボードの操作音をオフにする

打鍵音が気になるならオフに

「設定」→「サウンド」でスイッチをオフに

標準では、キーボードで文字を入力するたびにカチカチ音が鳴り、公共の場などで気になる場合も多い。不要なら、あらかじめ「設定」→「サウンド」で「キーボードのクリック」のスイッチをオフにしておこう。なお、着信音／通知音の音量によってキーボードのクリック音もコントロールされるため、コントロールセンターで消音モードを有効にすれば、キーボードの音も消音となる。

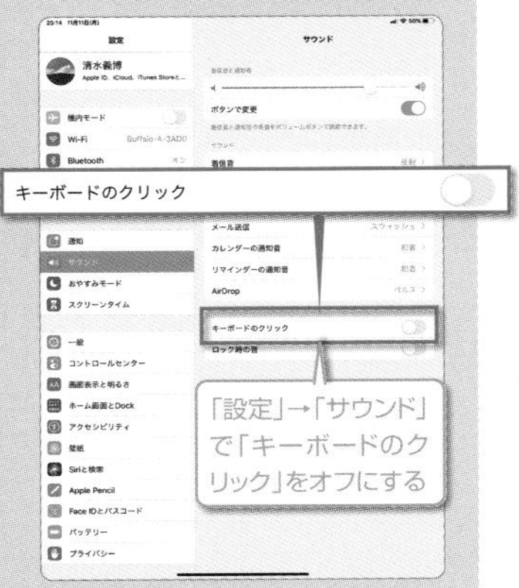

05 機内モードを利用する

航空機の出発前にオンにする

すべての通信を無効にする機能

航空機内など、電波を発する機器の使用を禁止されている場所では、コントロールセンターで「機内モード」を有効にしよう。モバイルデータ通信やWi-Fi、Bluetoothなどすべての通信を遮断する機能で、航空機の出発前に有効にする必要がある。機内でWi-Fiサービスを利用できる場合は、機内モードをオンにした状態のままで、航空会社の案内に従いWi-Fiを有効にしよう。

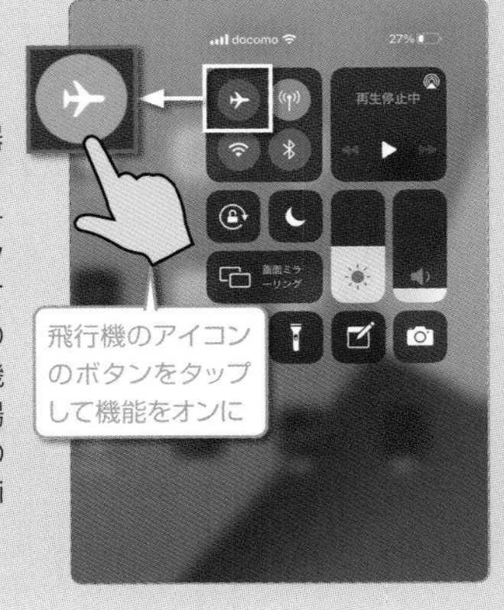

06 Face IDとTouch IDをしっかり設定する

不正利用されないよう必ず設定しよう

顔も指紋も複数登録できる

メールや連絡先、写真などの個人情報が満載のiPad。勝手に使われないよう画面ロックのセキュリティは必ず設定しておこう。iPadでは、Face IDによる顔認証もしくはTouch IDによる指紋認証で画面をロックでき、本人以外の不正使用を防止できる。初期設定時に設定しなかった場合は、「設定」→「Face ID(Touch ID)とパスコード」で設定を行う。「Face IDをセットアップ」もしくは「指紋を追加」をタップし、指示に従って顔や指紋をスキャンする。登録完了後、Face IDの場合は「もう一つの容姿を設定」で、家族の顔を登録することも可能だ。Touch IDでは、最大5つまで指紋を登録できる。また、Face IDやTouch IDは、iTunes StoreやApp Storeでのアイテム購入やパスワード自動入力の認証にも利用できる。必要に応じて、「Face ID(Touch ID)とパスコード」にあるスイッチを有効にしよう。

Face IDの設定

Face IDをセットアップ

「設定」→「Face IDとパスコード」→「Face IDをセットアップ」をタップ。指示に従い顔をスキャンする

もう一つの容姿をセットアップ

「もう一つの容姿をセットアップ」で、最大2人まで顔認証を利用できる

Touch IDの設定

指紋を追加...

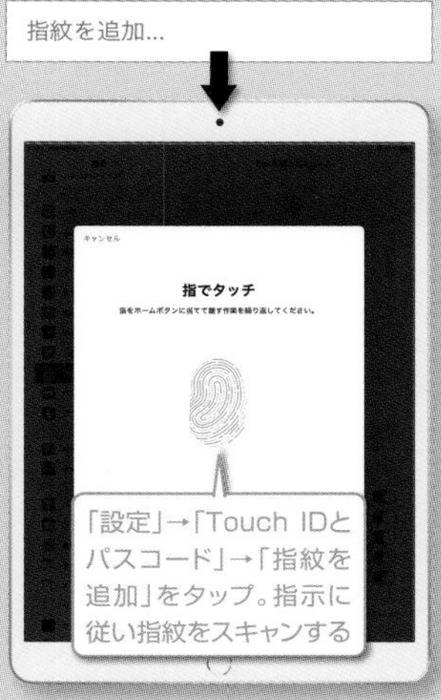

「設定」→「Touch IDとパスコード」→「指紋を追加」をタップ。指示に従い指紋をスキャンする

指紋を追加...

「指紋を追加」で最大5つの指紋を登録できる

07 Wi-Fiに接続する

パスワードを入力するだけ

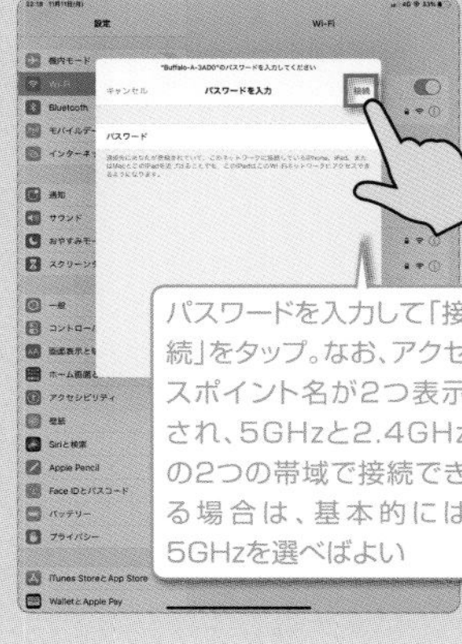

パスワードを入力して「接続」をタップ。なお、アクセスポイント名が2つ表示され、5GHzと2.4GHzの2つの帯域で接続できる場合は、基本的には5GHzを選べばよい

Wi-Fiの基本的な接続方法を確認

初期設定でWi-Fiに接続しておらず、後から設定する場合や、友人宅などでWi-Fiに接続する場合は、「設定」→「Wi-Fi」をタップし、続けて接続するアクセスポイント名(SSID)をタップ。後はパスワードを入力するだけでOKだ。一度接続したアクセスポイントには、以降基本的には自動で接続される。SSIDやパスワードは、Wi-Fiルータに貼ってあるシールに記載されていることが多い。

08 アプリをインストールする基本操作

まずは無料アプリを試してみよう

Apple ID取得済みならApp Storeを利用可能

iPadは「App Store」というアプリ配信ストアからさまざまなアプリをインストールして利用できる。初期設定などでApple IDを取得していれば、ホーム画面にある「App Store」アプリを起動してすぐにインストール可能だ。アプリの情報に「入手」というボタンが表示されているものは無料アプリなので、タップして試してみよう。App Storeの詳しい使い方はP064で解説している。

タップしてApple IDの認証を済ませれば、すぐにインストールできる

09 共有ボタンの使い方を覚える

情報の送信や投稿、保存に利用

多くのアプリで共通するボタン

多くのアプリに備わっている「共有ボタン」。タップすることで共有メニューを表示し、さまざまなアクションを選択できる。データのメール送信やSNSへの投稿、クラウドへの保存など、アプリによってメニューに表示されるアクションは異なるが、基本的には別のアプリにデータを受け渡すための機能だ。また、Safariの「ブックマークを追加」など、オプション機能がこのメニューに表示される場合もある。なお、メニューに表示されるアプリやアクションは編集可能だ。

Safariで共有ボタンをタップ。ほとんどのアプリの共有ボタンはこのデザインだ

→

共有メニューが表示。ブックマークへの追加やメール、メッセージ、AirDropによる送信など各種操作を行える。なお、よく使うアクションは上位に表示され、すぐに選択できるようになる

メニューの内容を編集する

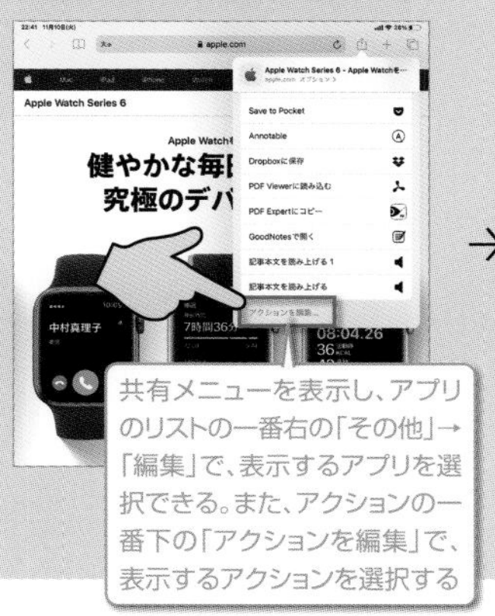

共有メニューを表示し、アプリのリストの一番右の「その他」→「編集」で、表示するアプリを選択できる。また、アクションの一番下の「アクションを編集」で、表示するアクションを選択する

→

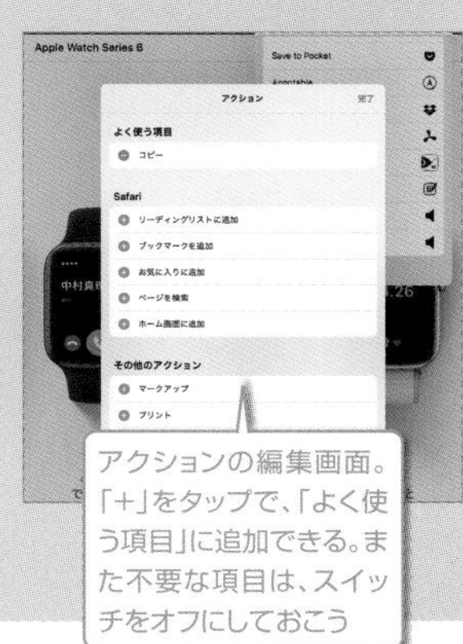

アクションの編集画面。「+」をタップで、「よく使う項目」に追加できる。また不要な項目は、スイッチをオフにしておこう

10 Siriを利用する

iPadの優秀な秘書機能

Siriを有効にする

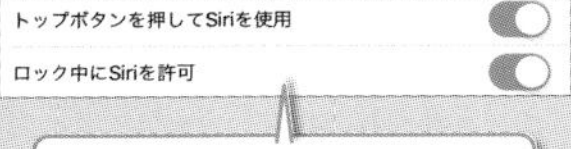

「設定」→「Siriと検索」で「トップ(ホーム)ボタンを押してSiriを使用」をオンにする。必要に応じてロック中の使用も許可しよう。

電源ボタンを長押し

ホームボタンのないiPadの場合は、電源ボタンを押してSiriを起動。iPadOS 14では、このように画面右下にSiriが表示され、画面を操作しながらSiriを利用できるようになった

ホームボタンを長押し

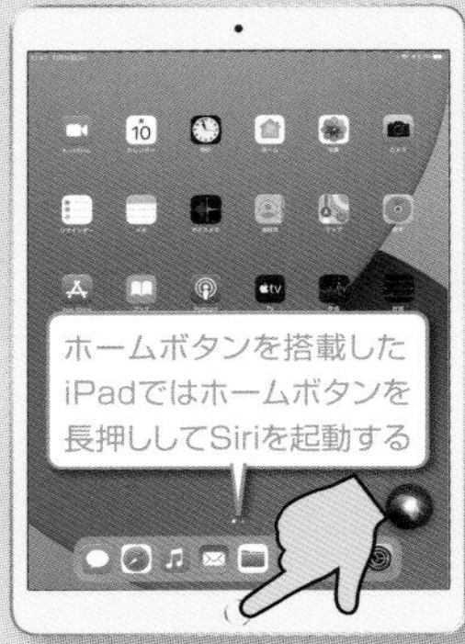

ホームボタンを搭載したiPadではホームボタンを長押ししてSiriを起動する

電源ボタンやホームボタンで起動

iPadに話しかけることで、情報を調べたり、さまざまな操作を実行してくれる「Siri」。「今日の天気は?」や「ここから○○駅までの道順は?」、「○○をオンに」など多彩な操作をiPadにまかせることができる。Siriを起動するには、ホームボタンのないiPadでは電源ボタンを長押しし、それ以外のiPadではホームボタンを長押しする。まずは、「設定」→「Siriと検索」で「トップ(ホーム)ボタンを押してSiriを使用」をオンにしよう。また、「Hey Siri」機能を使えば、「Hey Siri」と呼びかけてSiriを起動することもできる。

「Hey Siri」で起動

「設定」→「Siriと検索」で「"Hey Siri"を聞き取る」をオンにし、自分の声を認識させると、「Hey Siri」と話しかけるだけでSiriを起動できるようになる

11 ホーム画面やロック画面の壁紙を変更する

撮影した写真も設定できる

視差効果の有無も選択可能

ホーム画面およびロック画面の壁紙は、自由に変更可能だ。ホーム画面とロック画面で別々の壁紙を設定することもできる。「設定」→「壁紙」→「壁紙を選択」で「静止画」か「ダイナミック」(アニメーションで動く壁紙)を選択。好みの画像をタップしよう。また、写真アプリから撮影した写真や自作のイラスト画像などを壁紙として利用することも可能。視差効果のオン/オフも選択できる。

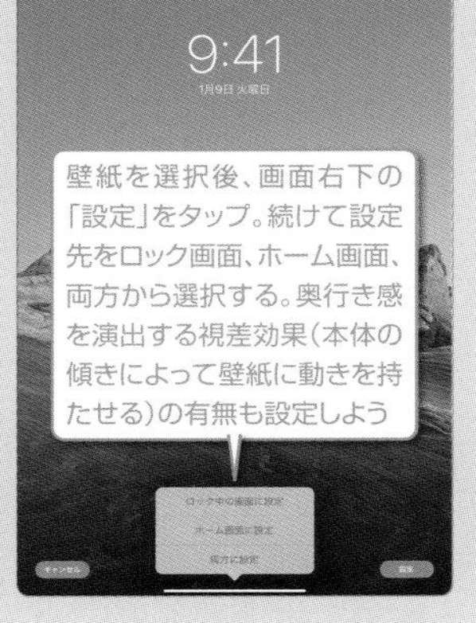

壁紙を選択後、画面右下の「設定」をタップ。続けて設定先をロック画面、ホーム画面、両方から選択する。奥行き感を演出する視差効果(本体の傾きによって壁紙に動きを持たせる)の有無も設定しよう

12 夜間は目に優しいダークモードにする

設定時間に自動切り替え可能

壁紙選択画面でこのマークの付いた壁紙は、ダークモードに対応している

ダークモードのホーム画面

黒を基調とした画面にチェンジ

黒を基調とした画面で目に優しい「ダークモード」。「設定」→「画面表示と明るさ」の「外観モード」で「ダーク」を選べば、各種アプリの画面が黒ベースのデザインに変化する。「自動」をオンにしてスケジュールを設定すれば、時間によってライトモードとダークモードを自動で切り替えることも可能。なお、対応壁紙を選べば、ホーム画面もダークモードにすることができる。

13 スクリーンショットを保存する

2つのボタンを同時に押す

加工や共有も簡単に行える

表示されている画面そのままを画像として保存できるスクリーンショット機能。ホームボタンのないiPadでは、電源ボタンと音量の上げるボタンを同時に押して撮影。それ以外のiPadの場合は、電源ボタンとホームボタンを同時に押して撮影する。撮影後、画面左下に表示されるサムネイルをタップすると、マークアップ機能での書き込みや各種共有を行うことができる。

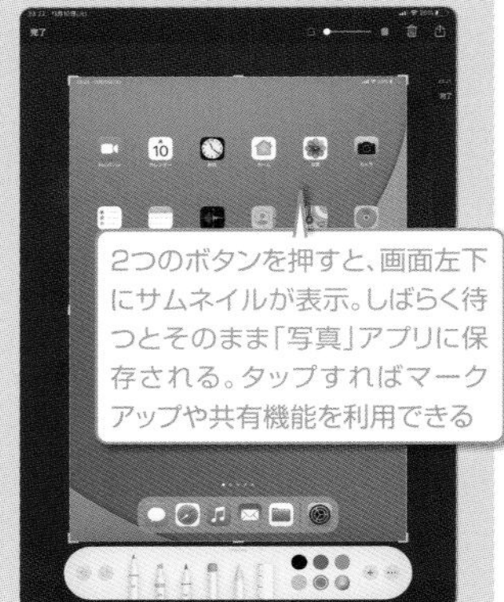

2つのボタンを押すと、画面左下にサムネイルが表示。しばらく待つとそのまま「写真」アプリに保存される。タップすればマークアップや共有機能を利用できる

14 iPadで写真を撮影する

シャッターをタップするだけ

シャッターをタップするだけでOK。カメラの多彩な機能はP066以降で解説している

カメラアプリを起動しよう

iPadで写真を撮影する操作はとても簡単。まず「カメラ」アプリを起動し、被写体にレンズを向ける。基本的にはピントも露出も自動で調整されるので、後は画面右に大きく表示された白い丸のシャッターボタンをタップするだけだ。シャッター音が聞こえれば撮影が完了。写真は「写真」アプリに保存されており、シャッター下のサムネイル画像をタップすればすぐに確認できる。

15 ホーム画面から呼び出せる検索機能を利用する

アプリ内も対象にキーワード検索

ホーム画面を下へスワイプする

ホーム画面の適当な箇所を下へスワイプして表示する検索機能。アプリ、Webはもちろん、メールやメモ、連絡先のデータなど広範かつ多彩な対象をキーワード検索できる。検索フィールドに語句を入力するに従って、検索結果が絞り込まれていく仕組みだ。検索フィールドの下には、日頃の使い方や習慣を元に次に使うアプリや操作を提案してくれる「Siriからの提案」が表示される。

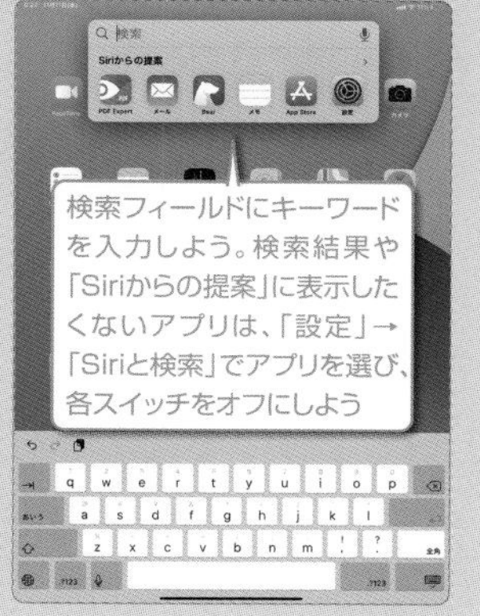

18 日本語かなキーボードのあ行を左に変更する

好みに応じて配列を変更する

標準のキー配列に違和感があるなら

五十音順にキーが並んだ「日本語かな」キーボードは、右上から縦に「あいうえお」とあ行が並び、続けてその左にか行、さ行と続いていく。この配列を、あ行が左端からはじまるよう変更することができる。「設定」→「キーボード」の「かな入力」欄にある「あ行が左」のスイッチをオンにするだけだ。しっくりくる配列に設定しておこう。

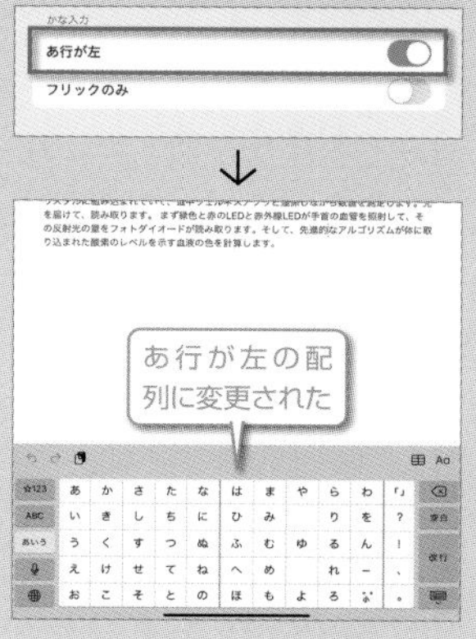

16 表示される文字サイズを変更する

読みやすさと情報量を検討しよう

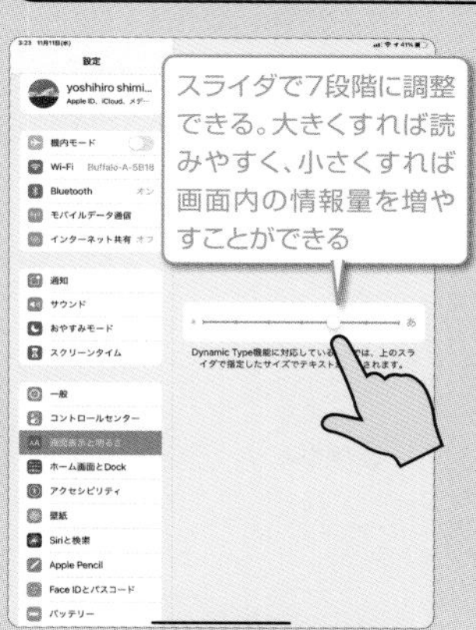

文字の大きさを7段階で変更

画面内の文字が小さくて見にくい場合は、「設定」→「画面表示と明るさ」→「テキストサイズを変更」で文字サイズを調整しよう。「設定」内の項目名やメールやメッセージの文章はもちろん、App Storeからインストールしたものを含めてさまざまなアプリで表示される文字サイズを7段階で変更可能だ。文字を小さくすることで、通知などの情報量を増やすこともできる。

19 写真やファイルを複数選択する操作法

アプリの複数選択と同じ操作

2本の指を使ってまとめよう

ホーム画面で複数のアプリを選択し、移動する方法はP022で解説した。アプリをひとつ少しドラッグさせ、そのまま指を離さず他のアプリをタップするという方法だが、この操作法で写真やファイルも複数同時に扱うことができる。写真アプリやファイルアプリで写真やファイルを整理したい時に利用したい。また、App Storeからインストールした他社製のアプリでも使える場合が多い。

17 新しくなった日付と時刻の入力方法をマスターする

タップだけで簡単に入力できる

時刻はテンキーで入力する

iPadOS 14では、日付や時刻の入力方式がこれまでのドラムロール式（上下にフリックして日にちや時間の数字を選択する）から、タップ式に変更された。日付は月表示のカレンダーから日にちをタップし、時刻はテンキーで直接入力するため、ドラムロールのようにフリックしすぎてなかなか選択できない…といったストレスがなくなる。

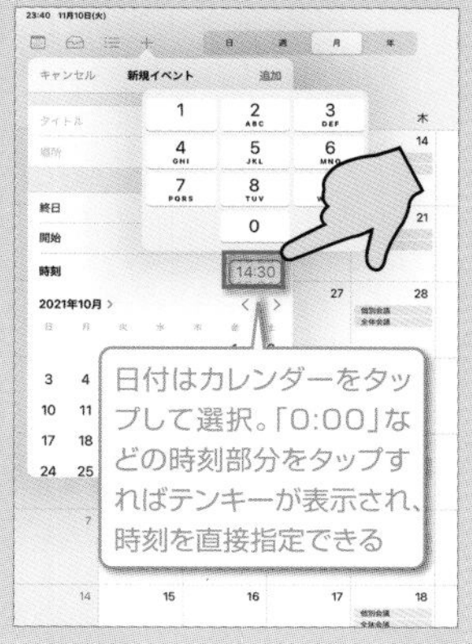

20 画面のスクロールを素早く行う操作法

スクロールバーをドラッグする

繰り返しフリックする必要なし

Safariで表示した縦に長いWebページやTwitterのタイムラインなどをスクロールする際は、画面右のスクロールバーを操作しよう。スクロールバーを少しロングタップし、上下にドラッグすればスピーディにスクロールを行える。スクロールバーが見当たらない場合は、スワイプやフリックで少しだけスクロールすれば画面右に表示される。

21 iPhoneのデータ通信を使ってネット接続する

Wi-Fiモデルでも外でネットを利用

インターネット共有の利用手順

iPadとiPhoneで同じApple IDを使ってiCloudにログイン。iPad、iPhone共にWi-Fi、Bluetoothを有効にする。iPhoneの「設定」で「インターネット共有」のメニューをタップ。続けて「ほかの人の接続を許可」をオンにする。オプション契約してもメニューが表示されない場合は、一度再起動してみよう

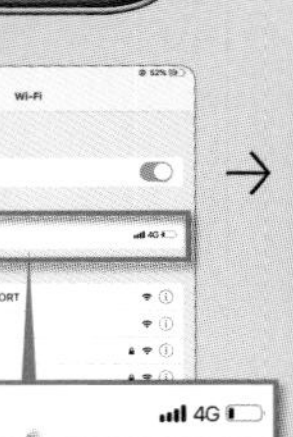

iPadの「設定」→「Wi-Fi」の「インターネット共有」欄にiPhoneの名前が表示されるのでタップすると、接続が完了する

インターネット共有接続中の表示。これでWi-FiモデルのiPadでも、外でネット接続可能になる

同じApple ID同士なら簡単に接続

インターネット共有(テザリング)機能を使えば、iPhoneで契約しているモバイルデータ通信を使ってiPadもネット接続することができる。使い方も簡単で、iPadとiPhoneで同じApple IDを使っていれば、パスワード不要で即座に接続が完了する。iPhoneの通信量を消費しすぎないよう気をつけながら利用しよう。なお、インターネット共有を利用するには、キャリアや契約状況によってはオプション契約が必要だ。また、ここでは解説しないが、Androidスマートフォンともテザリング機能で接続することが可能だ。

22 動画を再生しながら他のアプリを操作する

ピクチャインピクチャを利用する

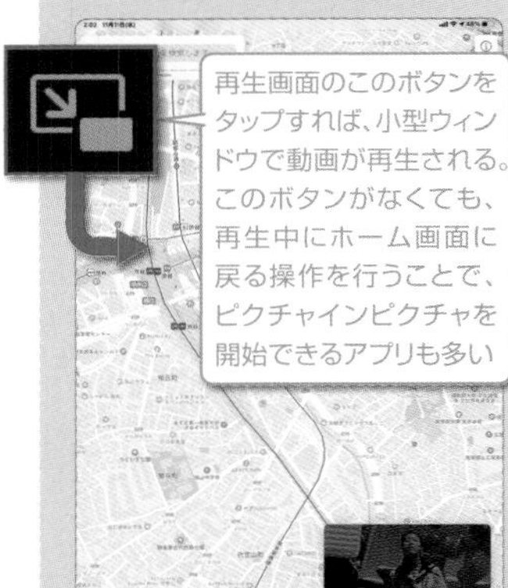

再生画面のこのボタンをタップすれば、小型ウィンドウで動画が再生される。このボタンがなくても、再生中にホーム画面に戻る操作を行うことで、ピクチャインピクチャを開始できるアプリも多い

FaceTimeのビデオ通話でも使える機能

Apple TVや一部の動画配信、動画再生アプリでは、ピクチャインピクチャ機能で動画再生画面を小型化し、同時にホーム画面や他のアプリを操作することができる。この機能は、FaceTimeのビデオ通話時にも利用可能だ。なお、対応していない動画アプリの場合は、Split ViewやSlide Overなどを利用して、他のアプリと同時に動画再生できるか試してみよう(P028で解説)。

23 QRコードを読み取る

カメラを向けるだけでOK

簡単に情報にアクセスできる便利な機能

URLを入力することなくWebサイトにアクセスできたり、SNSの情報交換が簡単に行えるなど、さまざまなシーンで活躍するQRコード。iPadでは、標準のカメラアプリですぐに読み取ることができる。カメラを起動してQRコードを捉えると、画面上部にバナーが表示される。タップすればすぐに対応アプリで情報にアクセスできる。「QRコードをスキャン」の設定も事前に確認しておこう。

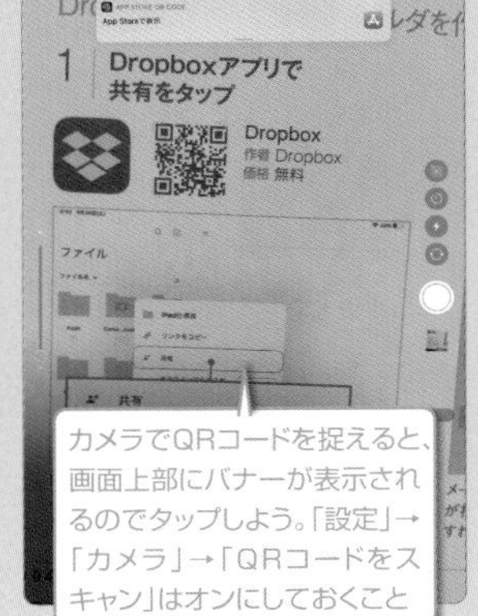

1 Dropboxアプリで共有をタップ

カメラでQRコードを捉えると、画面上部にバナーが表示されるのでタップしよう。「設定」→「カメラ」→「QRコードをスキャン」はオンにしておくこと

24 ひとつのアプリで複数のウィンドウを利用する

パソコンのようなマルチタスク機能

わかりづらいが理解すると便利

iPadでは、ひとつのアプリで複数のウインドウを開いて作業することができる。意識しないで使っていると気付きにくい機能なので、ここで仕組みや使い方を覚えておこう。まず、ホーム画面でアプリをロングタップし、表示されるメニューで「すべてのウインドウを表示」を選択すると、そのアプリで開いているウインドウが一覧表示される。続けて画面右上の「+」をタップすると、新規ウインドウが開き、既存のウインドウをバックグラウンドに残したまま別の操作、作業を行うことができるのだ。

1 すべてのウインドウを表示

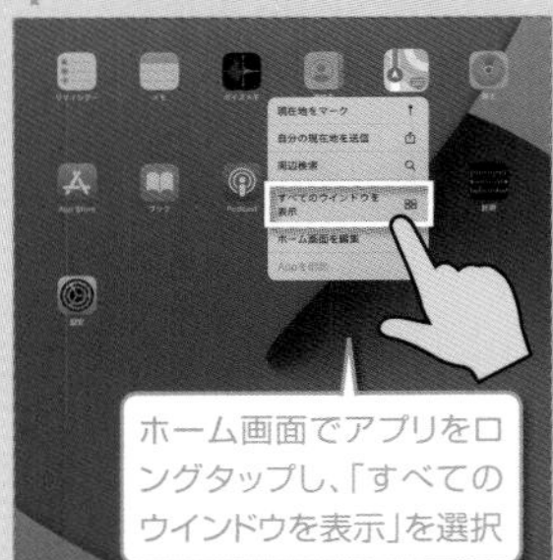

ホーム画面でアプリをロングタップし、「すべてのウインドウを表示」を選択

2 新規ウインドウを表示

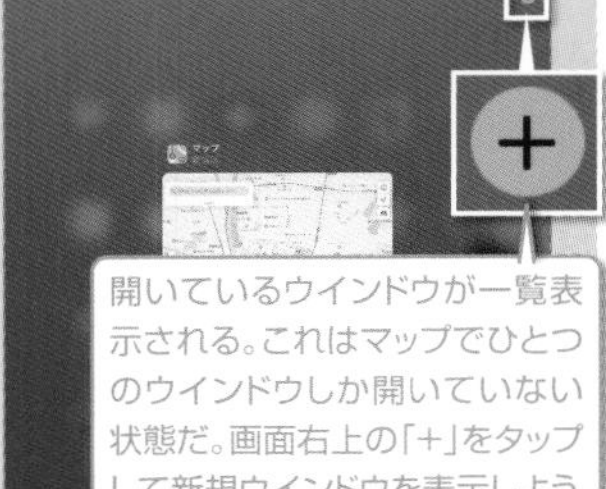

開いているウインドウが一覧表示される。これはマップでひとつのウインドウしか開いていない状態だ。画面右上の「+」をタップして新規ウインドウを表示しよう

3 複数のウインドウを利用

複数のウインドウを開いている場合、Appスイッチャー(P023で解説)にもすべてのウインドウが表示され、タップして切り替えられる。これはマップで3つのウインドウを開いている状態だ

4 不要なウインドウを閉じる

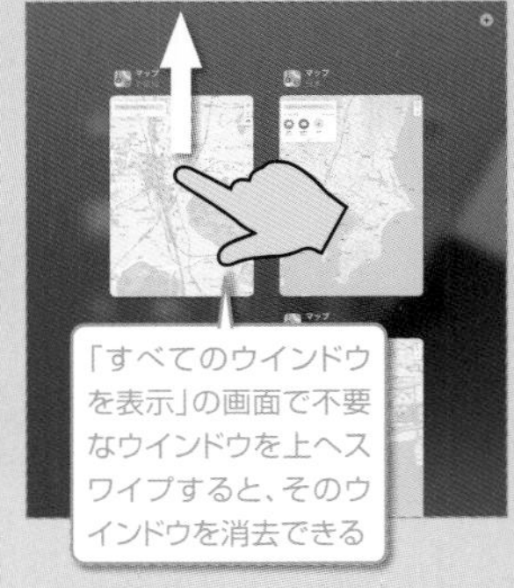

「すべてのウインドウを表示」の画面で不要なウインドウを上へスワイプすると、そのウインドウを消去できる

Section 02

標準アプリ完全ガイド

初期設定を済ませて本体やiPadOSの基本操作を覚えたら、あらかじめインストールされている標準アプリを使ってみよう。WebブラウザのSafariやメール、カメラなどの操作法や設定ポイントを詳細に解説している。

02

Safari

標準WebブラウザでWebサイトを快適に閲覧する

さまざまな便利機能を備える Webブラウザアプリを使いこなそう

iPadでWebサイトを閲覧するには、標準で用意されているWebブラウザアプリ「Safari」を使おう。Safariのアドレスバーは、キーワード検索ボックスとしても利用できるので、Webページを検索したい場合は、アドレスバーにキーワードを入力すればよい。そのほか、画面内のスクロールや拡大・縮小、複数ページのタブ切り替え、よく使うサイトのブックマーク登録、閲覧履歴の確認といった、よく行う基本操作を覚えておこう。

また、SafariにはWebサイトを快適に閲覧するための便利な機能が多数用意されている。あとでオフラインでも読めるようにページを保存しておく「リーディングリスト」や、履歴を残さずWebページを閲覧できる「プライベートモード」、iPhoneで開いているタブやブックマーク、履歴などをiPadでも利用できるように同期する「iCloud」の設定も、知っておくと便利だ。

使い始め POINT! アドレスバーにキーワードを入力してWebページを検索しよう

Safariを起動したら、まずは画面上部のアドレスバー内をタップしよう。キーボードでURLを入力してリターンキーをタップすれば、そのURLのページを直接開くことができる。このアドレスバーはキーワード検索ボックスも兼ねており(スマート検索フィールドと呼ぶ)、アドレスバー内にキーワードを入力してリターンキーをタップすると、標準設定ではトップヒットのサイトか、またはGoogle検索結果が開く。また、キーワードの入力中には、アドレスバーの下部に、入力中の文字に関連した検索候補も表示される。これをタップすると、その候補の検索結果が表示される。

操作❶ Webページの画面内の操作

1 リンクをタップしてリンク先のページにアクセスする

検索結果などWebページ内のリンクをタップすると、そのリンク先にアクセスし、Webページを表示することができる。

2 画面を上下に動かして続きのページを表示する

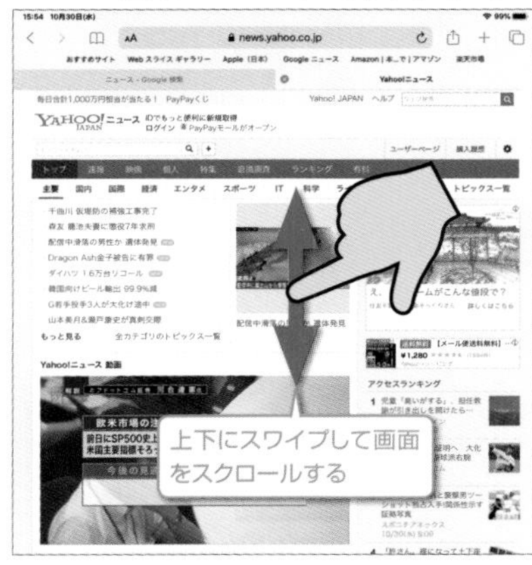

Webページの画面が上下に続いている場合は、画面内を上下にスワイプしてみよう。スクロールして続きの画面が表示される。

3 文字が小さい画面はピンチ操作で拡大表示できる

二本の指を外側に押し広げる操作(ピンチアウト)で画面を拡大表示、逆に外から内に縮める操作(ピンチイン)で縮小表示することができる。

操作❷ ツールバーやタブの操作

1 前のページに戻る、次のページに進む

ツールバー左上の「<」をタップすると直前に開いていたページに戻る。戻ったあとに「>」をタップで次のページに進む。

2 もっと前のページに戻る、先のページに進む

「<」「>」をロングタップ(長押し)すれば、このタブの閲覧履歴が表示される。タップすればより前のページに戻ったり先のページに進める。

3 複数のWebページをタブで管理する

複数のWebページを同時に開いている時は、画面上部に見出しが一覧表示される。これを「タブ」と言い、タップして簡単に表示を切り替えできる。

4 新しいタブを開く、リンク先を新しいタブで開く

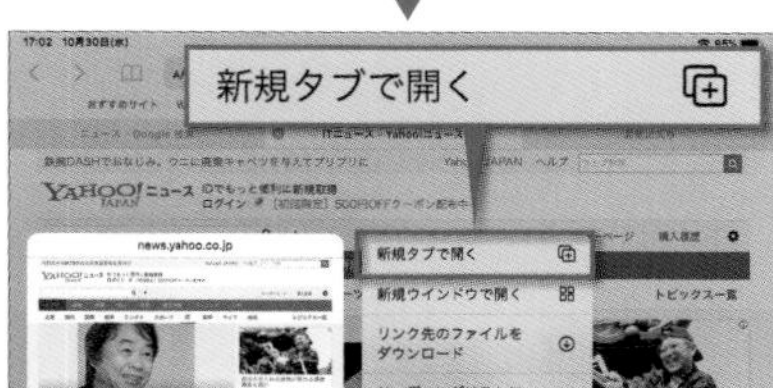

画面右上の「+」をタップで新しいタブが開く。または、ページ内のリンクをロングタップして「新規タブで開く」で、リンク先を新しいタブで開く。

5 開いている他のタブに切り替える

画面上部のタブをタップして画面を切り替え。不要なタブの「×」をタップして閉じることができる。また、タブボタンでタブを一覧表示可能だ。

6 開いているすべてのタブをまとめて閉じる

タブボタンをロングタップして、表示されるメニューで「○個のタブをすべてを閉じる」をタップすれば、すべてのタブをまとめて閉じることができる。

使いこなしヒント

表示中のWebページを更新する

アドレスバーの右端にある、リロードボタン(回転した矢印)をタップすれば、表示中のページを更新して、最新の状態でWebページを表示することができる。

2本指でタップし新規タブで開く

リンク先を新規タブで開きたい場合は、いちいちロングタップして「新規タブで開く」をタップしなくても、2本指でリンクをタップするだけでよい。

表示中のページ内のテキストを検索する

画面右上の共有ボタンをタップし、続けて「ページを検索」をタップすれば、ページ内のテキストを検索できる。一致する文字列は黄色でハイライト表示される。

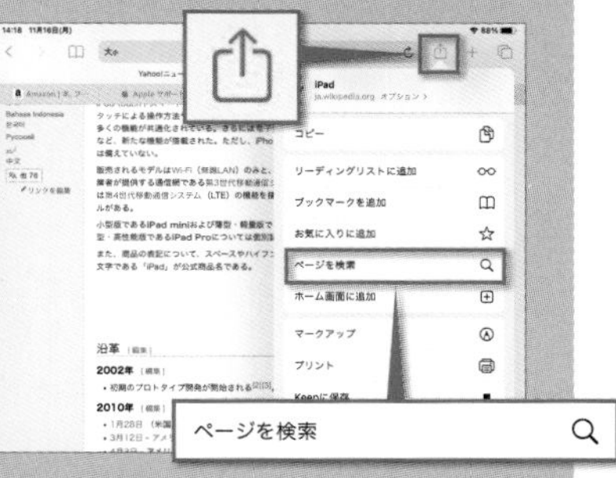

操作❸ よく利用するサイトをブックマーク登録する

1 共有ボタンから「ブックマークを追加」をタップする

よく使うサイトは、素早くアクセスできるようブックマーク登録しておこう。まず、右上の共有ボタンから「ブックマークを追加」をタップ。

2 場所を指定して「保存」をタップする

「場所」欄をタップすれば、ブックマークの保存先フォルダを変更できる。あとは右上の「保存」をタップすればブックマークへの登録は完了。

3 ブックマークにアクセスする

左上の本の形のボタンをタップすれば、追加したブックマーク一覧が表示される。ブックマークをタップすれば、すぐにそのサイトにアクセスできる。

4 ブックマークを編集する

右下の「編集」をタップすると編集モードになる。「ー」をタップでブックマークを削除。右端の三本線をドラッグして並び順を変更できる。

5 新規フォルダを作成する

ブックマークをフォルダで分類したい場合は、編集モードにして、左下の「新規フォルダ」をタップ。新しいブックマークフォルダを作成できる。

6 ブックマークをフォルダに移動する

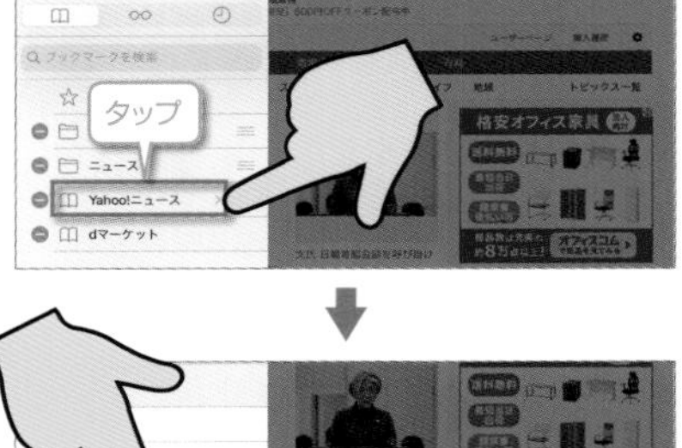

編集モードでブックマーク名をタップして、「場所」欄をタップすると、ブックマークの保存先を他のフォルダに変更することができる。

使いこなしヒント

Safariのブックマークをパソコンのchromeと同期する

「Chrome ウェブストア」(https://chrome.google.com/webstore)にアクセスし、「拡張機能」から「iCloudブックマーク」を探して、「Chromeに追加」をクリック。拡張機能を追加しておく。

「Windows用iCloud」(https://support.apple.com/ja-jp/HT204283)をインストールし、iPadと同じApple IDでサインイン。「ブックマーク」にチェックして「Chrome」にチェックしたら、「適用」をクリックする。

Chromeの拡張機能のボタンをクリックすると、「Chromeブックマークはicloudと同期しています。」と表示される。あとはiPadでSafariのブックマークを開けば、同期されたChromeのブックマークも一覧表示されるはずだ。

操作④ 履歴とプライバシーを管理する

1 「履歴」で過去に見たWebページを確認する

ブックマーク一覧にある「履歴」タブを開くと、過去に見たWebページが表示され、タップすればそのページにアクセスすることができる。

2 閲覧履歴を個別に消去する

消去したい履歴を選んで、右から左端までスワイプすると、その履歴を個別に消去することができる。

3 一定期間の履歴とデータをまとめて消去する

履歴一覧の右下にある「消去」をタップすれば、履歴やCookieなどのデータを、直近1時間、今日、今日と昨日、すべてから選んで消去できる。

4 設定からすべての履歴とデータを消去する

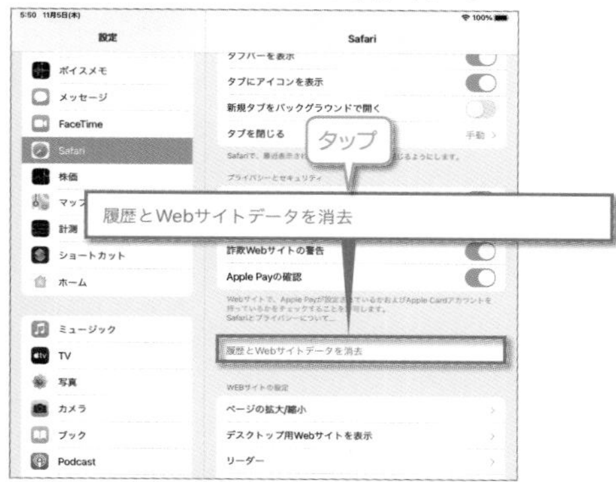

「設定」→「Safari」→「履歴とWebサイトデータを消去」をタップしても、すべての履歴やCookieなどのデータをまとめて消去できる。

5 誤って閉じたタブを復元する

ついさっき閉じたタブをもう一度見たい時は、「+」ボタンをロングタップして、「最近閉じたタブ」から復元するのが早い。

6 閲覧履歴を残さないプライベートモードを使う

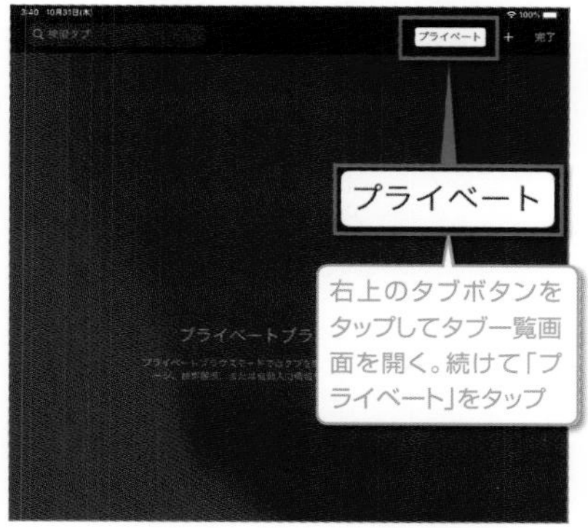

タブ一覧画面で「プライベート」をタップすると、履歴を残さずにWebページを閲覧できる。もう一度タップすれば通常モードに戻る。

操作⑤ ページ全体のスクリーンショットをPDF形式で保存する

1 スクリーンショットのプレビューをタップ

Webサイトのページ全体を保存するには、まずスクリーンショットを撮って、画面左下に表示されるプレビューをタップする。

2 フルページをタップする

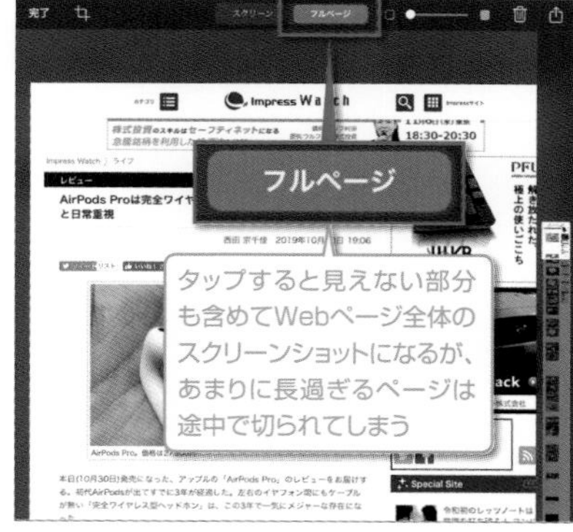

編集画面が開いたら「フルページ」タブに切り替えよう。Webページ全体のスクリーンショットになる。注釈の書き込みやトリミングも可能。

3 PDFファイルとして保存する

編集を終えたら、左上の「完了」をタップし、「PDFを"ファイル"に保存」をタップ。端末内やiCloudドライブにPDFファイルとして保存できる。

操作❻ あとで読みたいページをオフラインでも読めるように保存する

1 あとで読みたいページは「リーディングリストに追加」

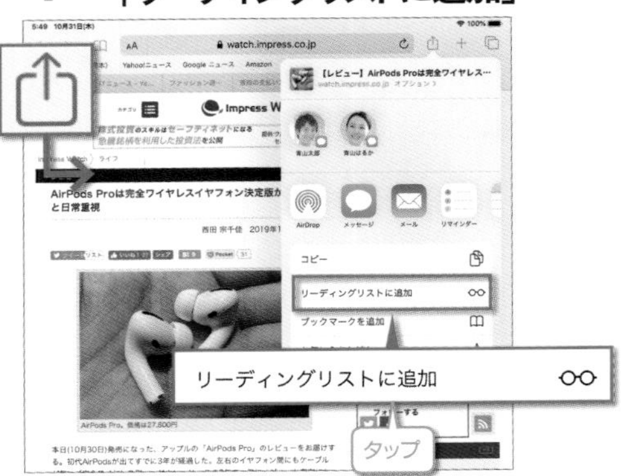

あとで読みたいページは、共有ボタンをタップして「リーディングリストに追加」をタップしておこう。表示中のページが保存される。

2 リーディングリストに保存したページを読む

ブックマーク一覧を開き、眼鏡タブをタップすると、保存したページが一覧表示される。ページ名をタップすればオフラインでもページが開く。

3 不要なリーディングリストを削除する

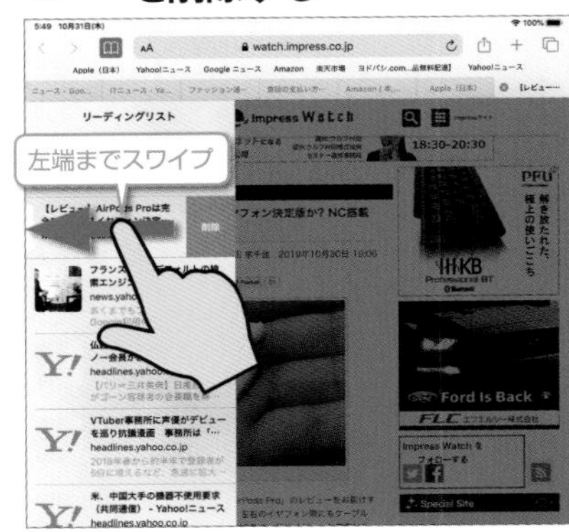

読んで不要になったページは、右から左端までスワイプすると、リストから削除できる。

操作❼ iPhoneで見ているタブをiPadでも確認、アクセスする

1 iCloudの設定で「Safari」をオンにしておく

iPad、iPhone両方のiCloud（P030で解説）の設定で「Safari」のスイッチをオンにしておく。これでタブやブックマーク、履歴などが同期される。

2 タブボタンをタップしてタブ一覧画面を開く

iPhoneのSafariで開いているタブを、iPadのSafariでも確認するには、右上のタブボタンをタップしてタブ一覧を開けばよい。

3 下部にiPhoneで開いているタブが表示される

タブ一覧の下部に、iPhoneで開いているタブのページタイトルが表示される。これをタップすれば、このページをiPadでも開くことができる。

使いこなしヒント

長文記事を読みやすいリーダー機能を使う

「リーダー機能」に対応したサイトでは、余計な画像や広告を省いてシンプルなテキスト主体の表示に切り替えできる。複数ページもスクロール操作だけで読み進められる。

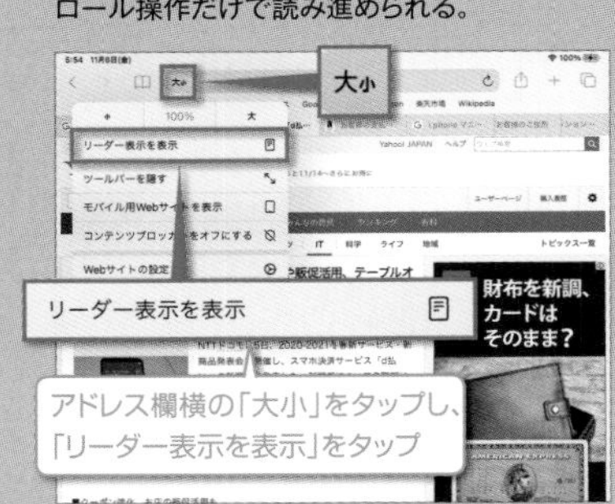

Safariに広告ブロック機能を設定する

「280blocker」などの広告ブロックアプリをインストールし、「設定」→「Safari」→「コンテンツブロッカー」でオンにすれば、Safariで広告を非表示にできる。

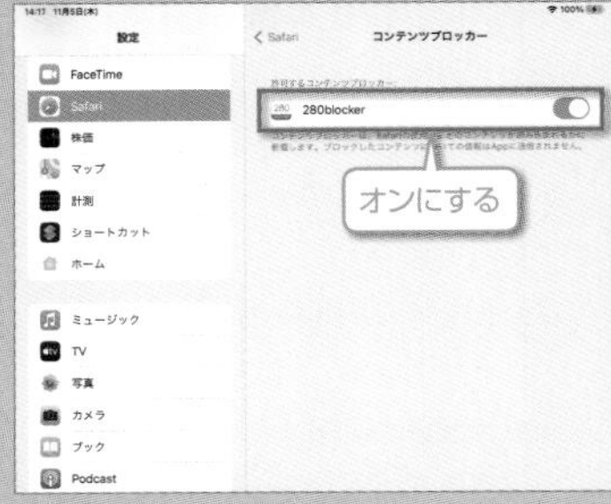

デスクトップ版ではなくモバイル版の表示にする

iPadOSのSafariは標準ではデスクトップ版の表示になる。簡易的なモバイル向け表示に切り替えるには、「大小」→「モバイル用Webサイトを表示」をタップすればよい。

操作⑧ ダウンロードマネージャーでファイルを保存する

1 リンク先のファイルをダウンロード

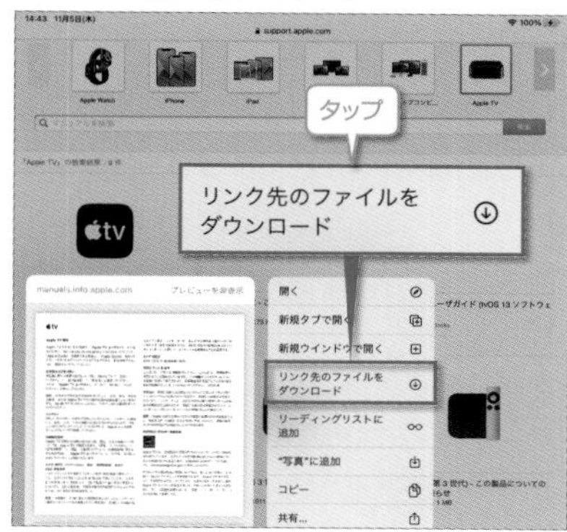

ネット上のPDFやZIPなどのファイルを保存するには、リンクをロングタップして、「リンク先のファイルをダウンロード」をタップすればよい。

2 ファイルアプリでファイルを確認する

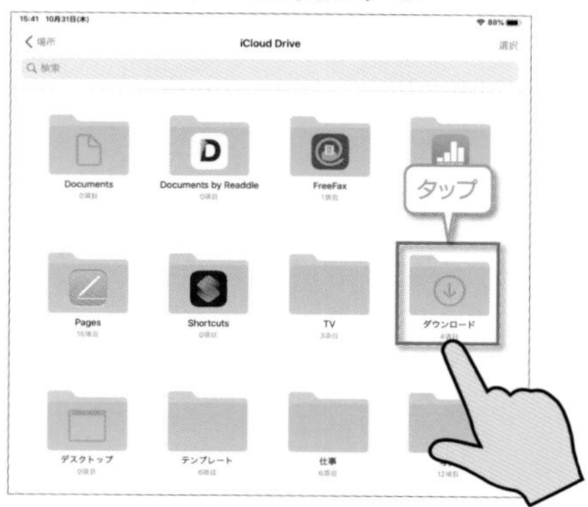

ダウンロードしたファイルは、標準だと「ファイル」アプリで「iCloud Drive」→「ダウンロード」フォルダを開けば確認できる。

3 ファイルの保存先を変更する

「設定」→「Safari」→「ダウンロード」で「その他」をタップすると、保存先を他のフォルダに変更することができる。

操作⑨ フォームへの自動入力機能を利用する

1 Safariの自動入力を有効にしておく

「設定」→「Safari」→「自動入力」を開き、「連絡先の情報を使用」と「クレジットカード」のスイッチをオンにしておこう。

2 連絡先の情報を自動入力する

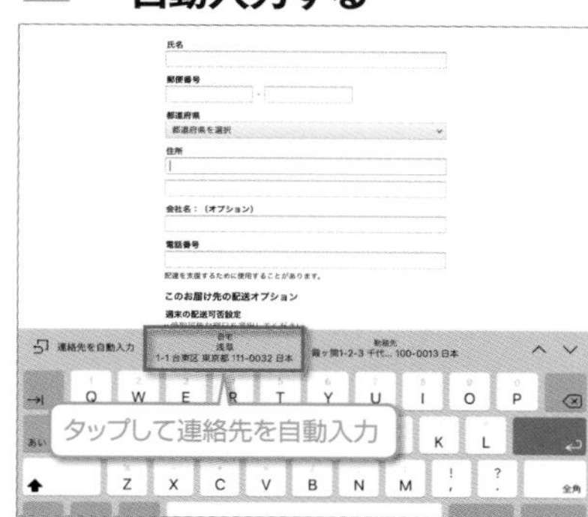

名前や住所の入力フォームをタップすると、キーボード上部に候補が表示され、タップして入力できる。「連絡先を自動入力」をタップして他の候補も選択できる。

3 クレジットカード情報を自動入力する

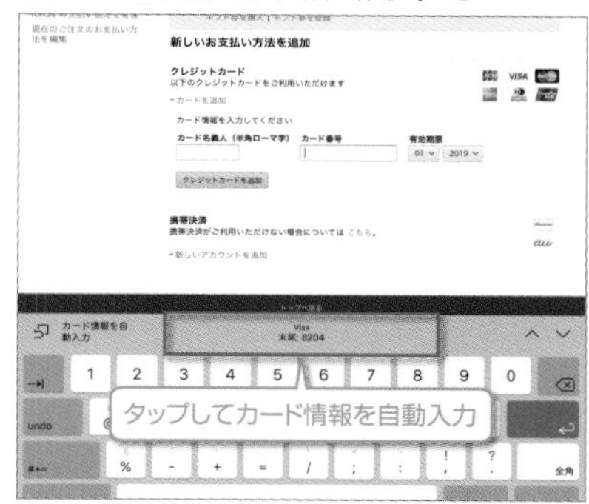

クレジットカード番号の入力フォーム内をタップすると、キーボード上部に候補が表示され、タップして入力できる。「カード情報を自動入力」で他の候補も選択できる。

使いこなしヒント

リンクをドラッグして新しいウインドウで開く

リンクを新規タブではなく新規ウインドウで開くには、リンクをロングタップして、そのまま左右端にドラッグすればよい。Slide OverやSplit Viewで開くことができる。

一定期間見なかったタブを自動で消去

開きっぱなしのタブを自動で閉じるには、「設定」→「Safari」→「タブを閉じる」をタップ。最近表示していないタブを1日後や1週間後、1か月後に閉じるよう設定できる。

開いているタブをまとめてブックマーク

今開いているタブをすべてブックマーク登録したい場合は、ブックマークボタンをロングタップし、続けて「○個のタブをブックマークに追加」をタップする。

メール

自宅や会社のメールもこれ一本でまとめて管理

まずは送受信したい メールアカウントを追加していこう

iPadに標準搭載されている「メール」は、自宅のプロバイダメールや会社のメール、iCloudメールやGmailといったメールサービスなど、複数のメールアカウントを追加して、まとめて管理できる便利なアプリだ。まずは「設定」を起動し、「メール」→「アカウント」→「アカウントを追加」をタップして、メールアプリで送受信したいアカウントを追加していこう。iCloudメールやGmailなどは、アカウントとパスワードを入力するだけで追加できる簡易メニューが用意されているが、自宅や会社のメールアカウントは手動設定が必要だ。あらかじめプロバイダや会社から指定されている、POP3サーバやSMTPサーバの情報を手元に用意して、「その他」から登録を進めていこう。

また、Wi-Fi+CellularモデルのiPadを購入して、docomo、au、SoftBankと契約しているなら、各キャリアメールも「メール」アプリで送受信することができる。

使い始めPOINT! 「メール」アプリで送受信できるメールアカウント

メールアプリのアカウントは、「設定」→「メール」→「アカウント」→「アカウントを追加」から登録する。iCloudメールやGmailならアカウントとパスワードの入力で簡単に登録できるが、自宅や会社のメールは、「その他」でPOPやSMTPサーバ情報などを入力する必要がある。

「設定」→「メール」→「アカウント」→「アカウントを追加」をタップし、一番下にある「その他」をタップする。

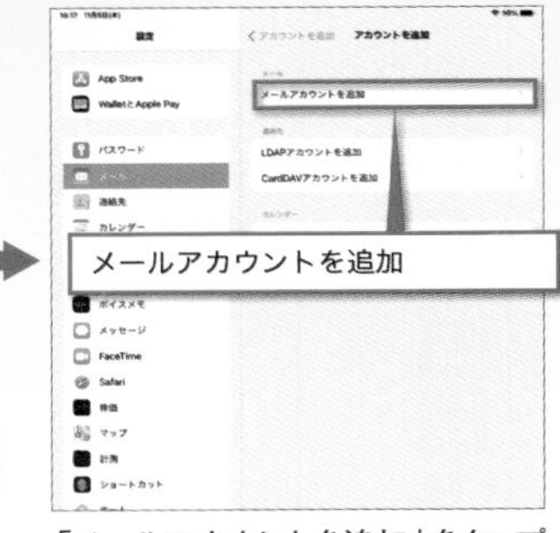

「メールアカウントを追加」をタップする。あとは、下記の手順に従って、アカウントや送受信サーバの情報を入力しよう。

キャリアメールを設定するには

Wi-Fi+CellularモデルのiPadであれば、@docomo.ne.jp、@au.com／@ezweb.ne.jp、@i.softbank.ne.jpなどのキャリアメールも、「メール」アプリで送受信することが可能だ。アカウントの登録方法はキャリアによって異なるが、基本的にはSafariでサポートページにアクセスし、設定用のプロファイルをインストールすればよい。初めてキャリアメールを利用する場合はランダムな英数字のメールアドレスが割り当てられるが、アカウントの設定時に好きなアドレスに変更できる。

操作❶ 自宅や会社のメールアカウントを登録する

1 メールアドレスとパスワードを入力する

上記「使い始めPOINT!」の手順を進めるとこの画面になる。自宅や会社のメールアドレス、パスワードなどを入力し、右上の「次へ」をタップ。

2 「POP」に変更してサーバ情報を入力

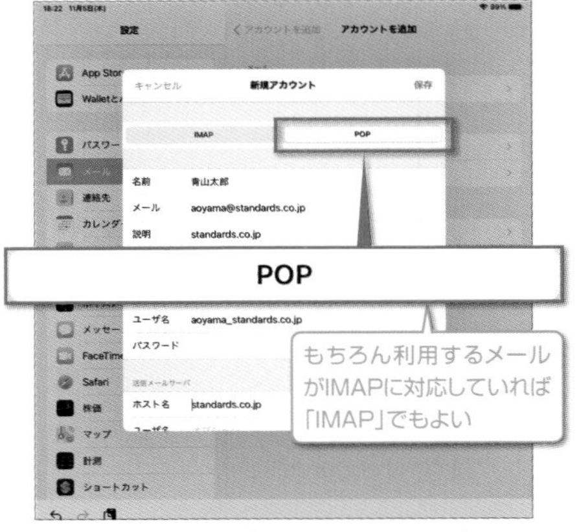

通常は上部のタブを「POP」に切り替え、プロバイダや会社から指定されている、POP3やSMTPサーバの情報を入力して、「保存」をタップする。

3 メールアカウントの追加を確認

サーバとの通信が確認されると、元の「アカウント」設定画面に戻る。追加したメールアカウントがアカウント一覧に表示されていればOK。

操作❷ 受信したメールを読む、返信する

1 メールアプリをタップして起動する

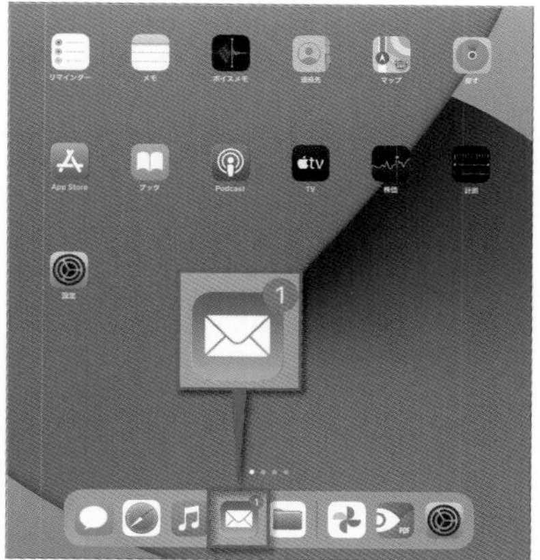

アカウントの追加を済ませたら、ドックにある「メール」アプリを起動しよう。アイコンの右上にある①の数字(バッジ)は、未読メールの件数だ。

2 メールボックスの表示と手動チェック

左欄に受信トレイのメールが一覧表示される。メール一覧を下にドラッグすれば、手動で新着メールをチェックできる。

使いこなしヒント

他のアカウントのメールをチェックするには

複数のメールアカウントを追加している場合、左上の「メールボックス」(またはアカウント名)をタップすれば、メールボックス一覧画面に戻り、他のアカウントに切り替えできる。「全受信」はすべてのアカウントの受信メールをまとめて表示する受信トレイだ。

3 メールの本文を開いて読む

件名をタップするとメール本文が表示される。住所や電話番号はリンク表示になり、タップするとマップが起動したり、FaceTimeを発信できる。

4 返信・転送メールを作成するには

右下の矢印ボタンをタップすると、「返信」「全員に返信」「転送」メールを作成できる。フラグやミュートの設定も可能だ。

5 メールに添付されたファイルを開く

添付画像をロングタップすれば保存や共有が可能だ。オフィス文書やPDFの場合は、ファイル名をタップすればプレビュー表示できる。

使いこなしヒント

重要なメールは「フラグ」を付けて整理

重要なメールは、右下の返信ボタンから「フラグ」をタップし、好きなカラーのフラグを付けておこう。メールボックスの「フラグ付き」でフラグ付きメールのみ表示できる。

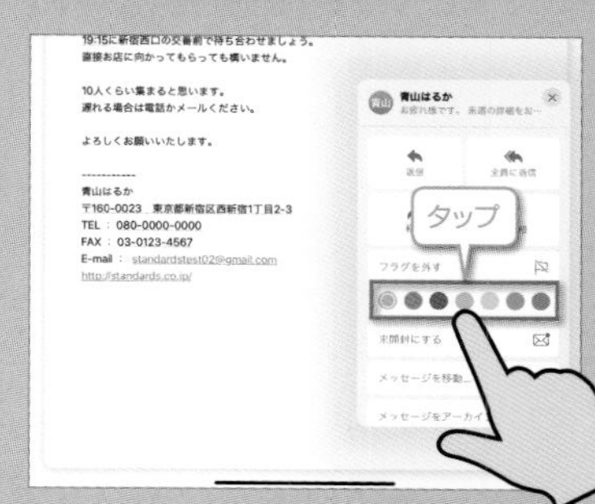

大量の未読メールをまとめて既読にする

メール一覧画面の上部にある「編集」→「すべてを選択」をタップし、続けて下部の「マーク」→「開封済みにする」をタップすれば、未読メールをまとめて既読にできる。

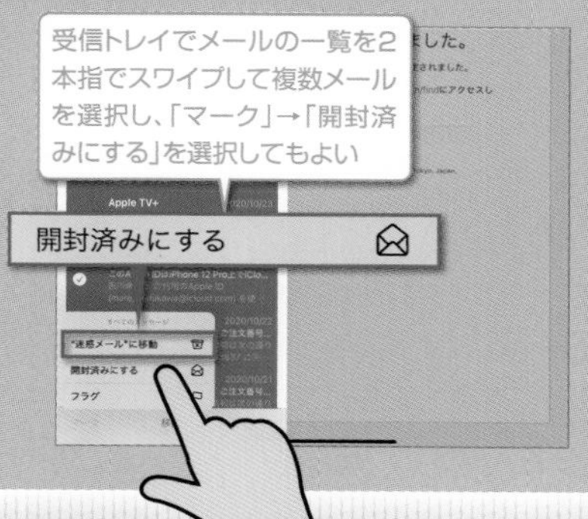

メールを左右にスワイプして操作する

メール一覧画面でスレッドを左右にスワイプすると、「開封」または「未開封」や「ゴミ箱」などの操作を行える。メール本文を開いた状態でも、左右にスワイプで操作メニューが表示される。

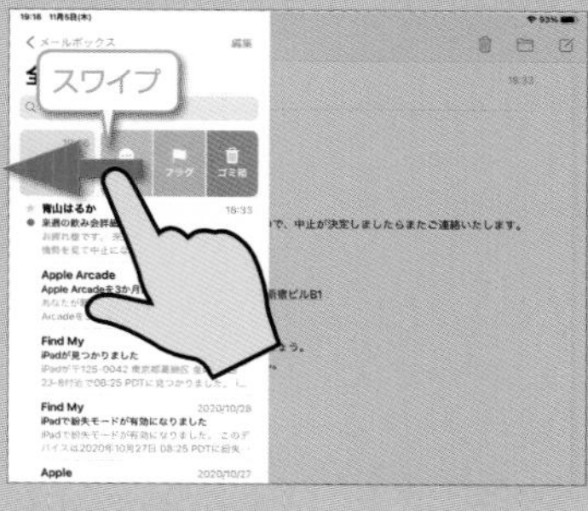

操作❸ 新規メールを作成、送信する

1 新規メール作成ボタンをタップする

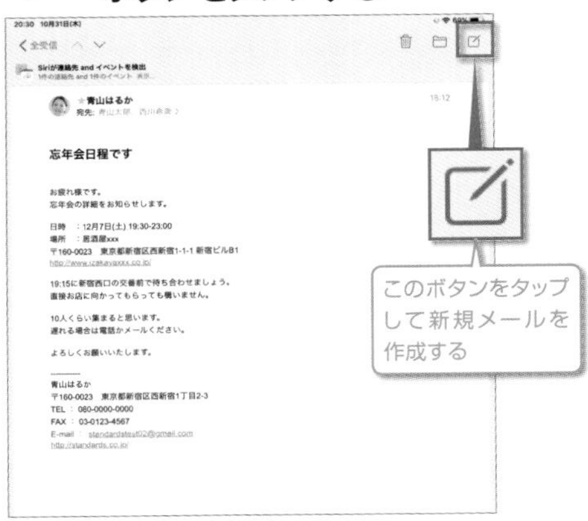

新規メールを作成するには、メール本文画面の右上にあるボタンをタップしよう。メールの作成画面が開く。

2 宛先を入力、または候補から選択する

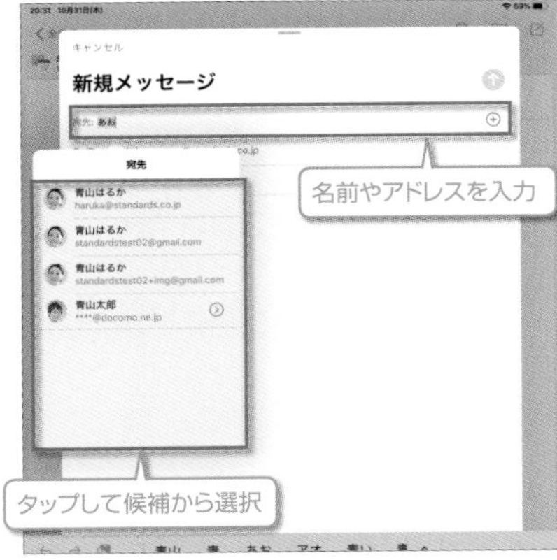

「宛先」欄にアドレスを入力する。または、名前やアドレスの一部を入力すると、連絡先から候補が表示されるので、これをタップして宛先に追加する。

3 複数の相手に同じメールを送信する

宛先を入力してリターンキーをタップすると、自動的に宛先が区切られて、複数の宛先を追加入力することができる。

4 宛先にCc／Bcc欄を追加する

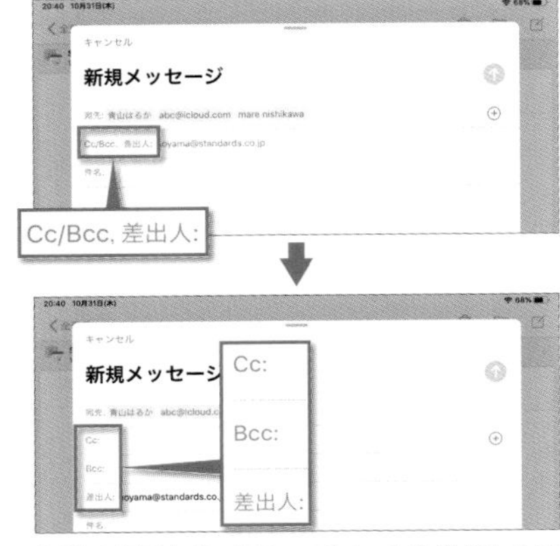

複数の相手にCcやBccでメールを送信したい場合は、宛先欄の下「Cc/Bcc,差出人」欄をタップすれば、Cc、Bcc、差出人欄が個別に開く。

5 差出人アドレスを変更する

複数アカウントを追加しており、差出人アドレスを変更したい場合は、「差出人」欄をタップし、差出人アドレスを選択すればよい。

6 件名、本文を入力して送信する

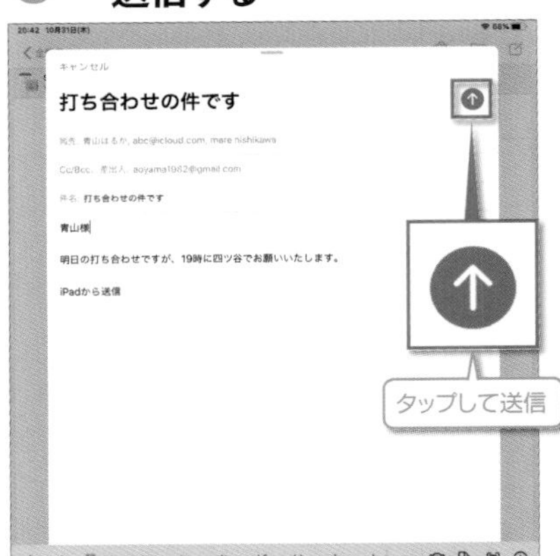

宛先と差出人を設定したら、あとは件名と本文を入力して、右上の送信ボタンをタップすれば、メールを送信できる。

7 作成中のメールを下書き保存する

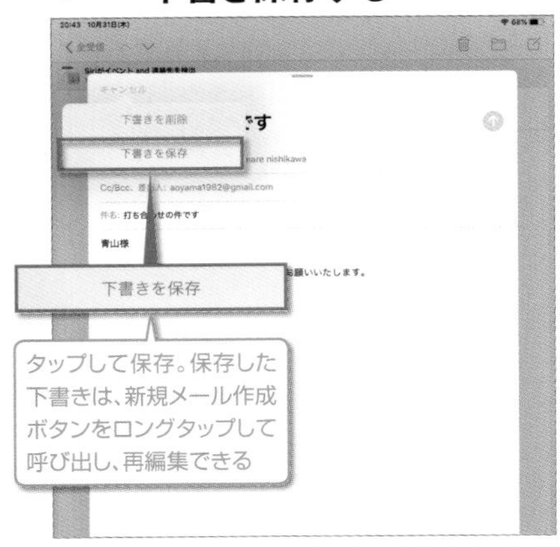

左上の「キャンセル」→「下書きを保存」で作成中のメールを下書き保存できる。下書きメールを開くには新規メール作成ボタンをロングタップ。

8 写真やファイル、手書きスケッチを添付する

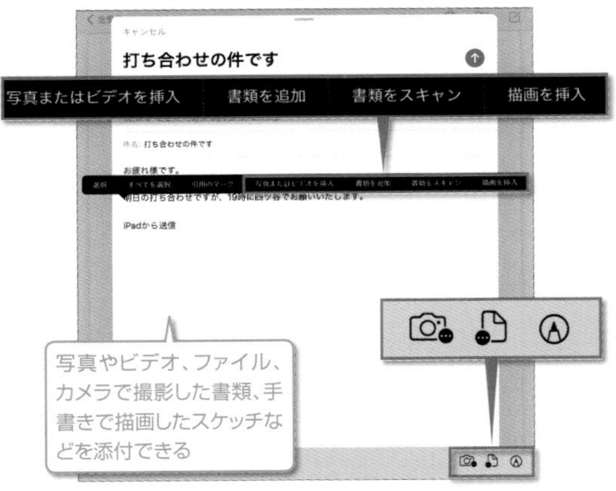

本文内のカーソル上をタップすると表示されるメニューや、キーボード上のショートカットボタンから、さまざまなファイルを添付できる。

9 大きなサイズのファイルを送信する

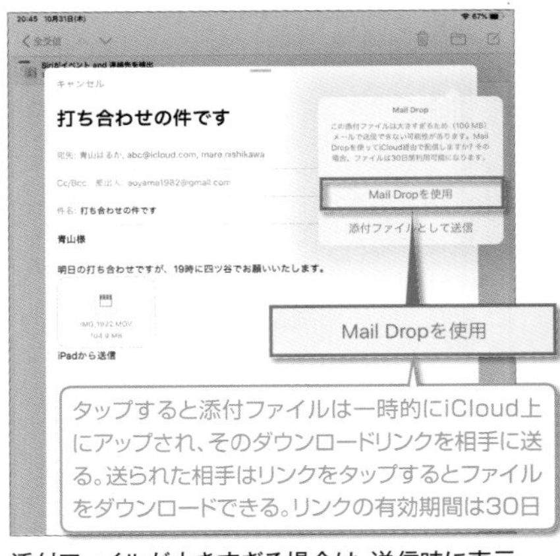

添付ファイルが大きすぎる場合は、送信時に表示される「Mail Dropを使用」をタップすることで、iCloud経由で送信することができる。

操作④ Gmailのメールアカウントを追加する

1 「アカウントを追加」→「Google」をタップ

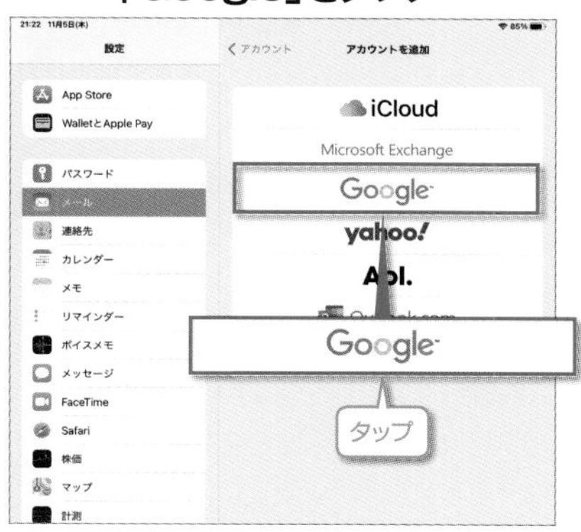

Gmailアカウントを追加するには、「設定」→「メール」→「アカウント」→「アカウントを追加」で、「Google」をタップする。

2 Gmailアカウントでログインする

Googleアカウント(Gmailアドレス)を入力して「次へ」をタップし、続けてパスワードを入力して「次へ」をタップしていく。

3 「メール」のオンを確認して「保存」をタップ

「メール」がオンになっているのを確認して「保存」をタップしよう。連絡先やカレンダーも同期されるが、不要ならスイッチをオフにすればよい。

操作⑤ iCloudのメールアカウントを追加する

1 iCloudの「メール」をオンにする

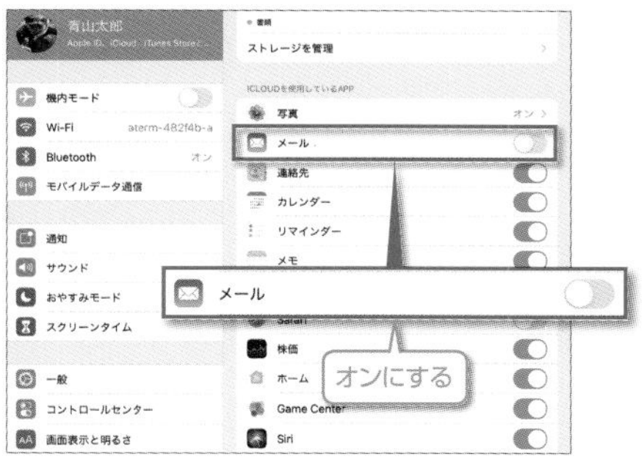

○○@icloud.comのメールを使いたい場合は、他のアカウントと設定方法が異なる。まだiCloudメールを作成していないなら、「設定」最上部のApple IDをタップし、「iCloud」の「メール」をタップしてオンにしよう。

2 ダイアログの「作成」をタップする

メールのスイッチをオンにすると、iCloudメールアドレスを新規作成するよう求められる。表示されるダイアログの「作成」をタップ。

3 iCloudのメールアドレスを作成

「(好きなアドレス)@icloud.com」がiCloudメールアドレスになる。一度作成したiCloudメールのアドレスは変更できないので注意しよう。

使いこなしヒント

フィルタ機能でメールを絞り込む

メール一覧画面で左下のフィルタボタンをタップすると、「未開封」などの条件で表示メールを絞り込める。フィルタ条件を変更するには「適用中のフィルタ」をタップ。

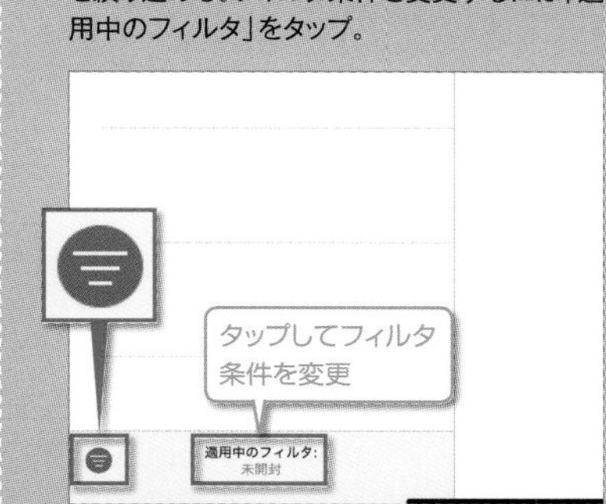

メールに自動的に署名を付ける

メール作成時に本文に挿入される「iPadから送信」という署名は、「設定」→「メール」→「署名」で変更できる。アカウントごとに個別の署名を設定可能だ。

特定の相手のメールを受信拒否する

差出人名をタップして連絡先の詳細を開き、「この連絡先を受信拒否」→「この連絡先を受信拒否」をタップしておけば、この相手からのメールを受信拒否できる。

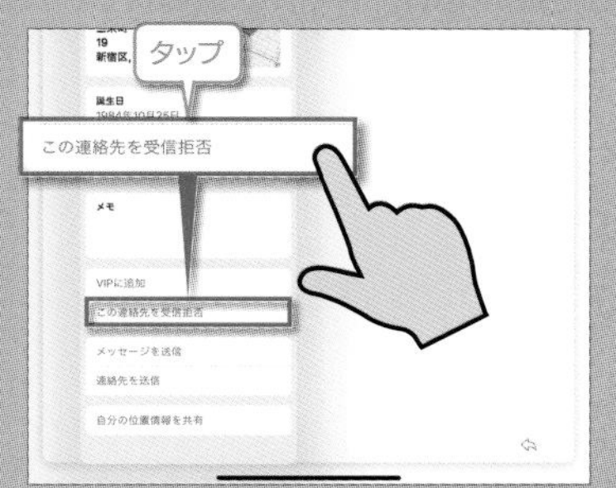

標準アプリ完全ガイド

メッセージ

iPad同士やiPhone、Macとやり取りできる「iMessage」用アプリ

iPadでは「iMessage」のみ利用できる

「メッセージ」は、やり取りが会話形式で表示されるチャットのようなアプリだ。iPhoneでこのアプリを使うと、電話番号を宛先にしてやり取りする「SMS」や、キャリアメール（@au.comや@ezweb.ne.jp、@softbank.ne.jp）を宛先にやり取りする「MMS」、iOSデバイスやMac同士でのみやり取りできる「iMessage」の、3種類のサービスを宛先から判断して自動で切り替えて利用できる。

しかしiPadの場合は仕様上、Wi-Fi+Cellularモデルであっても SMSとMMSを利用できない。基本的にiMessage専用のアプリなのだ（ただし、下記の通り、iPhoneがあればSMSやMMSを転送してiPadで送受信することもできる）。またiPhoneやMacでやり取りしたメッセージの内容を、iPadのメッセージアプリでも確認できるように同期したいなら、それぞれのデバイスでiCloudの「メッセージ」をオンにしておこう。

使い始めPOINT! 「メッセージ」の基本を理解する

iPadのメッセージアプリは基本的に、iPadやiPhone、Macユーザーとだけメッセージをやり取りできる「iMessage」しか使えない。宛先は、相手がiMessageの送受信アドレスとして設定しているiPhoneの電話番号かメールアドレスになる。iMessage用のアドレスかどうかは、入力した宛先の文字色で判別できる。

送信できる宛先の確認方法

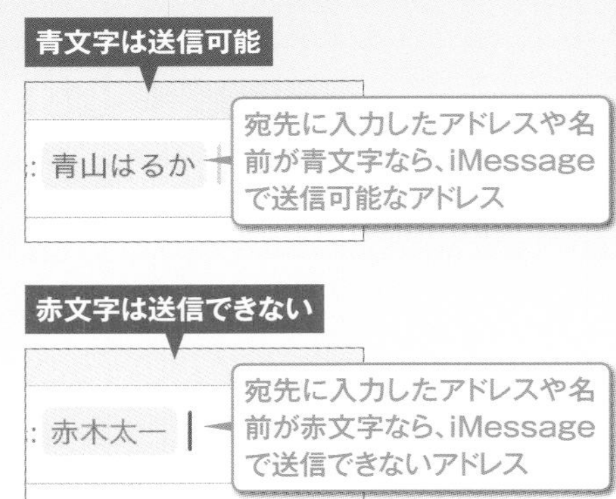

iPhoneとメッセージを同期しSMSやMMSも送受信可能にする

「設定」一番上のApple IDを開き、「iCloud」→「メッセージ」のスイッチをオンにしておくと、同様に「メッセージ」のスイッチをオンにしたiPhoneとiCloudで同期して、まったく同じ内容のメッセージ送受信画面が表示される（P030で解説）。iPhoneに届いたSMSやMMSのメッセージも同期されるが、iPadからSMSやMMSを送信することはできない。iPhoneで「設定」→「メッセージ」→「SMS/MMS転送」を開き、iPad名のスイッチをオンにすれば、iPadからもSMSやMMSのアドレスを宛先に送信可能になり、Androidスマートフォンとやり取りできるようになる。これはiPhoneを経由してSMSやMMSを転送するための機能なので、iPadから送っても送信元はiPhoneの電話番号になる点に注意しよう。

操作❶ iMessageを利用可能な状態にする

1 Apple IDでサインインを済ませる

「iMessage」の利用にはApple IDが必須だ。「設定」→「メッセージ」でApple IDを入力しサインインすれば、iMessageが有効になる。

2 送受信アドレスを確認、選択する

メッセージの送受信アドレスは、「設定」→「メッセージ」→「送受信」で確認、選択できる。送受信に使いたいものだけチェックしておこう。

3 他の送受信アドレスを追加する

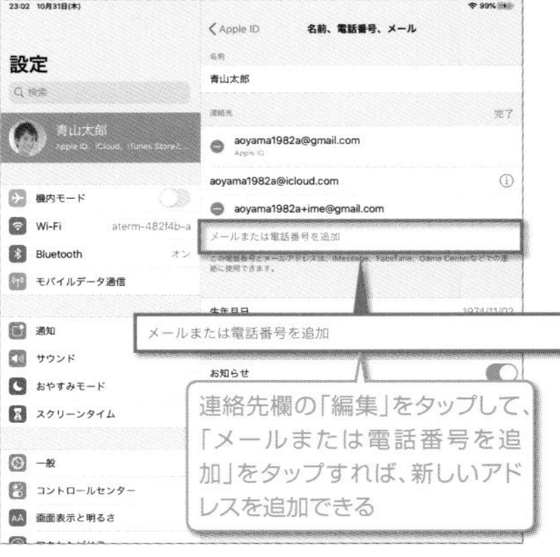

Apple ID以外の送受信アドレスは、「設定」の一番上にあるApple IDを開き、「名前、電話番号、メール」→「編集」をタップして追加する。

操作❷「メッセージ」アプリでiMessageをやり取りする

1 新規メッセージを作成する

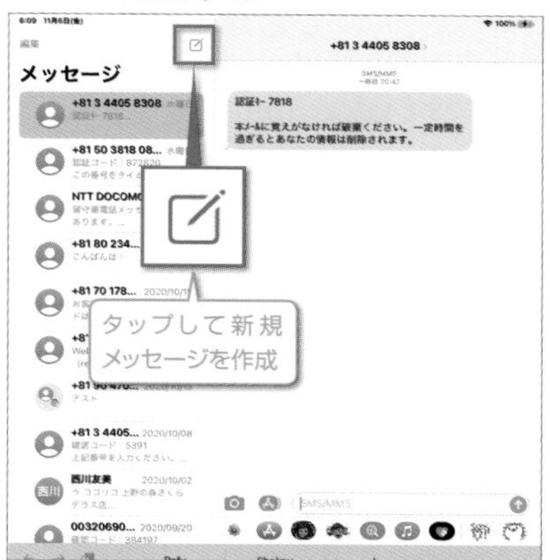

メッセージアプリを起動したら、まず左欄右上の新規メッセージ作成ボタンをタップしよう。右欄に新規メッセージの作成画面が開く。

2 iMessageの宛先を確認して送信する

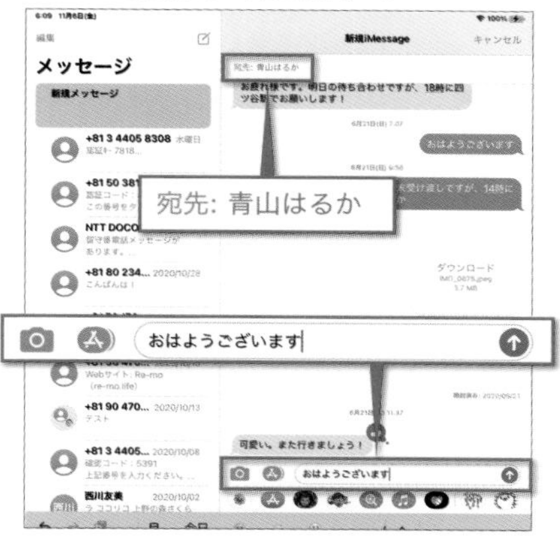

宛先がiMessage用の青文字になっていることを確認したら、メッセージを入力して「↑」ボタンをタップでiMessageを送信できる。

3 メッセージで写真やビデオを送信する

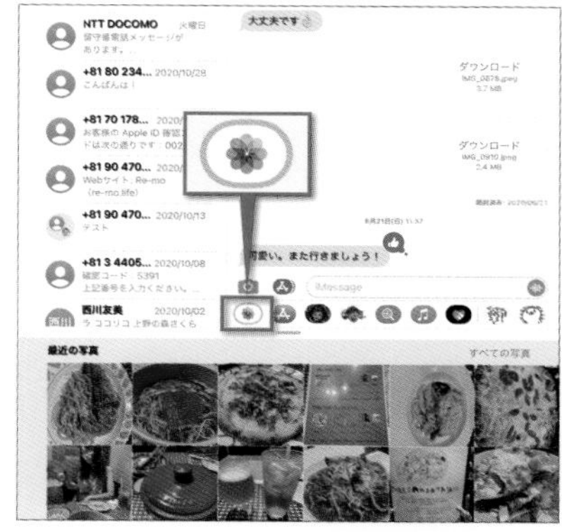

下部メニューバーの写真ボタンをタップすると、端末内の写真やビデオを選択して送信できる。またカメラボタンをタップすれば、写真やビデオを撮影して送信できる。

4 ステッカーでキャラクターやイラストを送信する

下部メニューバーのAppストアボタンから「ステッカー」を入手すれば、LINEの「スタンプ」と同じようなイラストやアニメーションを送信できる。

5 メッセージに動きやエフェクトを加えて送信する

送信（「↑」）ボタンをロングタップすれば、吹き出しや背景にさまざまな特殊効果を追加する、メッセージエフェクトを利用できる。

6 3人上のグループでメッセージをやり取り

宛先欄に複数の連絡先を入力すれば、自動的にグループメッセージが開始され、一つの画面内で複数人と会話できるようになる。

7 特定のメッセージに返信する

メッセージをロングタップして「返信」をタップすると、元のメッセージと返信メッセージがまとめて表示され、話の流れが分かりやすい。

8 よくやり取りする相手を上部に配置する

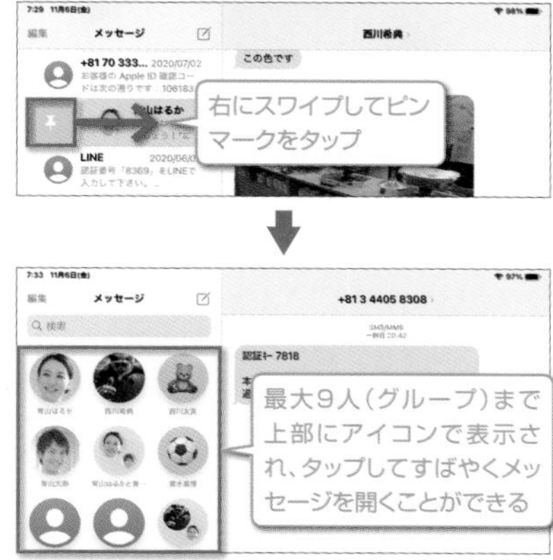

よくやり取りする相手やグループは、スレッドを右にスワイプしてピンマークをタップすると、リスト上部にアイコンで配置できる。

9 ミー文字を利用する

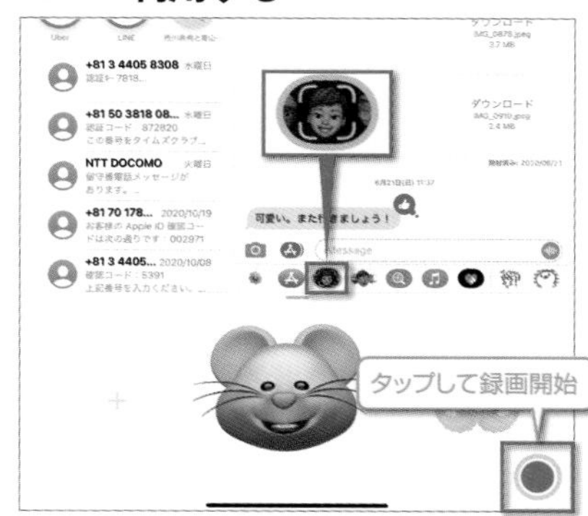

Face ID対応のiPad Proなら、自分の声と表情に合わせて動く「ミー文字」でメッセージを送信できる。「ミー文字」ボタンをタップして顔をカメラに向け、右下の録画ボタンをタップすれば録画できる。

FaceTime

iPadやiPhone、Mac相手なら無料でビデオ通話や音声通話ができる

高品質なビデオ通話や音声通話を無料で楽しめる

「FaceTime」は、iPadやiPhone、Macを相手にビデオ通話や音声通話を行えるアプリだ。基本的にはビデオ通話がメインだが、「FaceTimeオーディオ」と呼ばれる音声通話機能も搭載されており、「LINE」のような無料通話アプリとしても使えるようになっている。通話はAppleのサーバーを介して行われ、通話料も一切かからない。映像や音声も高品質で、他の無料通話アプリ以上の快適さを体験できる。もちろん、Wi-Fi + Cellularモデルなら、モバイルデータ通信を使って外出先でも通話可能なので、積極的に利用しよう。ただし、FaceTimeによるビデオ·音声通話は、iMessageと同じくApple製の端末以外には対応しておらず、iPadやiPhone、Mac相手にしか利用できない。また、FaceTimeの発着信に使える連絡先は、Apple ID、iPhoneの電話番号、または認証を済ませたメールアドレスに限られる。

使い始め POINT!

「FaceTime」の基本を理解する

FaceTimeは、P058で紹介した「メッセージ」と同様に、iPadやiPhone、Macユーザー同士でのみ無料で通話できるアプリだ。FaceTimeの着信用のアドレスは、Apple IDのアドレスや、iPhoneの電話番号、Apple IDに紐づけた他のメールアドレスなど複数を選択しておけるが、相手に通知する発信者番号のアドレスはどれか1つを選ぶ必要がある。FaceTimeで通話できる相手かどうか確認するには、FaceTimeの宛先欄に名前やアドレスを入力すればよい。青文字で表示されるアドレスが、FaceTimeで通話できる相手だ。グレー表示のアドレスは宛先として選択できない。また連絡先アプリで相手のページを開いた時に、「FaceTime」の項目がありビデオカメラと受話器のボタンがあればFaceTimeで通話できる。そのままボタンをタップして、ビデオ通話や音声通話を発信可能だ。

FaceTimeアプリで宛先を確認する

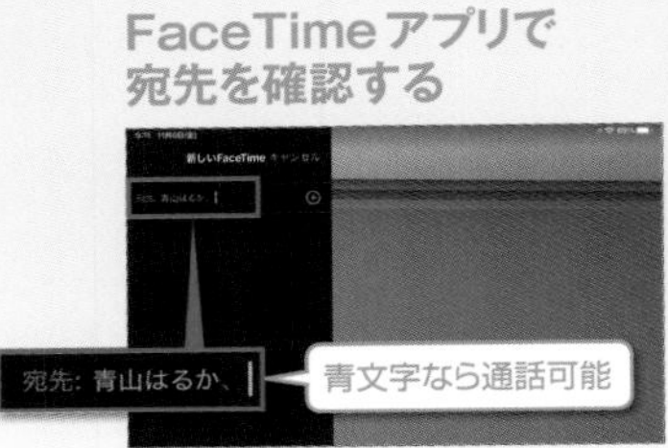

FaceTimeアプリの宛先欄に、名前やアドレス、電話番号を入力してみよう。青文字で表示されたらFaceTimeで発信できる。グレーで表示される連絡先相手には、FaceTimeを利用できない。

連絡先アプリで宛先を確認する

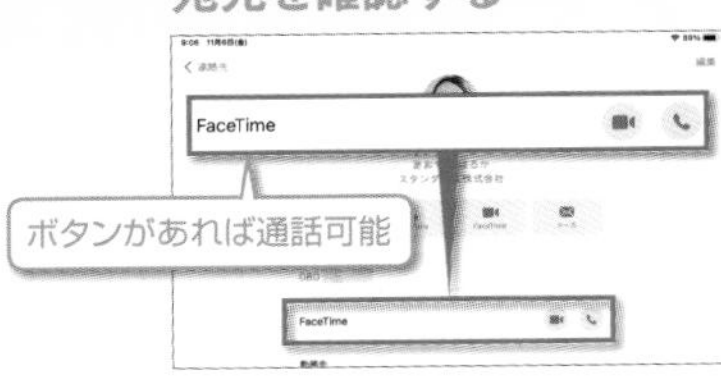

連絡先アプリで通話したい相手のページを開こう。「FaceTime」という項目があり、ビデオカメラと受話器のボタンがあれば、タップしてすぐに発信できる。

操作❶ FaceTimeを利用可能な状態にする

1 Apple IDでサインインする

「設定」→「FaceTime」でApple IDを入力してサインインすれば、iPadでFaceTimeを利用できるようになる。

2 送受信アドレスを確認、選択する

「FACETIME着信用の連絡先情報」で着信用のアドレスを選択し、「発信者番号」で相手に通知する自分のアドレスを選択しておこう。

使いこなしヒント

iPhoneとiPadで同じApple IDを使う場合

iPhoneとiPadのFaceTimeに同じApple IDを使っていると、両方の端末で同時に着信してしまう。これを防ぐには、iPadのFaceTimeをオフにしてしまうか、またはiPhoneとは別のメールアドレスを、iPadのFaceTime発着信アドレスに設定すればよい。

操作❷ FaceTimeでビデオ・音声通話を発信する

1 FaceTime通話をかける

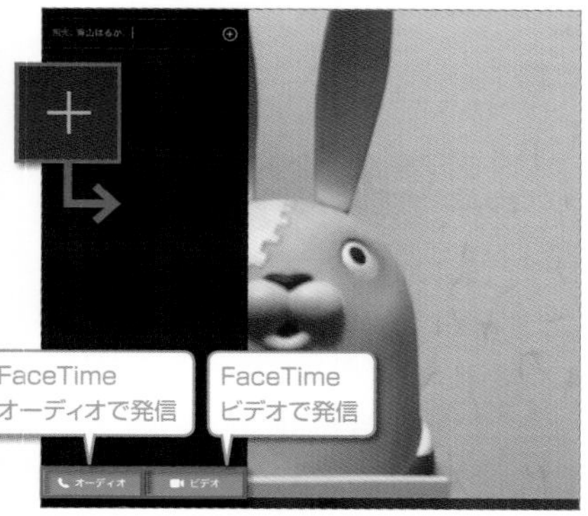

FaceTimeアプリを起動したら、左上の「+」ボタンから宛先を入力し、「オーディオ」または「ビデオ」をタップして発信しよう。

2 FaceTimeビデオの通話画面

FaceTimeビデオの通話中は、右上に自分の映像が表示され、左下にエフェクト、消音、反転、終了のメニューボタンが表示される。

3 通話中画面のメニューと機能

ボタンが並んだパネルを上にスワイプすると、カメラオフやスピーカーといった機能を利用できるほか、「参加者を追加」でグループ通話も行える。

操作❸ かかってきたFaceTime通話を受ける／拒否する

1 かかってきたFaceTime通話を受ける／拒否する

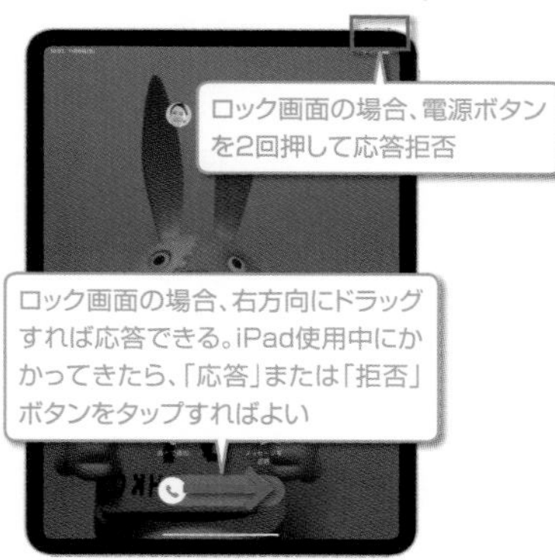

ロック中にかかってきたFaceTime通話は、受話器ボタンを右にドラッグして応答。応答を拒否したい場合は、電源ボタンを2回押す。

2 「後で通知」でリマインダー登録

「あとで通知」をタップすると、「ここを出るとき」や「1時間後」に通知するよう、リマインダーに登録しておける。

3 「メッセージ」で定型文をSMS送信

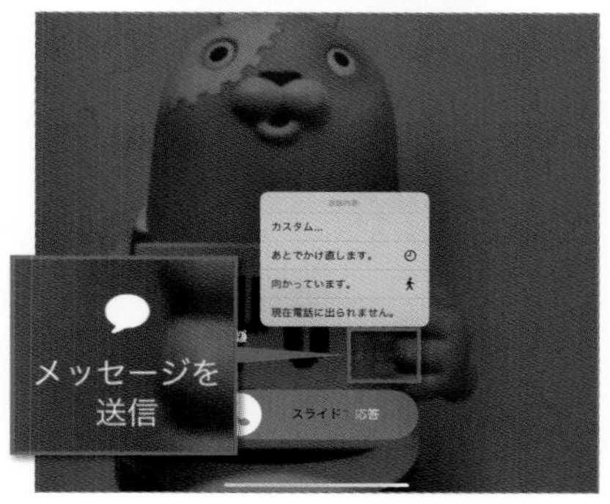

「メッセージを送信」をタップすると、相手にiMessageを送信できる。定型文は「設定」→「FaceTime」→「テキストメッセージで返信」で編集可能。

使いこなしヒント

ミー文字を使って通話する

FaceTime通話中にエフェクトボタンをタップし、続けてミー文字ボタンをタップすると、FaceTime通話でミー文字（P059で解説）を利用できる。他にも、フィルタやテキスト、図形などのカメラエフェクトを使って、画面を彩ることも可能だ。

ピクチャインピクチャで通話

iPadのFaceTimeでは、ビデオ通話中に画面を下から上にスワイプするか、またはホームボタンを押すと通話画面が縮小表示される、「ピクチャインピクチャ」機能を利用できる。地図やメールなど、他のアプリを操作しながら通話したい時に便利。

グループでFaceTime通話を楽しむ

FaceTime通話中にメニューボタンを上にスワイプし、続けて「参加者を追加」をタップすると、このFaceTime通話に他の参加者を追加できる。最大32人で同時に通話でき、現在発言中のメンバーを自動的に前面に出して表示を強調するといった機能も備えている。

連絡先

友人や取引先のメールアドレスや住所を管理

iPhoneやAndroidスマートフォンからの連絡先同期は簡単

iPadで連絡先を管理するには、「連絡先」アプリを利用する。別の端末に保存された連絡先を利用したい場合、その端末がiPhoneやiPadであれば、同じApple IDでiCloudにサインインして、「連絡先」をオンにするだけで、簡単に連絡先を同期できる。また、同期元がAndroidスマートフォンであっても、iCloudの代わりにGoogleアカウントを追加して、「連絡先」をオンにするだけで、連絡先を同期可能だ。

なお、連絡先アプリで新規連絡先を作成したり編集、削除することは可能だが、グループの作成と振り分け、削除した連絡先の復元などは、パソコンのWebブラウザでiCloud.com（https://www.icloud.com/）にアクセスして操作する必要がある。複数の連絡先をまとめて編集したり削除するのもパソコンでの操作がスムーズ。そのほか、「自分の情報」の設定や、連絡先を友人に送る方法、重複した連絡先の結合といった操作も覚えておこう。

使い始め POINT! 他の端末に保存されている連絡先を同期する

iPhoneやiPadから連絡先を同期

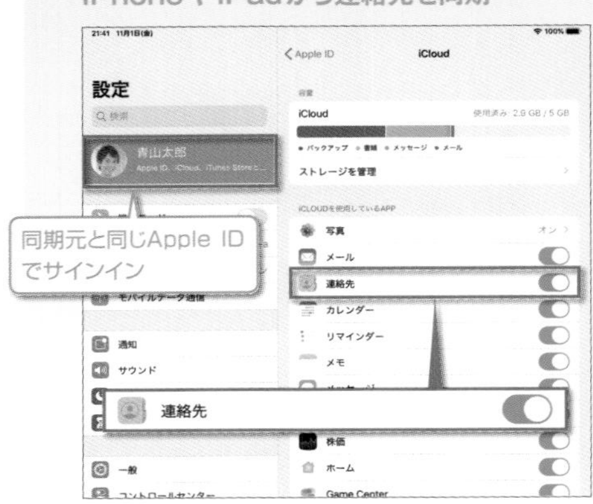

連絡先の同期元がiPhoneやiPadであれば、まず同期元の機種で「設定」画面の一番上のApple IDをタップし、「iCloud」をタップ。続けて「連絡先」をオンにしておく。あとは、同期先のiPadでも同じApple IDでサインインを済ませ、設定のApple ID画面を開いて「iCloud」→「連絡先」をオンにすれば、同期元と同じ連絡先を利用できる。なお、両端末でデータが同期されるので、連絡先の追加や削除も相互に反映される。

Androidから連絡先を同期

同期元がAndroidスマートフォンなら、連絡先はGoogleアカウントに保存されているはずだ。同期先のiPadで「設定」→「連絡先」→「アカウント」→「アカウントを追加」→「Google」をタップし、Googleアカウントを追加。「連絡先」をオンにすれば、連絡先アプリに情報が同期される。もちろん、連絡先の追加や削除も相互に反映される。

操作1 新しい連絡先を作成する

1 新規連絡先を作成する

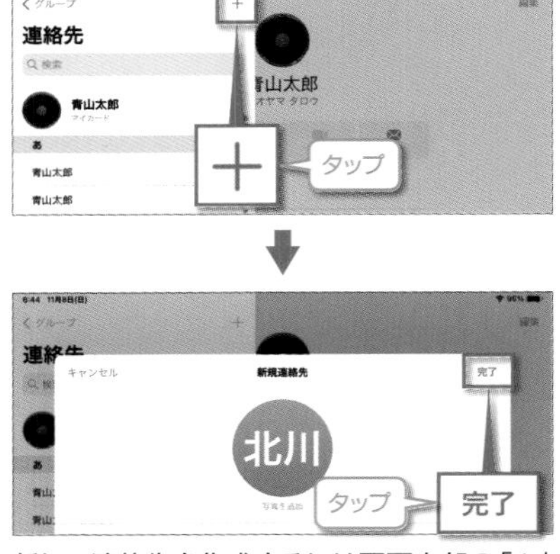

新しい連絡先を作成するには画面上部の「＋」をタップ。名前や電話番号を入力し、最後に「完了」をタップすれば保存できる。

2 複数の電話やメールを追加する

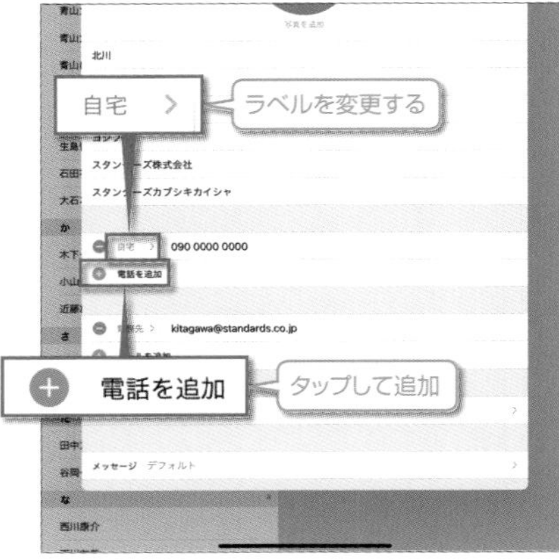

「電話を追加」「メールを追加」で複数のメールアドレスを追加できる。また「自宅」「勤務先」などのラベルも変更できる。

使いこなしヒント iCloud.comで連絡先を編集する

パソコンのWebブラウザでiCloud.com（https://www.icloud.com/）にアクセスし、iPadと同じApple IDでサインインして「連絡先」をクリックすれば、パソコンで連絡先を効率的に作成・編集できる。なお、iPadのSafariでiCloud.comにアクセスして編集することも可能だ。

操作❷ 連絡先を編集、削除、復元する

1 登録済みの連絡先を編集する

登録済みの連絡先を編集したい場合は、連絡先の詳細画面を開いて、右上の「編集」をタップすればよい。編集モードになり、内容を変更できる。

2 不要な連絡先を削除する

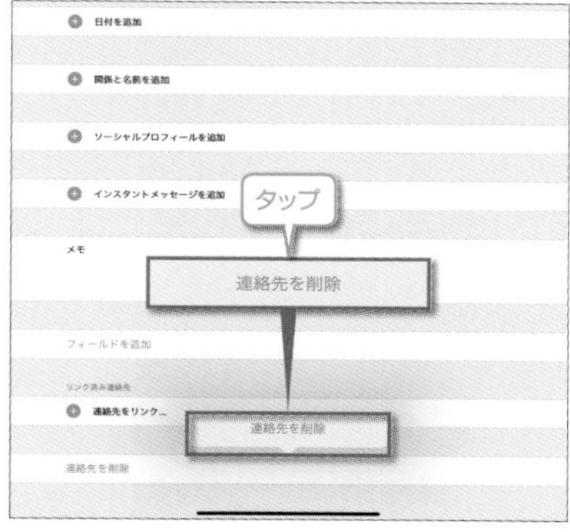

編集モードの画面を一番下までスクロールして「連絡先を削除」→「連絡先を削除」をタップすれば、この連絡先を削除できる。

3 削除した連絡先を復元する

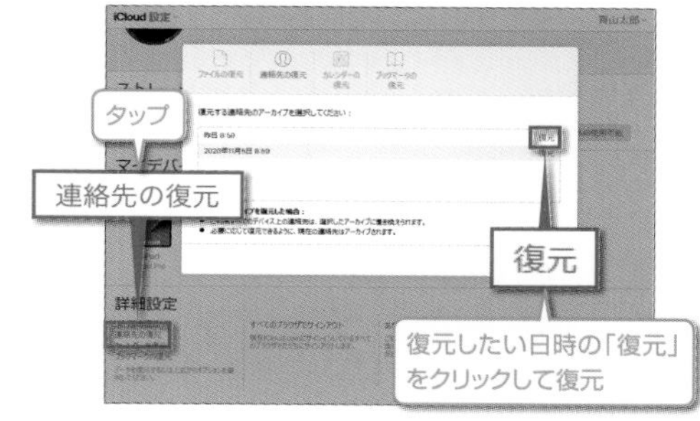

誤って削除した連絡先を復元するには、パソコンのWebブラウザでiCloud.comにアクセスし、「アカウント設定」をクリック。続けて「連絡先の復元」をクリックし、復元したい日時の「復元」をクリックしよう。

操作❸ その他の便利な機能と設定

連絡先で「自分の情報」を設定する

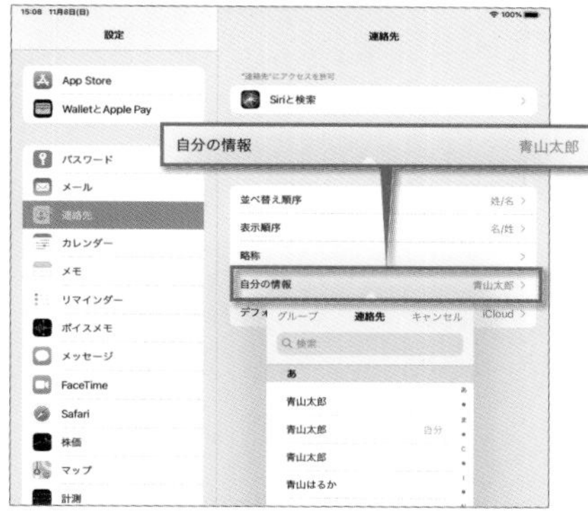

「設定」→「連絡先」→「自分の情報」で自分の連絡先を指定しておけば、連絡先の最上部に、「自分のカード」として自分の連絡先が表示される。

連絡先を他のユーザーに送信する

送信したい連絡先の詳細を開き、「連絡先を送信」をタップ。メールやメッセージなどさまざまな手段で連絡先情報を送信できる。近くにいる、iPhone、iPad、MacユーザーへはAirDrop（P097で解説）を使うと手っ取り早い。

重複した連絡先を結合する

連絡先が重複している場合は、1つを選んで「編集」→「連絡先をリンク」をタップ。重複した連絡先を選択して「リンク」をタップすれば結合できる。

連絡先ごとに着信音を設定する

連絡先の「編集」をタップし、「着信音」でFaceTime通話の着信音、「メッセージ」でメッセージの通知音を個別に設定できる。

連絡先のデフォルトの保存先を変更する

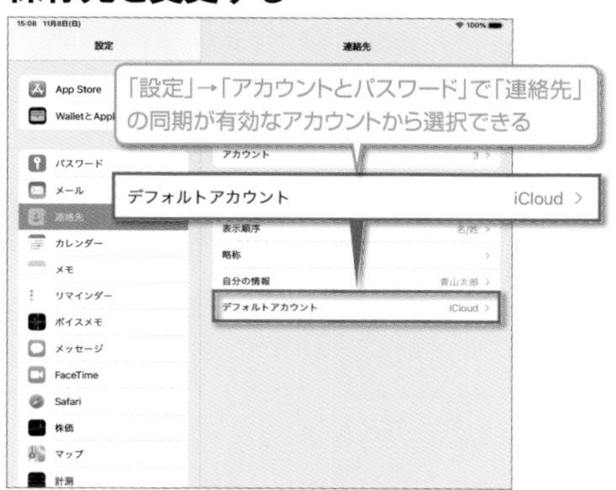

「設定」→「連絡先」で「デフォルトアカウント」をタップすると、新規連絡先を作成した場合の、デフォルトの保存先アカウントを変更できる。

Siriが連絡先を利用するのをやめさせる

Siriが他のアプリなどで連絡先を提案するのをやめさせたいなら、「設定」→「連絡先」→「Siriと検索」で各項目をオフにしておく。

App Store

さまざまな機能を備えたアプリを手に入れる

便利なアプリを iPadに追加しよう

iPadでは、標準でインストールされているアプリを使う以外にも、この「App Store」アプリから世界中で開発されたアプリを探してインストールすることができる。App Storeには膨大な数のアプリが公開されており、漠然と探してもなかなか目的のアプリは見つからないので、「Today」「ゲーム」「App」メニューやキーワード検索を使い分けて、欲しい機能を備えたアプリを見つけ出そう。なお、App Storeを利用するにはApple IDが必要なので、App Storeアプリ右上のユーザーボタンをタップし、あらかじめサインインを済ませておこう。また有料アプリを購入するには、クレジットカードか、家電量販店やコンビニで購入できる「App Store & iTunesギフトカード」が必要。一度購入したアプリはApple IDに履歴が残っているので、iPadからアプリを削除しても無料で再インストールできるほか、同じApple IDを使うiPhoneなどにインストールすることも可能だ。

使い始め POINT! 欲しいアプリを探し出そう

各メニューから探す

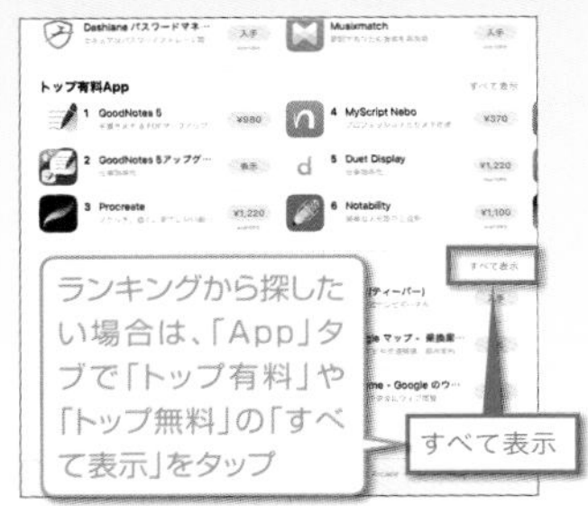

下部の「Today」「ゲーム」「App」メニューで、カテゴリ別やランキング順に探そう。「Arcade」タブで配信されているゲームは、月額600円で遊び放題になる。

キーワード検索で探す

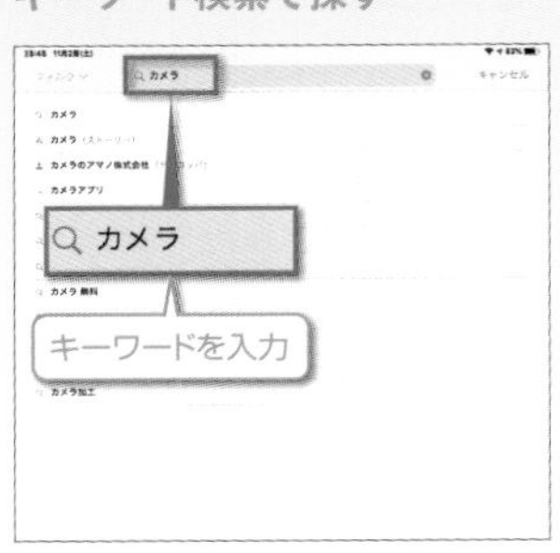

アプリ名が分かっていたり、欲しい機能を持ったアプリを探したい場合は、「検索」メニューでキーワード検索する。よく検索される人気アプリ名も候補に表示される。

キーワード検索のコツ

「写真　加工」や「ノート　手書き」など複数のワードで絞り込み検索を行うと目当てのアプリにたどり着きやすい。

アプリの評価をチェック

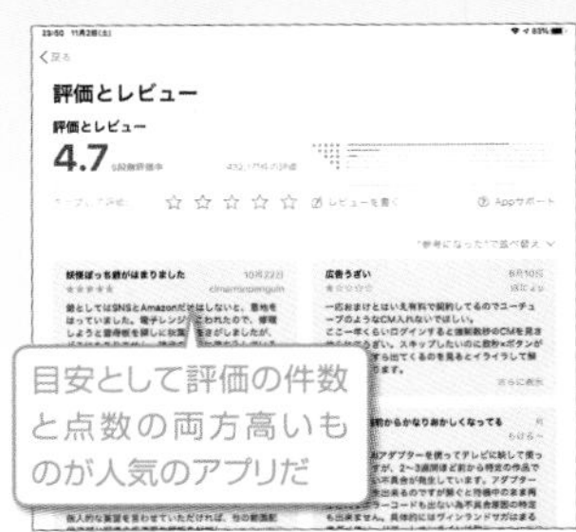

アプリ名をタップして詳細を開き、「評価とレビュー」欄の「すべての表示」をタップしよう。他のユーザーが投稿した、このアプリの評価とレビューを確認できる。

操作❶ アプリをインストールする

1 アプリを選び インストールボタンをタップする

無料アプリの場合

検索したアプリを選択し、表示されているインストールボタンが「入手」なら無料アプリだ。タップしてApple IDの認証を済ませ、インストールを進めよう。

有料アプリの場合

検索したアプリを選択し、表示されているボタンが価格表示なら有料アプリだ。タップしてApple IDの認証を済ませ、インストールを進めよう。

2 承認を済ませて インストールする

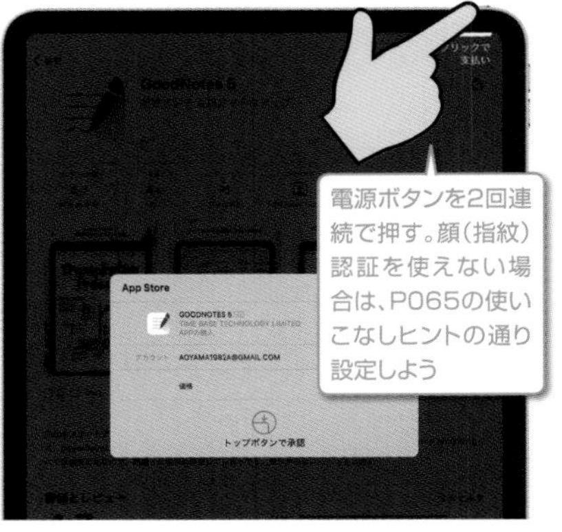

このApple IDの認証画面が表示されたら電源ボタンをダブルクリック。続けてFace IDやTouch IDで認証するか、Apple IDのパスワードを入力すると、インストールが開始される。

操作❷ 支払い情報の登録と支払い方法の変更

1 有料アプリの購入は支払い情報が必要

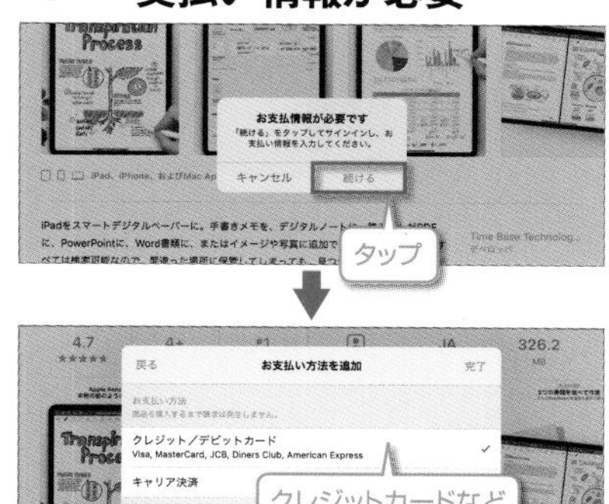

有料アプリの購入時にまだ支払い情報を登録していない場合は、「続ける」をタップして、クレジットカード情報などを入力し購入処理を行おう。

2 購入済みアプリは無料で再インストールできる

一度購入したアプリは、削除しても無料で再インストールが可能だ。App Storeでアプリを検索し、クラウドボタンをタップすれば再インストールされる。

使いこなしヒント

App Storeの購入を顔や指紋で認証する

「設定」→「Face(Touch) IDとパスコード」で「iTunes StoreとApp Store」のスイッチをオンにしておけば、App StoreおよびiTunes Store(P082で解説)でアプリやコンテンツを購入する際に、パスワード入力を省いて顔認証や指紋認証だけで購入できるようになる。

3 Appleのギフトカードを支払いに利用する

コンビニなどで購入できる「App Store & iTunesギフトカード」で支払いを行うには、「App」画面などの下部にある「コードを使う」からチャージすればよい。

4 支払いに使うクレジットカードを変更

画面右上のユーザーボタンをタップし、続けてApple IDをタップしてサインイン。「お支払い方法を管理」から支払いに使うカード情報を変更できる。

5 通信料と合わせて支払う「キャリア決済」

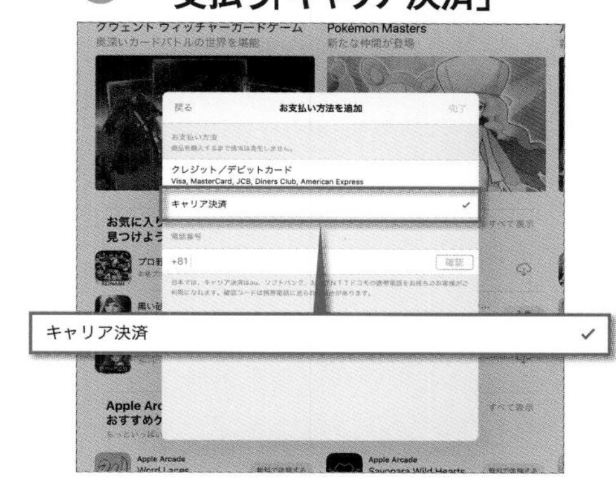

支払情報の変更画面で「キャリア決済」にチェックすれば、App StoreやiTunes Storeの料金を毎月の通信料と合算して支払える。

操作❸ アプリをアップデートする

1 アプリの更新がないか確認する

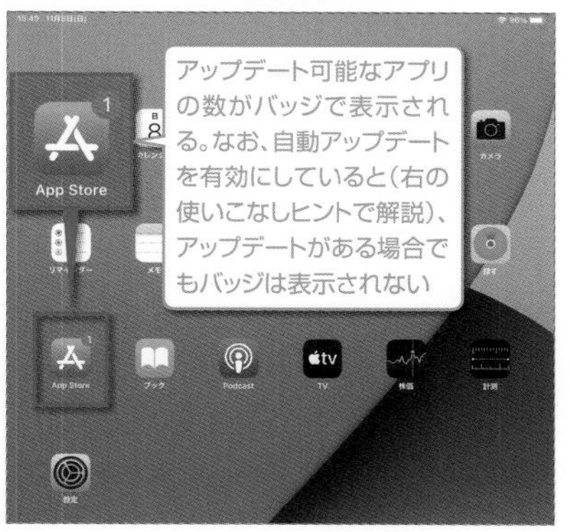

App Storeアプリにバッジが表示されたら、更新可能なインストール済みアプリがある合図。タップしてApp Storeを起動しよう。

2 アプリを手動でアップデートする

ユーザーアイコンをタップしてアカウント画面を開くと、利用可能なアップデート一覧が表示され、手動でアプリを更新できる。

使いこなしヒント

アプリを自動でアップデートする

「設定」→「App Store」で、「Appのアップデート」をオンにしていれば、アプリの更新があった際は自動的にアップデートされる。モバイルデータ通信欄の「自動ダウンロード」をオンにすれば、モバイルデータ通信時にもアプリが自動更新される。

カメラ

カメラの基本操作と撮影テクニックを覚えよう

シャッターを押すだけで最適な設定で撮影できる

iPadで写真やビデオを撮影するには、標準の「カメラ」アプリを使おう。カメラを起動すると、自動的にピントや露出が調整されるので、あとはシャッターボタンをタップするだけで、何もしなくても明るく美しい写真を撮影できる。うまくピントが合わなかったり、別の被写体に合わせたい時は、画面内をタップしてみよう。タップした位置にピントと露出を合わせて撮影できる。また右側のメニューで撮影モードを切り替えて、ビデオやスクエア写真、パノラマ写真を撮影できるほか、一定間隔ごとに撮影した写真をつなげてコマ送りビデオを作成する「タイムラプス」や、動画の途中をスローモーション再生にできる「スローモーション」、背景をぼかして撮影する「ポートレート」(iPad Pro 11インチと12.9インチ(第3世代以降)のフロントカメラのみ対応)など、一風変わった写真や動画も撮影できる。カメラでQRコードを読み取ることも可能だ。

使い始め POINT! カメラの画面構成と基本操作方法

フロントカメラへ切り替える

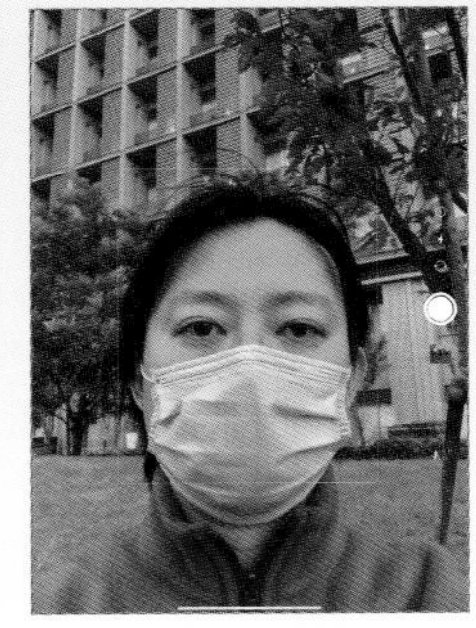

このボタンをタップすれば、バックカメラとフロントカメラを切り替えできる。フロントカメラでは、「スロー」「パノラマ」モードでの撮影は行えない。

撮影した写真を確認する

タップすると、直前に撮影した写真のプレビューが表示される。プレビュー画面では、右上の「すべての写真」をタップすると写真アプリが起動し、他の写真やビデオを確認できる。

他の撮影モードに切り替える

撮影モード欄を上下にスワイプすれば、「ビデオ」や「タイムラプス」、「スローモーション」に切り替えできる。ビデオ撮影モードの場合は、赤丸ボタンをタップして録画を開始、もう一度タップで録画を停止する。

操作❶ さまざまな撮影モード、機能を利用する

1 セルフタイマーで3秒／10秒後に撮影する

タイマーを3秒または10秒に設定すれば、カウント終了後に撮影される。「バーストモード」対応機種なら秒間10枚で高速連写される。

2 タイムラプスでコマ送り動画を撮影する

「タイムラプス」モードで撮影すると、一定間隔ごとに静止画を撮影し、それをつなげてコマ送りビデオを作成できる。

3 スローモーションで指定箇所だけゆっくり再生する

「スローモーション」で撮影した動画は、写真アプリを開いて「編集」ボタンをタップし、下部のバーでスローモーション再生にする箇所を変更できる。

4 シャッターをタップし続けて連写する

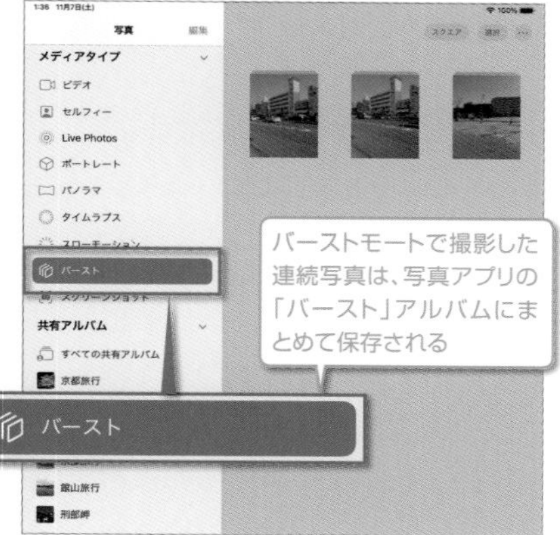

シャッターボタンをタップし続ければ連写できる。「バーストモード」対応機種であれば、1秒間に10枚の高速連写が可能だ。

5 ロック画面から即座にカメラを起動する

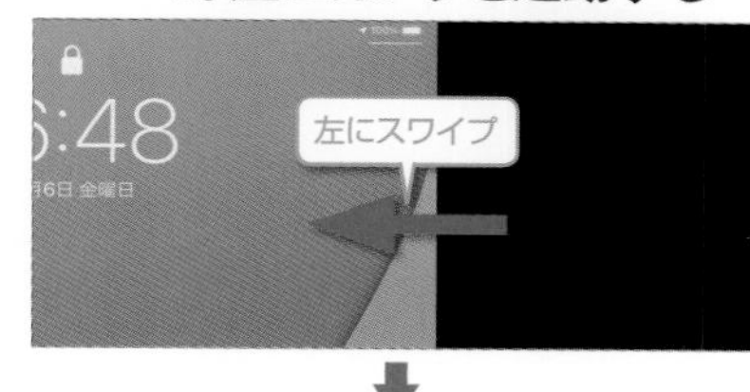

ロック画面からすぐにカメラを起動したい場合は、ロック画面を左にスワイプするか、またはコントロールセンターでカメラボタンをタップする。

6 Live Photosで前後3秒の動画を保存

「Live Photos」をオンにして撮影すると、前後3秒の動画が保存される。写真アプリで撮影した写真をプレスすると動画が再生される。

7 ピントや露出を手動で合わせる

画面内をタップしてピントを合わせ、右の太陽マークを上下にドラッグすると、画面を明るく／暗くして露出補正できる。

8 ポートレートモードで背景をぼかして撮影

iPad Pro11インチと12.9インチ（第3世代以降）のフロントカメラのみ、「ポートレート」モードで、背景をぼかした写真を撮影できる。

使いこなしヒント 写真やビデオの保存形式を変更する

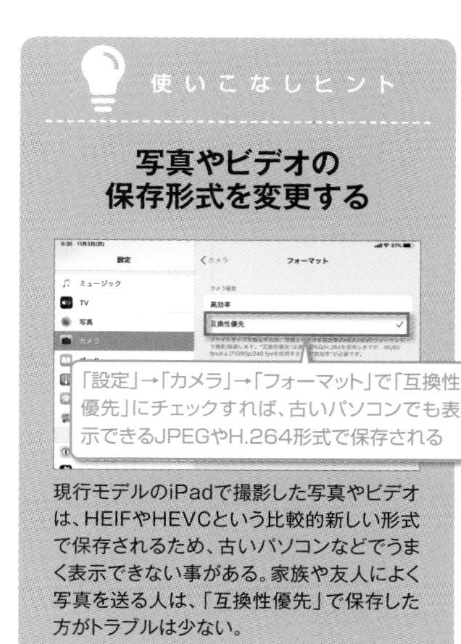

現行モデルのiPadで撮影した写真やビデオは、HEIFやHEVCという比較的新しい形式で保存されるため、古いパソコンなどでうまく表示できない事がある。家族や友人によく写真を送る人は、「互換性優先」で保存した方がトラブルは少ない。

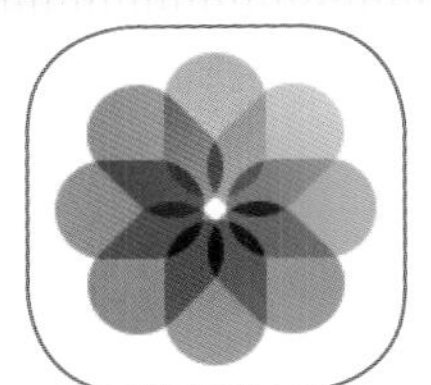

写真

撮影した写真やビデオを管理する

写真やビデオを編集したり iCloudに自動アップロードできる

iPadで撮影した写真やビデオは、すべて「写真」アプリに保存される。写真を見たりビデオを再生できるのはもちろん、アルバムで整理したり編集を加えたりもできる。また「iCloud写真」を有効にしておくと、写真やビデオはすべてiCloudへ自動でアップロードされる。元のデータがiCloudにあるので、iPhoneやパソコンからも同じ写真ライブラリを表示できるし、iPadが故障しても思い出の写真が消える心配もない。ただし、iCloud側にもiPadのライブラリのすべてを保存できる容量が必要だ。iCloud上や他のデバイスで写真を削除すると、iPadからも削除される(逆も同様)点にも注意しよう。「マイフォトストリーム」機能を使えば、iCloudの容量を消費せずに自動アップロードできるが、ビデオは保存できず枚数や期限に制限があるので、写真を一旦iCloudに保存し、パソコンなどにコピーしてバックアップするための機能として利用しよう。

使い始め POINT!

撮影したすべての写真を見るには?

画面の左端から右にスワイプするか、左上のボタンをタップすると、サイドバーが開く。一番上の「ライブラリ」を開いて、上部メニューの「すべての写真」をタップすれば、iPad上のすべての写真やビデオを見ることができる。

写真一覧をピンチ操作で拡大、縮小する

昔の写真からざっと探したい時は、一覧表示をピンチインして縮小すれば月や年単位で素早くスクロールできる。似たような写真から1枚を選びたい時は、ピンチアウトで拡大して1枚ずつスクロールすると探しやすい。この操作は、メールアプリなどで添付写真を選ぶときにも使える。

サイドバーで見たい写真を素早く探す

見たい写真を素早く探し出すには、サイドバーを使いこなそう。「メディアタイプ」でビデオやセルフィー、スクリーンショットなど撮影モード別にまとめて表示できるほか、「ピープル」でよく写っている人物別に表示したり、「撮影地」マップ上から写真を探し出せる。また「For You」では、自動生成されたスライドショーやおすすめの写真も楽しめる。

操作❶ 写真やビデオを閲覧し詳細を確認する

1 撮影した写真を表示する

各メニューで写真のサムネイルをタップすれば、その写真が表示される。画面を左右にスワイプするか下部のサムネイルバーで表示写真を切り替える。

2 撮影したビデオを再生する

ビデオのサムネイルをタップすると、自動で再生が開始される。上部メニューで一時停止やスピーカーのオン･オフが可能。

3 写真にキャプションを追加する

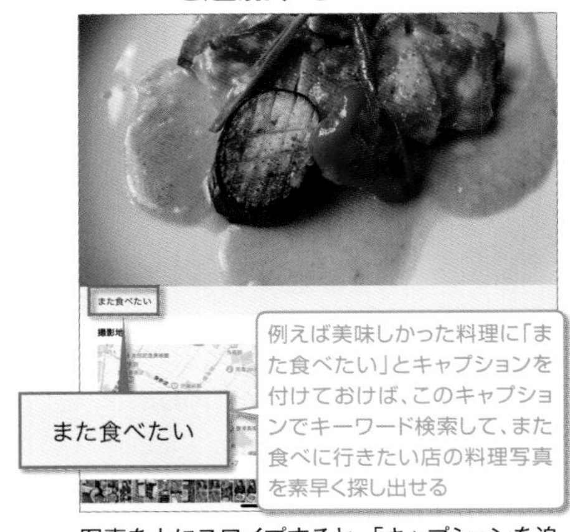

写真を上にスワイプすると、「キャプションを追加」欄にメモを記入できる。このキャプションは検索対象になるのでタグのように使える。

操作② 写真アプリの基本操作と機能

1 写真やビデオをまとめて選択する

写真やビデオの一覧画面で右上の「選択」をタップすると選択モードになる。個別にタップしなくても、ドラッグでまとめて選択可能だ。

2 写真やビデオを削除する

写真やビデオを選択して、ゴミ箱ボタンをタップすると削除できる。削除してもしばらくは「最近削除した項目」アルバムに残る。

3 削除した項目を復元または完全に削除する

「最近削除した項目」アルバムでは、削除した写真やビデオが最大30日間保存されており、選択して復元したり、完全に削除することが可能だ。

4 強力な検索機能を活用する

サイドバーで「検索」を開くと、ピープルや撮影地、カテゴリなどで写真を探せるほか、被写体やキャプションをキーワードにして検索できる。

5 あとで見返したい写真は「お気に入り」にする

あとで見返したり誰かに見せたくなるような写真は、ハートボタンをタップしておこう。「お気に入り」アルバムですぐに表示できる。

6 見られたくない写真やビデオを非表示にする

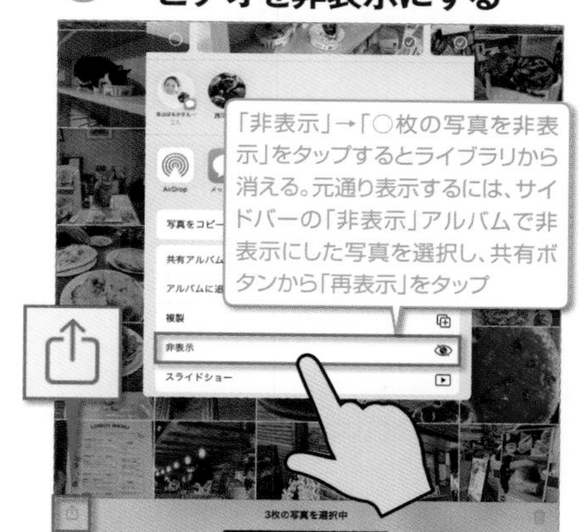

写真を選択して、左下の共有ボタンから「非表示」→「○枚の写真を非表示」をタップすると、選択した写真は表示されなくなる。

7 アルバムで写真を整理する

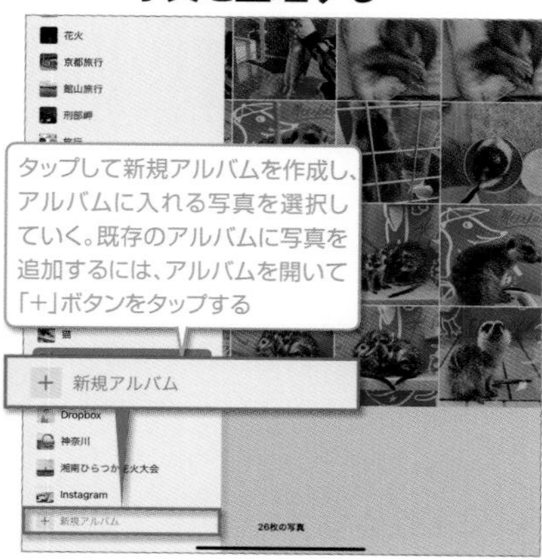

サイドバーを下にスクロールして、マイアルバムの「新規アルバム」ボタンをタップすると、アルバムを作成して写真を追加できる。

8 フィルタ機能で写真を絞り込む

写真の一覧画面で、右上のオプション(…)ボタンから「フィルタ」を選択すると、お気に入りや編集済み、写真、ビデオのみを抽出できる。

9 自動で作成されたメモリーを楽しむ

サイドバーで「For You」を開くと、特定のテーマで写真やビデオをまとめた「メモリー」が自動作成されており、スライドショーも楽しめる。

操作❹ 撮影した写真を編集、加工する

1 写真を選択して編集ボタンをタップ

写真アプリで編集したい写真を選んでタップ。続けて画面右上の「編集」をタップしよう。写真の編集画面に切り替わる。

2 編集画面でレタッチを行う

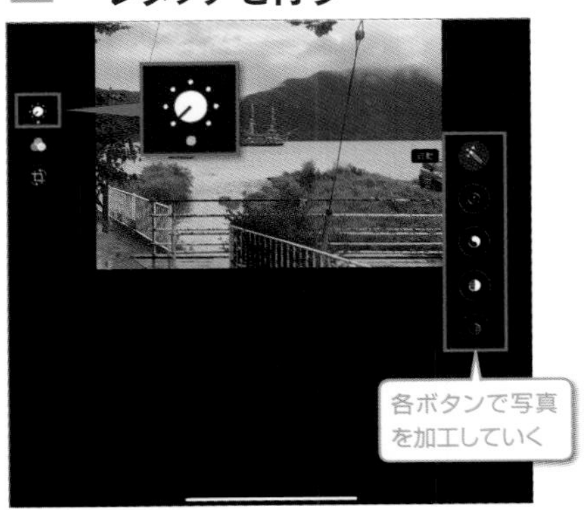

編集画面では、「調整」メニューで「自動」「露出」「ブリリアンス」などの項目が表示され、明るさや色合いを自由に調整できる。

3 トリミングや傾き補正も簡単

トリミングボタンをタップすると、四隅の枠をドラッグしてトリミングできるほか、傾きを修正したり、横方向や縦方向の歪みも補正できる。

4 写真の加工や編集をあとから元に戻す

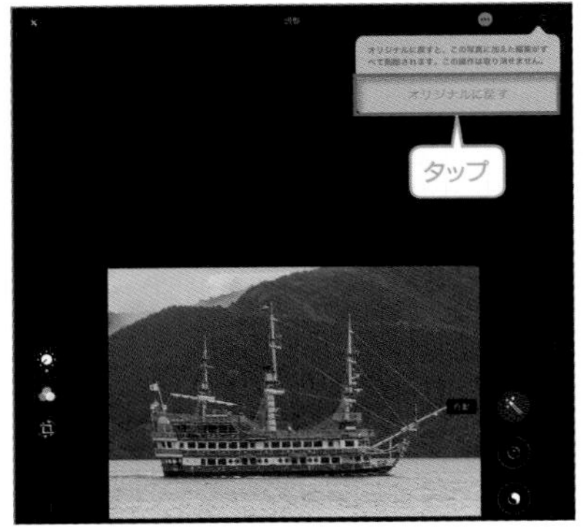

編集を適用した写真は、「編集」→「元に戻す」→「オリジナルに戻す」をタップするだけで、簡単に元の写真に戻すことができる。

5 ポートレートの照明やぼけ具合を変更する

ポートレートモードで撮影した写真は、編集画面で照明エフェクトを変更できるほか、上部の「f」ボタンで被写界深度も変更できる。

6 他のアプリのフィルタを適用する

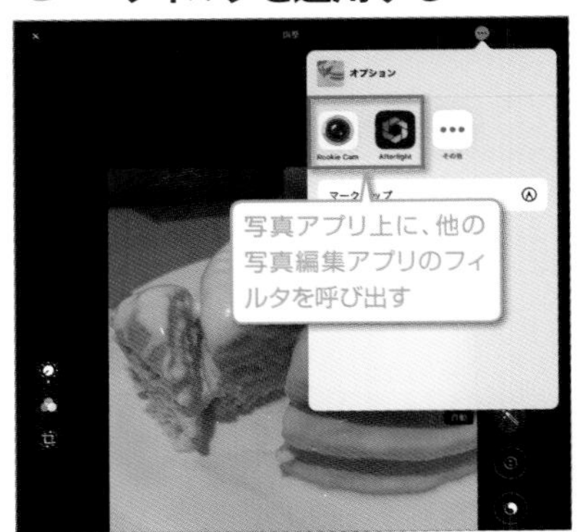

編集画面で右上の「…」をタップすると、インストール済みの他の写真編集アプリのフィルタ機能を呼び出し、適用することができる。

操作❺ 撮影したビデオを編集、加工する

1 ビデオの不要な部分をカットする

ビデオを開いて「編集」をタップ。タイムラインの左右端をドラッグすると表示される黄色い枠で、カット編集する位置を指定できる。

2 フィルタや傾き補正を適用する

「調整」「フィルタ」「トリミング」ボタンをタップすると、それぞれで色合いを調整したり、フィルタや傾き補正を適用できる。ビデオもトリミング機能で構図を整えることができる。

使いこなしヒント

Live Photosのエフェクトを変更する

動く写真「Live Photos」の場合は、画面を上にスワイプすることで、エフェクトを「ループ(繰り返し再生)」「バウンス(再生と逆再生の繰り返し)」「長時間露光(長時間シャッターを開いたときの効果)」に変更できる。

操作❻ iCloud写真やマイフォトストリームを利用する

1 iCloud写真をオンにする

「設定」→「写真」→「iCloud写真」をオンにすれば、すべての写真やビデオがiCloudに保存される。ただしiCloudの空き容量が足りないと機能を有効にできない。

2 端末の容量を節約する設定

iCloud写真がオンの時、「iPadのストレージを最適化」にチェックしておけば、オリジナルの写真はiCloud上に保存して、iPadにはデータサイズを縮小した写真を保存できる。

3 写真アプリの内容は特に変わらない

iCloud写真をオンにしても写真アプリの内容は特に変わらない。ただし、同じApple IDのiPhoneなどでiCloud写真を有効にしていると、写真の削除などの変更が同期されるので注意。

4 マイフォトストリームをオンにする

「設定」→「写真」→「マイフォトストリーム」をオンにすれば、iPadで撮影した写真がクラウド上に保存されるようになる。iCloudの容量を消費せず完全無料で使えるのがメリットだ。

5 マイフォトストリームの写真を閲覧する

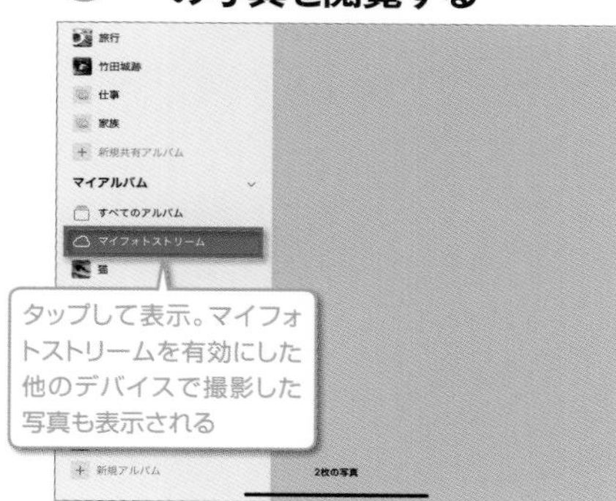

マイフォトストリームの写真は、写真アプリの「マイフォトストリーム」アルバムで確認できる。ただし保存期間は最大で30日間、保存枚数は1,000枚まで。ビデオは保存されない。

使いこなしヒント

iCloudの容量を追加購入する

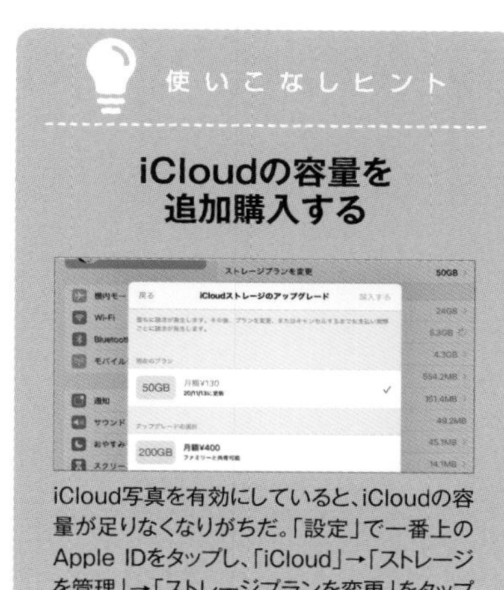

iCloud写真を有効にしていると、iCloudの容量が足りなくなりがちだ。「設定」で一番上のApple IDをタップし、「iCloud」→「ストレージを管理」→「ストレージプランを変更」をタップすると、50GB／月額130円などのプランで容量を追加購入できる。

操作❼ 写真やビデオをパソコンにバックアップする

1 iPadとパソコンをUSBケーブルで接続

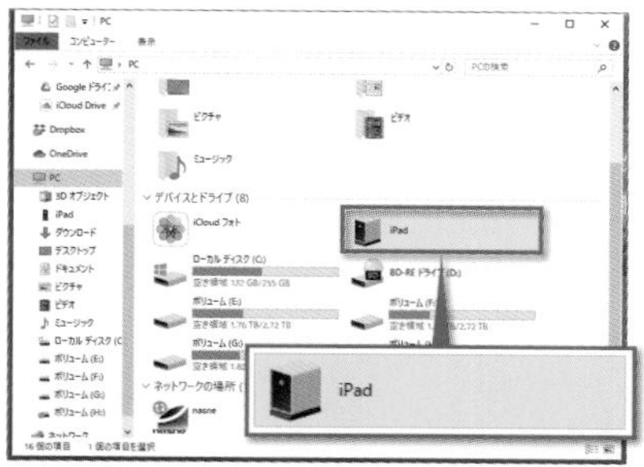

iCloudの容量を使わずにiPadで撮影した写真やビデオを保存しておきたいなら、パソコンに取り出すのがおすすめだ。まずはパソコンとiPadをUSBケーブルで接続しよう。iPadが外付けデバイスとして認識される。

2 「DCIM」フォルダから写真やビデオをコピー

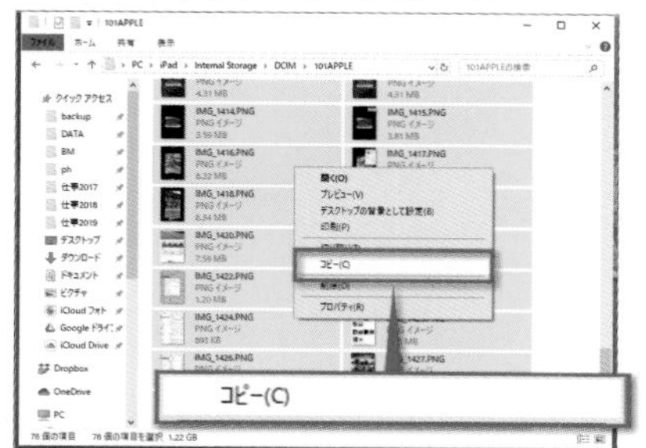

iPadの画面ロックを解除すると、「Internal Storage」→「DCIM」フォルダにアクセスできる。「100APPLE」フォルダなどに、iPadで撮影した写真やビデオが保存されているので、パソコンにコピーしよう。

使いこなしヒント

フォトライブラリでバックアップする

iCloud写真がオフの時は、「フォトライブラリ」をオンにして、現時点の端末内の写真やビデオを含めたiCloudバックアップを作成できる。ただこの機能は、どのみちiCloudの容量を消費する上に中身の写真を取り出せないので、写真のバックアップには「iCloud写真」を使ったほうが便利だ。

ミュージック

定額聴き放題サービスも利用できる標準音楽プレイヤー

端末内の曲もクラウド上の曲もまとめて扱える

「ミュージック」は、音楽配信サービス「Apple Music」の曲や、パソコンから取り込んだ曲、iTunes Store(P082で解説)で購入した曲を、まとめて管理できる音楽再生アプリだ。Apple Musicの利用中は、サイドバーの「今すぐ聴く」で好みに合った曲を提案してくれるほか、「見つける」で注目の最新曲を見つけたり、「ラジオ」でネットラジオを聴ける。さらにApple Musicでは、「iCloudミュージックライブラリ」という機能も使える。これは、iPadやiPhoneの曲、パソコンのiTunesで管理している曲を、すべてiCloudにアップロードして同期する機能で、いちいちケーブルで接続してiPadに転送しなくても、いつでも自宅パソコンの曲をストリーミング再生したりダウンロード保存できるのだ。ただしApple Musicを解約すると、iCloudの同期している曲は削除され、再生できなくなるので要注意。パソコンにある元の曲は消さないようにしよう。

使い始めPOINT! サイドバーの項目を理解する

画面の左端から右にスワイプするか、左上の「ミュージック」をタップすると、サイドバーが開く。「今すぐ聴く」や「見つける」、「ラジオ」はApple Musicで使えるメニューだ。iPad上の曲はすべて「ライブラリ」にある「アーティスト」「アルバム」「曲」「ダウンロード済み」などのカテゴリから探せる。これらの項目は、上部の「編集」で削除や追加、並び替えができる。聴きたい曲をアーティスト名から探すことが多い人は、表示する項目を「アーティスト」だけにしても使いやすい。Apple Musicを利用中は、直近に追加したアルバムや曲をすぐに確認できるように「最近追加した項目」も表示させておこう。

サイドバーの「ライブラリ」は、あまり使わない項目を非表示にした方がスッキリして使いやすい。項目を編集するには、上部の「編集」をタップする。

「アーティスト」や「最近追加した項目」など、自分がよく使う項目だけ残して、他の項目はチェックを外しておこう。

操作❶ ライブラリから曲を再生する

1 ライブラリから曲を探す

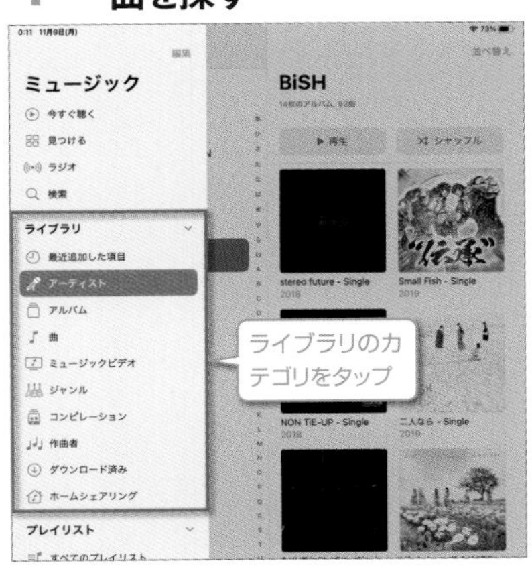

画面を左端から右にスワイプしてサイドバーを開き、「ライブラリ」のアーティストやアルバムなどのカテゴリから聴きたい曲を探そう。

2 曲名をタップして再生を開始する

曲名をタップすると、すぐに再生が開始される。画面下部にミニプレイヤーが表示され、一時停止や曲をスキップといった操作が可能だ。

3 再生画面を開いてコントロールする

ミニプレイヤー部をタップすると再生画面が開く。アルバムジャケットが表示されるほか、シークバーや音量バーなども表示される。

操作❷ ミュージックアプリで行えるさまざまな操作と機能

1 ロングタップメニューで様々な操作を行う

アルバムや曲をロングタップすると、削除やプレイリストへの追加、共有、好みの曲として学習させるラブ機能などのメニューが表示される。

2 ダウンロード済みの曲やアルバムを削除

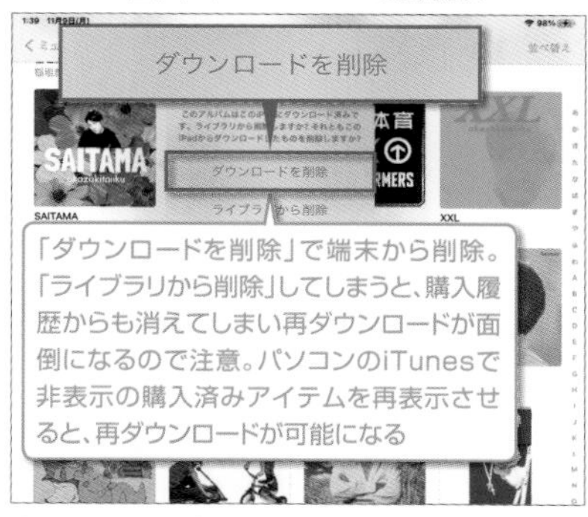

Apple MusicやiTunes Storeでオフラインでも聴けるように保存した曲は、「削除」→「ダウンロードを削除」で削除できる。端末内から削除するだけなので、いつでも再ダウンロードできる。

3 歌詞をカラオケのように表示する

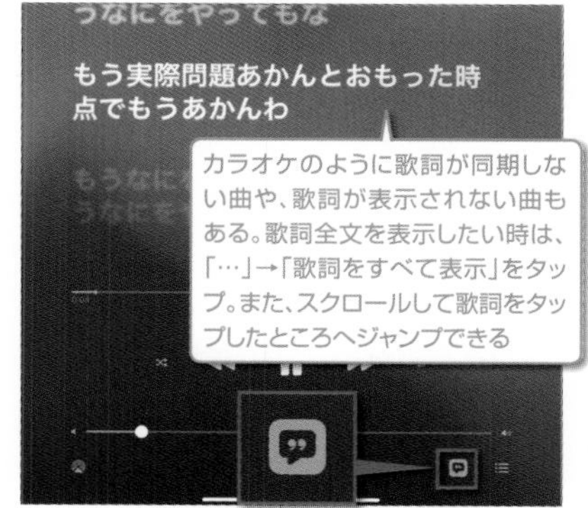

再生画面右下の歌詞ボタンをタップすると、カラオケのように、曲の再生に合わせて歌詞がハイライト表示される。

4 音声出力先を切り替える

再生画面左下の出力先切り替えボタンをタップすると、Bluetoothスピーカーや AirPlay対応デバイスに音声を出力できる。

5 「次はこちら」リストを表示する

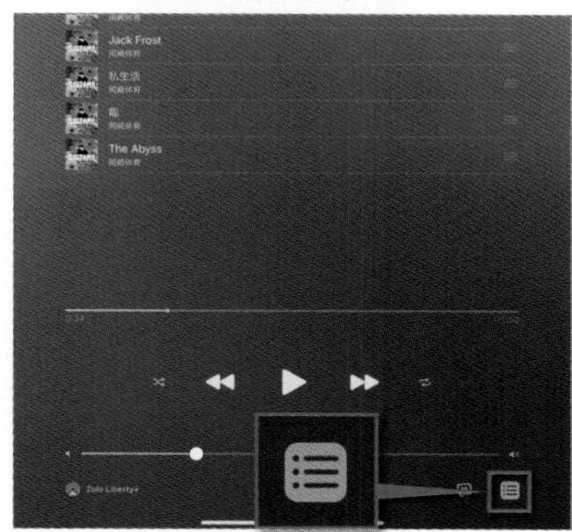

再生画面右下のボタンをタップすると、「次に再生」リストが表示される。リストの曲をタップすると、その曲が再生される。

6 曲やアルバムをシャッフル、リピートする

再生中の曲、アルバム、プレイリストは、ミニプレイヤー部のボタンでシャッフル再生したり、リピート再生を行える。

操作❸ 好みの曲だけのプレイリストを作成する

1 新規プレイリストを作成する

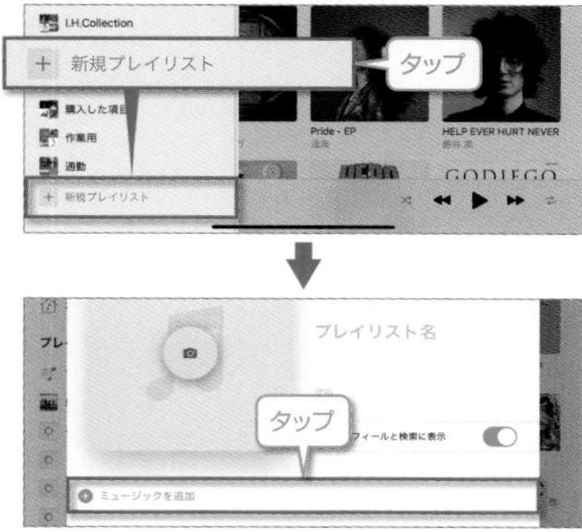

サイドバーの一番下にある「新規プレイリスト」ボタンでプレイリストを作成できる。続けて「ミュージックを追加」をタップする。

2 曲を選んで追加していく

アルバムや曲の選択画面になるので、プレイリストに追加したい曲を選択していこう。各項目の右端にある「+」ボタンをタップすればよい。

3 プレイリストを編集する

作成したプレイリストを開いて、右上の「…」→「編集」をタップすると、プレイリストに新しい曲を追加したり、再生順を並べ替えられる。

操作❹ 月額980円で聴き放題のApple Musicを利用する

Apple Musicを使ってみよう

世界中の6,000万曲が聴き放題になる、Appleの定額制音楽ストリーミング配信サービスが「Apple Music」だ。新人アーティストの最新曲から過去の定番曲まであらゆる楽曲を、iPhoneやiPad、Macのミュージックアプリや、WindowsのiTunesを使って楽しめる。プランは3種類用意されており、もっとも一般的な個人プランの場合は月額980円で利用できる。ファミリープランで契約すると、月額1,480円で家族6人まで利用可能だ。初回登録時は3ヶ月間無料で利用できるので、気軽に登録して使ってみよう。

1 Apple Musicに登録する

まずは「設定」→「ミュージック」→「Apple Musicに登録」でApple Musicに登録しよう。初回登録時は3ヶ月無料で試用できる。

使いこなしヒント Apple Musicの自動更新をオフにする

Apple Musicメンバーシップの自動更新を停止するには、「今すぐ聴く」画面のユーザーボタンをタップし、「サブスクリプションの管理」→「サブスクリプションをキャンセルする」をタップ。試用期間後に自動更新で課金したくないなら、この操作でキャンセルしておこう。

2 契約するプランを選択する

「すべてのプランを表示」をタップすると、「個人」「ファミリー」「学生」プランから選択できる。通常は「個人」で契約しよう。

3 ライブラリの同期を有効にする

Apple Musicに登録したら、「設定」→「ミュージック」→「ライブラリを同期」をオンにし、Apple Musicの曲を追加できるようにしておく。

4 Apple Musicの配信曲を検索する

サイドバーの「検索」でキーワード検索すると、上部のタブで「アーティスト」「アルバム」「曲」などを絞り込める。「ミュージックビデオ」にはライブ映像などもある。

5 Apple Musicの曲をライブラリに追加

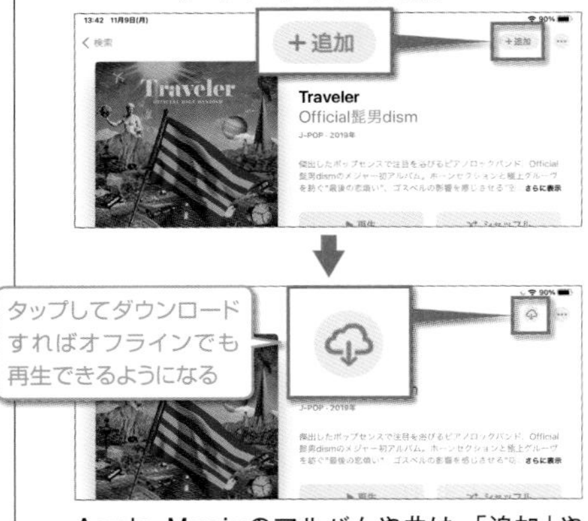

Apple Musicのアルバムや曲は、「追加」や「＋」をタップするとライブラリに追加できる。さらにクラウドボタンをタップすると、端末内にダウンロードできる。

6 自動ダウンロードを有効にする

「設定」→「ミュージック」→「自動的にダウンロード」をオンにしておくと、ライブラリに追加した曲が自動でダウンロードされるようになる。

使いこなしヒント パソコンの曲をいつでもiPadで聴けるようにする

Apple Musicの利用中は、パソコンのiTunesで「編集」→「環境設定」→「一般」→「iCloudミュージックライブラリ」(Macでは「ミュージック」→「環境設定」→「一般」→「ライブラリを同期」)にチェックしておこう。音楽CDから取り込んだ曲などがすべてiCloudにアップロードされ、iPadからも再生できる。

操作❺ 音楽CDの曲をiTunesに取り込む

1 パソコンにiTunesをインストールする

iTunes
https://www.apple.com/jp/itunes/

音楽CDの楽曲は、パソコンのiTunesを使って取り込むことができる。まずは公式サイトから、Windows用のiTunes最新版をダウンロードし、インストールを済ませよう。なおMacの場合は、標準搭載されている「ミュージック」アプリで取り込むことが可能だ。

2 「読み込み設定」をクリック

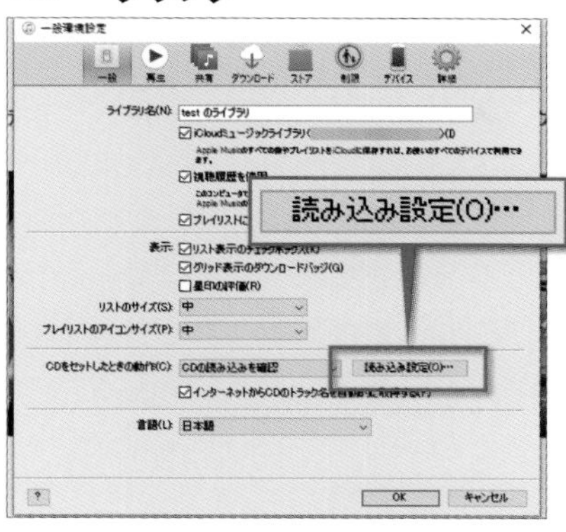

iTunesを起動したら、まず「編集」→「環境設定」をクリックし、「一般」タブの「読み込み設定」ボタンをクリックする。

3 ファイル形式や音質を設定する

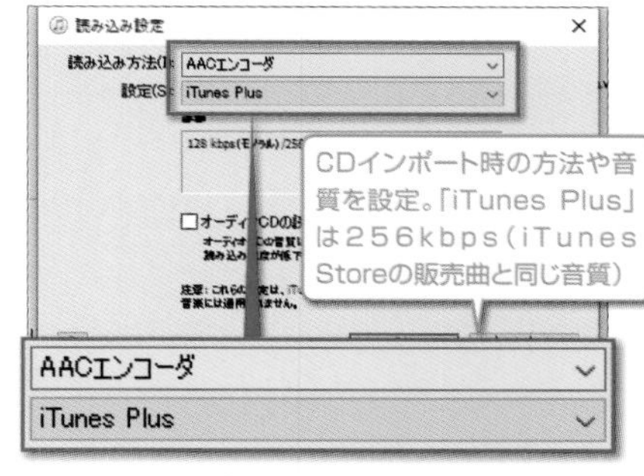

ここでCDインポート時のインポート方法(AACやMP3、Appleロスレスといったファイル形式)や音質などの設定を選択したら、「OK」で設定完了。標準の「AAC」と「iTunes Plus」の組み合わせがおすすめだ。

4 音楽CDをセットする

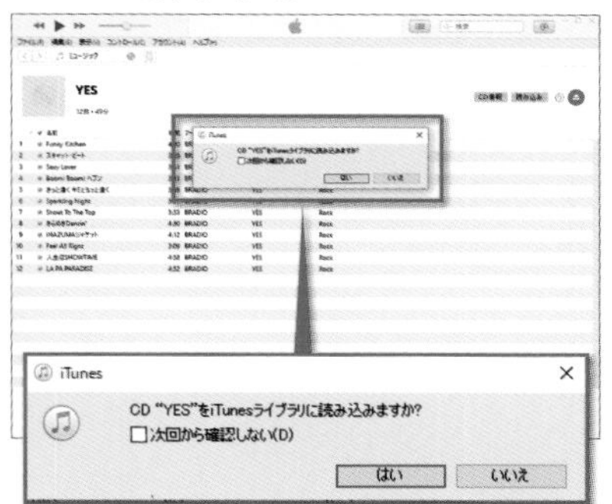

音楽CDをパソコンのドライブにセットすると、iTunes上に曲のタイトルなどが表示される。「~iTunesライブラリに読み込みますか?」と表示されたら「はい」をクリックしよう。

5 全曲インポートされるまで待つ

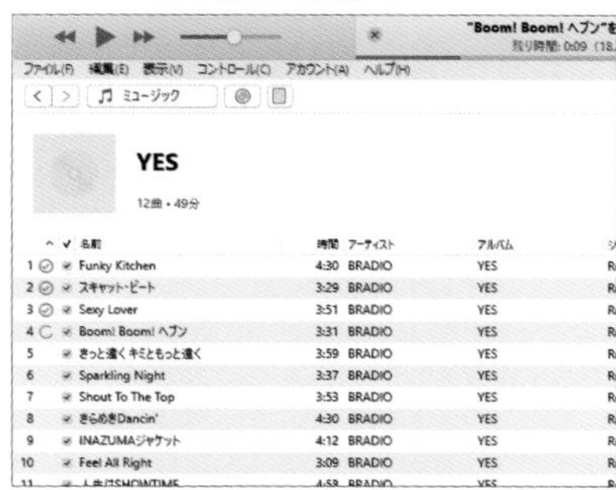

音楽CD内の曲がiTunes内に取り込まれ、ファイルとして変換されていく。すべての曲に緑色のチェックマークが付くまで、しばらく待とう。なお、曲名やアーティスト名なども自動的に設定される。

6 インポートされた曲を確認する

取り込みが終了したら、画面左上のメニューボタンを「ミュージック」に切り替えて、「ライブラリ」タブを開く。インポートした曲が、きちんとライブラリ内にあるか確認しよう。問題なければインポート作業は完了だ。

操作❻ 取り込んだ音楽をiPadに転送する

1 Apple Musicの利用中は自動で同期

Apple Musicを利用中で、iTunesの「iCloudミュージックライブラリ」も有効にしておけば(P074で解説)、iTunesに取り込んだ曲は自動的にiCloudにアップロードされるので、特に何もしなくてもiPadで再生できる。

2 Apple Musicを使っていない時の同期

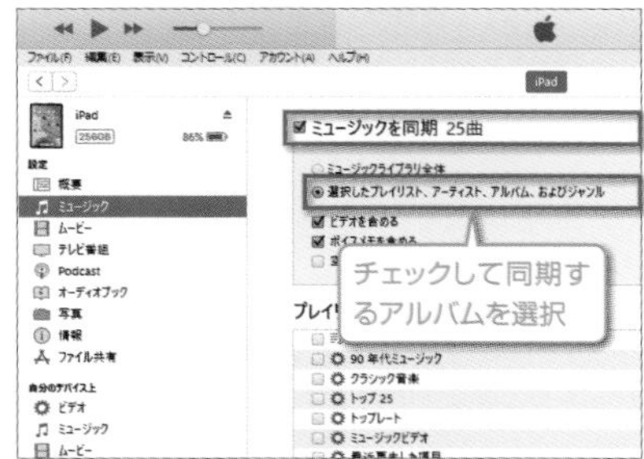

Apple Musicを使っていないなら、パソコンと接続してiTunes(MacではFinder)でiPadの管理画面を開き、「ミュージック」→「ミュージックを同期」にチェック。続けて「選択したプレイリスト~」にチェックし、iPadに取り込んだアルバムを選択してして同期しよう。

3 ドラッグ&ドロップでも転送できる

ライブラリ画面で取り込んだアルバムを選び、左の「デバイス」欄に表示されているiPadにドラッグ&ドロップして、このアルバムだけ手動で転送することもできる。

カレンダー

iPadで効率的にスケジュールを管理する

iCloudカレンダーやGoogleカレンダーと同期して使おう

「カレンダー」は、仕事や趣味のイベントを登録していつでも予定を確認できるスケジュール管理アプリだ。まずは「仕事」や「プライベート」といった、用途別のカレンダーを作成しておこう。作成したカレンダーに、「会議」や「友人とランチ」などイベントを登録していく。カレンダーは日、週、月、年で表示モードを切り替えでき、イベントのみを一覧表示してざっと確認することもできる。また作成したカレンダーやイベントはiCloudで同期され、iPhoneやMacでも同じスケジュールを管理できる。なお、会社のパソコンでGoogleカレンダーを使っていたり、Androidスマートフォンを使っている人は、Google上に「仕事」や「プライベート」といったカレンダーを作成し、同期させた方が使いやすい。iPadで入力したイベントをパソコンのGoogleカレンダーですぐに確認できるようになる。

使い始めPOINT! イベントを保存する「カレンダー」を用途別に作成する

まずは、必要に応じて「仕事」や「英会話」のように用途別のカレンダーを作成しておこう。たとえば「打ち合わせ」というイベントは「仕事」カレンダーに保存するといったように、イベントごとに作成したカレンダーに保存して管理できる。また作成したカレンダーはiCloudで同期されるので、iPadで作成したカレンダーやイベントをiPhoneやMacで表示したり、iPhoneやMacで作成したカレンダーやイベントもiPadで確認できる。

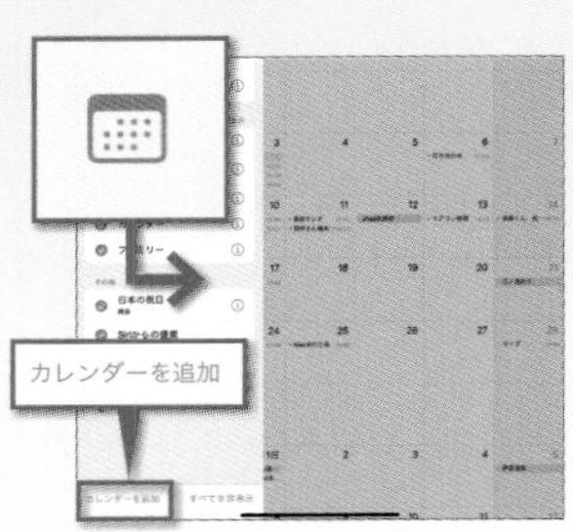

左上のカレンダーボタンをタップして一番下の「カレンダーを追加」ボタンをタップし、「仕事」「英会話」など用途別のカレンダーをiCloud上に作成しておこう。

iPhoneやMacでカレンダーを使っていて、iCloudと同期している場合は、iCloudでカレンダーのスイッチをオンにするだけで、作成済みのカレンダーやイベントが同期して表示される。

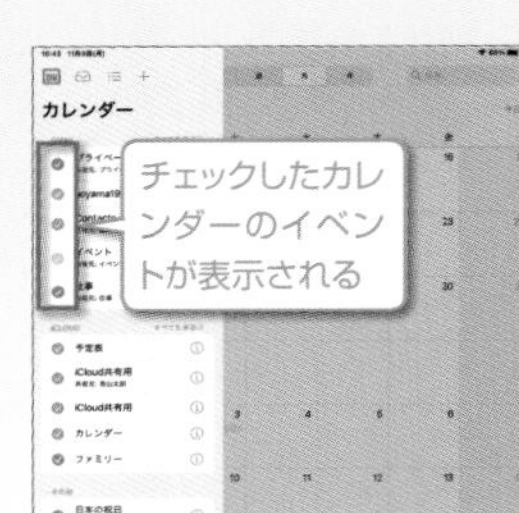

同期したカレンダーの予定がカレンダーアプリに表示されない場合は、左上のカレンダーボタンをタップしてチェックを確認しよう。

操作❶ 表示形式の変更とイベントの操作、検索

1 カレンダーを見やすい表示モードに切り替える

カレンダーアプリを起動したら、上部メニューで「日」「週」「月」「年」表示モードに切り替えることができる。

2 イベントはロングタップ&ドラッグで移動できる

イベントをロングタップすると選択状態になり、そのままドラッグすることで時間帯や日付を簡単に移動・変更することができる。

3 イベントを一覧表示する

左上のリストボタンをタップすると、サイドバーでイベントが一覧表示される。もうすぐ行われる予定をざっと確認したい時に便利だ。

操作❷ 新規イベントを作成、編集する

1 日付をロングタップして新規イベントを作成

左上の「+」をタップするか日付をロングタップすれば、新規イベントの作成画面が開く。予定を入力したら右上の「追加」をタップして作成。

2 イベントの作成先カレンダーを選択する

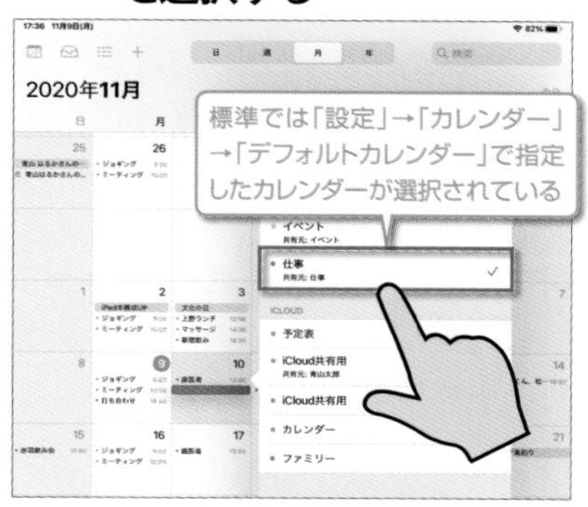

「カレンダー」をタップすると保存先カレンダーを選択できる。「打ち合わせ」イベントは「仕事」カレンダーに保存するなど必要に応じて変えておこう。

3 タイトルや場所、時間を設定する

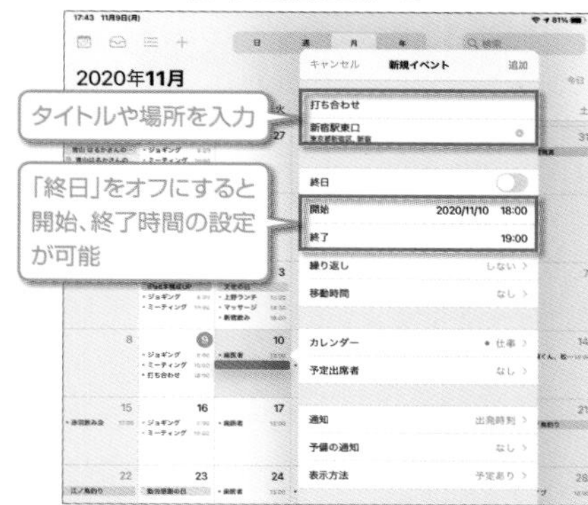

「タイトル」欄にイベント名を入力。必要に応じて場所も入力しよう。また「終日」をオフにすると開始、終了時間を設定できる。

4 2日以上にまたがる予定を作成する

2日以上にまたがる予定を作成する場合は「終了」をタップ。カレンダーが表示されるので、イベントの終了日を選択すればよい。

5 繰り返しの予定を作成する

毎週の会議や月1回の打ち合わせなど、定期的なイベントを登録するには「繰り返し」をタップ。繰り返す頻度を選択しよう。

6 追加済みのイベント内容を編集、削除する

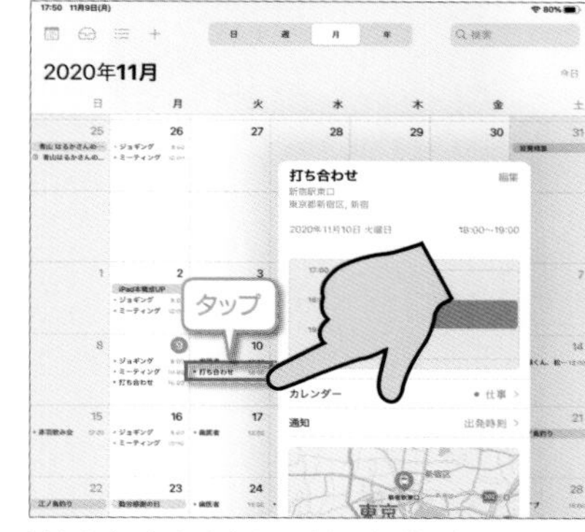

追加したイベントをタップすると詳細表示。目的地をマップで確認できるほか、右上の「編集」で内容を編集したり「イベントを削除」で削除できる。

操作❸ Googleカレンダーと同期して利用する

1 Googleカレンダーと同期する

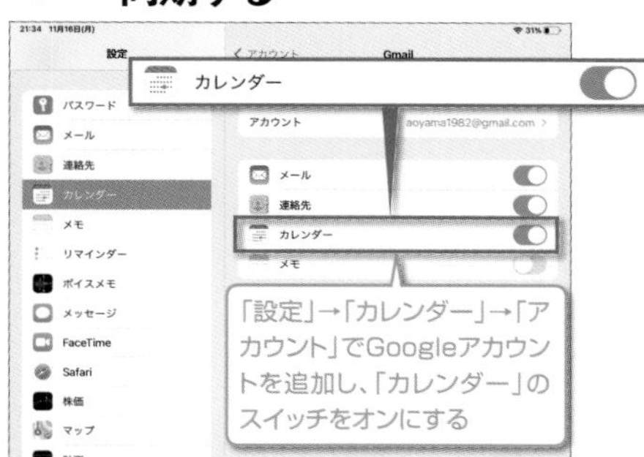

会社のパソコンなどで普段Googleカレンダーを使っているなら、Googleカレンダーと同期させておこう。Googleカレンダーで使っている「仕事」などのカレンダーに、iPadでも予定を作成できるようになる。

2 Googleカレンダーに新しいカレンダーを作成する

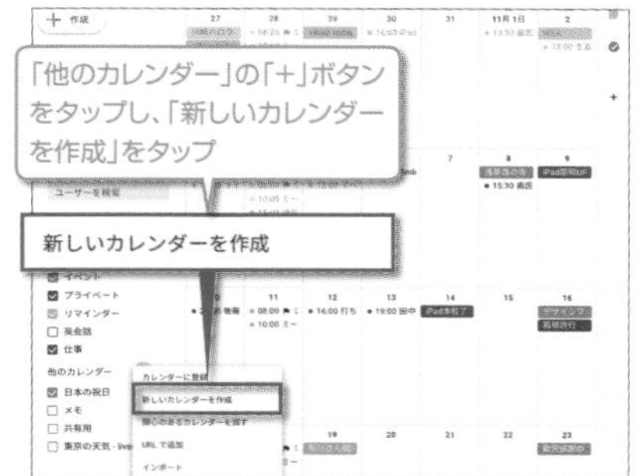

Googleカレンダーでも「仕事」など用途別のカレンダーを作成するには、Safariでhttp://www.google.com/calendarにアクセスし、「他のカレンダー」の「+」ボタンをタップすればよい。

3 Googleカレンダーの同期設定

Googleカレンダーは、一部のカレンダーのみiPadのカレンダーアプリと同期することもできる。Safariでhttps://www.google.com/calendar/syncselectにアクセスし、同期したいカレンダーだけチェックしておこう。

メモ

意外と多機能な標準メモアプリ

写真やビデオを添付したり手書きでスケッチもできる

標準の「メモ」はシンプルで使いやすいメモアプリだ。思い浮かんだアイデアを書き留めたり、買い物のチェックリストを作成したり、デザインのラフイメージを手書きでスケッチしたり、レシートや名刺を撮影してまとめて貼り付けておくなど、さまざまな情報をさっと記録しておくことができる。作成したメモはiCloudで同期されるので、iPhoneやMacでも同じメモを表示できるほか、Webブラウザでicloud.comにアクセスすれば、WindowsパソコンやAndroidスマートフォンでもメモの確認や編集が可能だ。他にも、メモを他のユーザーと共同編集したり、写真の被写体や手書き文字も含めてキーワード検索できるなど、シンプルな見た目に反して意外と多機能なアプリとなっている。Apple Pencilとの相性も抜群で、プライベートからビジネスまで幅広いシーンで活用できる。

使い始めPOINT! 作成したメモを管理する

画面の左端から右にスワイプするか左上のボタンをタップすると、作成済みのメモやフォルダが一覧表示される。メモを左右にスワイプしたりロングタップすることで、さまざまな操作が可能だ。リストの一番上に表示するようピンで固定したり、他のユーザーと共有して共同編集したり、パスワードでロックできる。

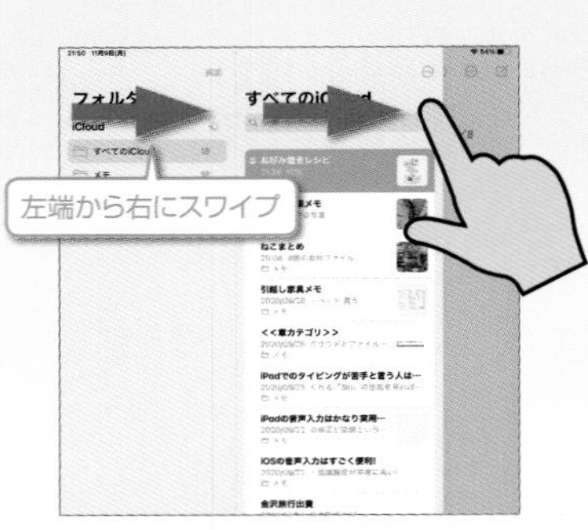

画面の左端から右にスワイプするとメモが一覧表示され、さらに右にスワイプするとフォルダが一覧表示される。

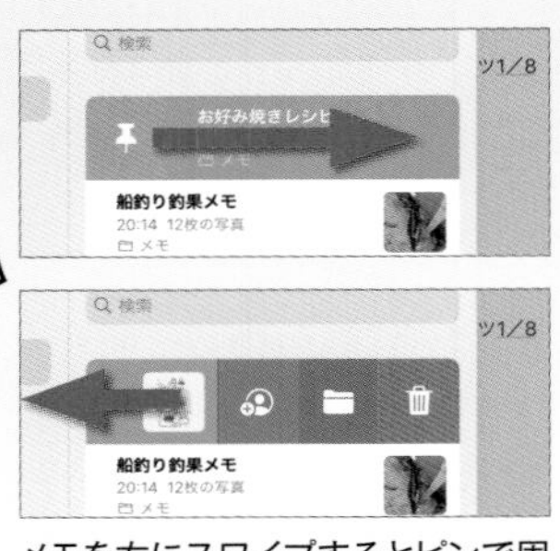

メモを右にスワイプするとピンで固定してリストの一番上に表示できる。左にスワイプすると、他のユーザーと共有したり、フォルダに移動したり、削除を行える。

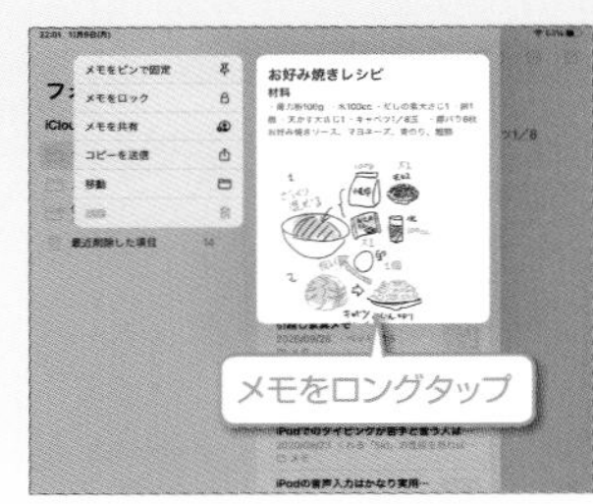

メモをロングタップすると、プレビューとメニューが表示される。スワイプ操作と同様にピンで固定したり、共有や移動、削除を行えるほか、メモをロックしたりコピーの送信も可能。

操作❶ メモを作成する

1 新規作成ボタンでメモを作成する

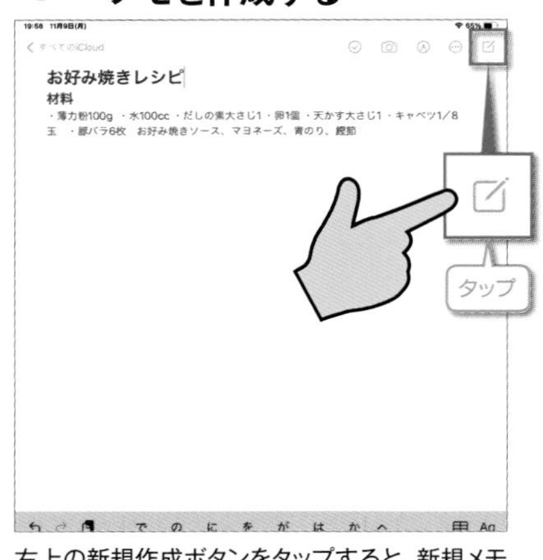

右上の新規作成ボタンをタップすると、新規メモを作成できる。メモの1行目が自動的にメモのタイトルになる。

2 メモの書式を変更する

一部の文字を大きくしたいときや行揃えを変更したいときは、変更したい部分を選択。キーボード右上の「Aa」ボタンで書式を変更しよう。

3 チェックリストや表を作成する

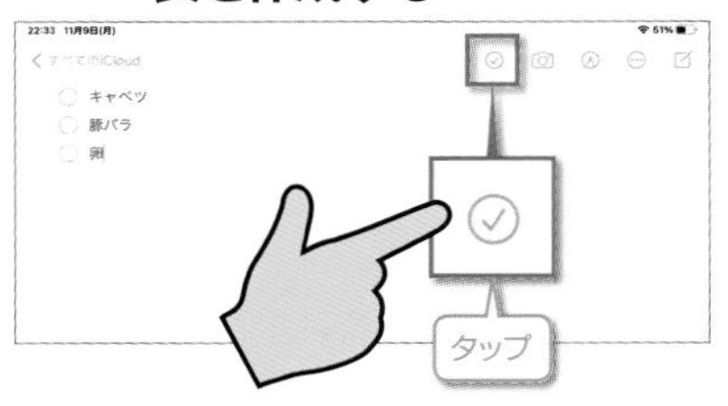

上部のチェックボタンをタップするとチェックリストを作成できる。またキーボード右上の表ボタンで表を作成できる。

操作❷ メモアプリの機能を使いこなす

1 写真やビデオを貼り付ける

上部のカメラボタンをタップすると、写真やビデオを撮影したり、写真アプリから選択してメモに貼り付けることができる。

2 手書きで文字やイラストを描く

上部のマークアップボタンをタップするとマークアップツールが表示され、Apple Pencilや指を使って手書きで文字やイラストを描ける。

3 マークアップツールの使い方

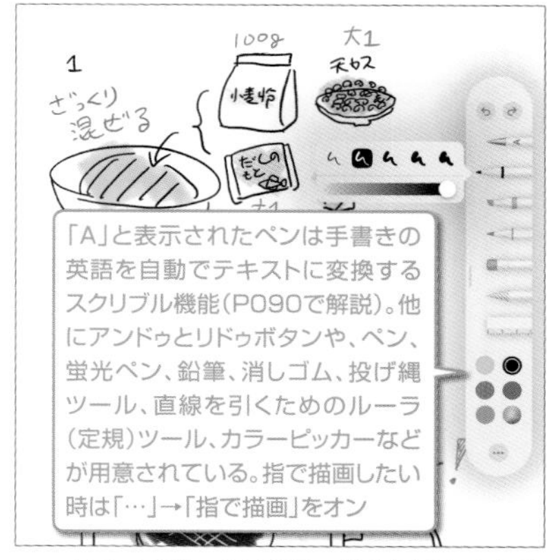

マークアップツールはドラッグで上下左右に移動できる。ペンをタップして太さや不透明度を変更。カラッピッカーで色を変更できる。

4 手書きの図形を自動で整える

手書きで円や四角や星型を描いたら、描き終えた位置でしばらく停止させよう。自動的にきれいに整えた図形に変換してくれる。

5 ドラッグやコピーも可能

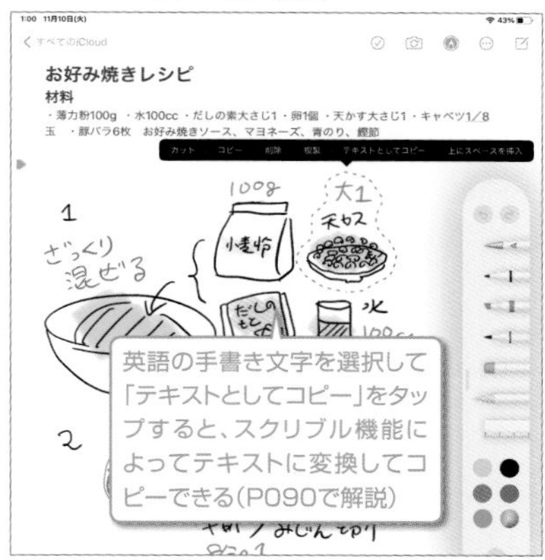

描いた文字やイラストは投げ縄ツールで囲むと、ドラッグして移動したり、タップして表示されるメニューでコピーもできる。

6 他のユーザーと共同で編集する

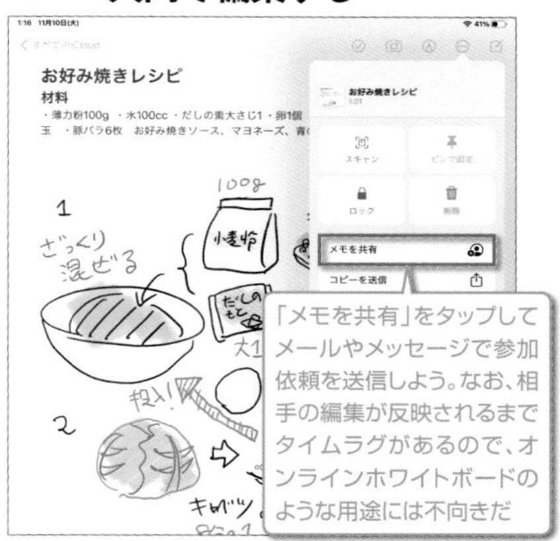

他のユーザーとメモを共同編集することもできる。「…」→「メモを共有」をタップして、共有したいユーザーを招待しよう。

7 フォルダを作成する

フォルダ一覧を開き、左下のボタンをタップすると、新規フォルダを作成できる。作成したメモをフォルダで分類して整理しよう。

8 メモをキーワード検索する

メモ一覧を開くと、上部の検索欄でメモをキーワード検索できる。手書き文字(英語と中国語のみ)や写真、スキャンした書類の内容も検索対象に含まれる。

9 ホーム画面でメモを付箋のように表示する

横画面時はウィジェットをホーム画面に固定表示できるので、メモのウィジェットを一番上に配置しておくと、付箋のように使えて便利だ。

ファイル

クラウドサービスやアプリのファイルを一元管理

ドラッグ&ドロップで複数サービスのファイルを操作

「ファイル」は、iCloud Drive、Google Drive、Dropboxといった対応クラウドサービスと、一部の対応アプリ内にあるファイルを、一元管理するためのファイル管理アプリだ。クラウドサービスの公式アプリや対応アプリがiPadにインストール済みであれば、ファイルアプリの「ブラウズ」→「場所」欄に表示され、タップして中身のファイルを操作できる。表示されない場合は、「…」→「編集」をタップして表示したいサービスをオンにしておこう。ファイルアプリを使えば、他のサービスにファイルをドラッグ&ドロップで移動したり、タグを付けて複数サービスのファイルを横断管理するといった操作が簡単に行えるようになる。また、iPadに接続したUSBメモリやSDカードなどの外部ストレージにもアクセスできるほか、ZIPファイルを圧縮／解凍したり、SMBサーバーへの接続機能でパソコンの共有フォルダやNASなどに接続することもできる。

使い始めPOINT! よく使うクラウドを追加する

Dropboxなどよく使うクラウドサービスがあれば、「ファイル」アプリでアクセスできるように追加しておこう。メールアプリでファイルを添付する際に、iCloud以外のクラウドサービスからも直接ファイルを取り込めるようになる。逆にあまり使っていないサービスは非表示にした方がスッキリして使いやすい。

画面の左端から右にスワイプするか左上のボタンをタップすると、サイドバーが開く。上部の「…」→「サイドバーを編集」をタップしよう。

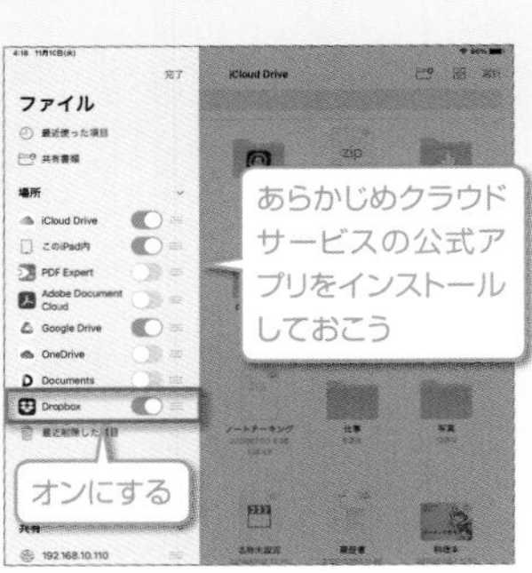

iPadにインストール済みのクラウドサービスや対応アプリが一覧表示される。Dropboxなどよく使うサービスのスイッチをオンにしておこう。

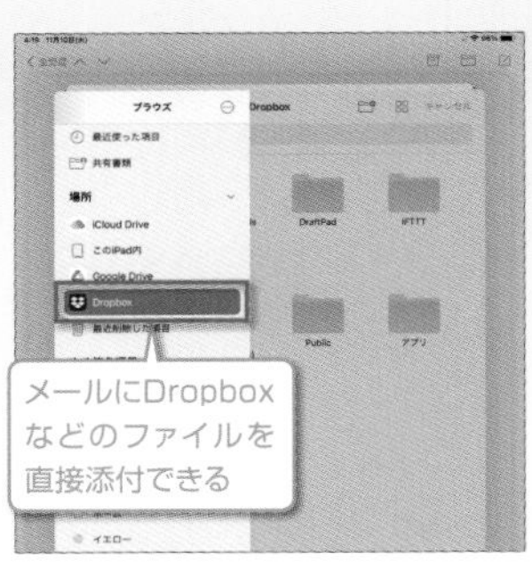

メールアプリでファイルを添付する際に、ファイルアプリに追加したクラウドサービスから直接ファイルを取り込んで添付できるようになる。

操作❶ ファイルアプリの基本操作

1 ロングタップでファイルを操作する

ファイルやフォルダをロングタップするとメニューが表示され、コピーや移動、詳細情報の表示、タグの設定や圧縮といった操作を行える。

2 ファイルを圧縮、解凍する

ファイルやフォルダをロングタップし、「圧縮」をタップするとZIPで圧縮できる。ZIPファイルはタップすると、すぐにその場に解凍される。

3 ファイルにタグを付けて整理する

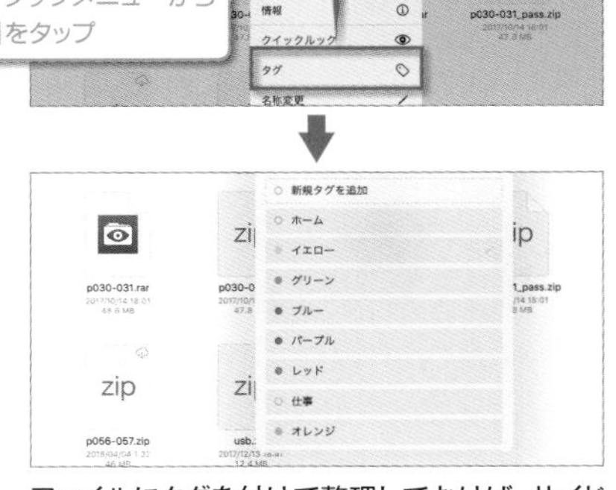

ファイルにタグを付けて整理しておけば、サイドメニューの「タグ」を選択するだけで、複数の場所のファイルを横断管理できる。

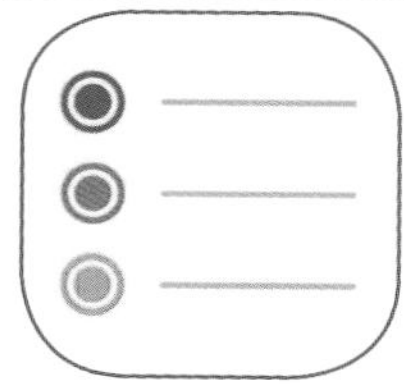

リマインダー

やるべきことを忘れず通知してくれる

日々のタスク管理や買い物メモに活用しよう

「リマインダー」は、やるべきことや覚えておきたいことを登録しておけば、しかるべきタイミングで通知してくれるタスク管理アプリだ。例えば「明日14時に山本さんに電話を入れる」「トイレの電球を買っておく」など、日々のやるべきことを登録しておけば、通知でうっかり忘れを防げる。また、位置情報を元に、自宅や会社、その他指定したエリアに移動した際に通知させることもできるので、「帰宅前に駅前のドラッグストアで洗剤を買う」といった内容で登録しておくと、駅周辺に戻った際に通知を表示してくれる。作成したリマインダーは、「仕事」「プライベート」など自分で作成したリストごとに管理できるほか、「今日」「日時設定あり」「フラグ付き」などの条件に合ったリマインダーをまとめて確認することも可能だ。また、特定の相手とメッセージを開始したときに、その相手に伝えるべき内容を通知させる機能も備えている。

使い始めPOINT! リマインダーの基本的な使い方

左欄の「リストを追加」ボタンで、あらかじめ「仕事」「プライベート」といったリストを作成しておく。作成したリストを開いたら、右欄の「新規」ボタンでリマインダーを登録していこう。キーボード上部のボタンで日時や場所を指定する。通知スタイルや通知音は「設定」→「通知」→「リマインダー」で設定しよう。

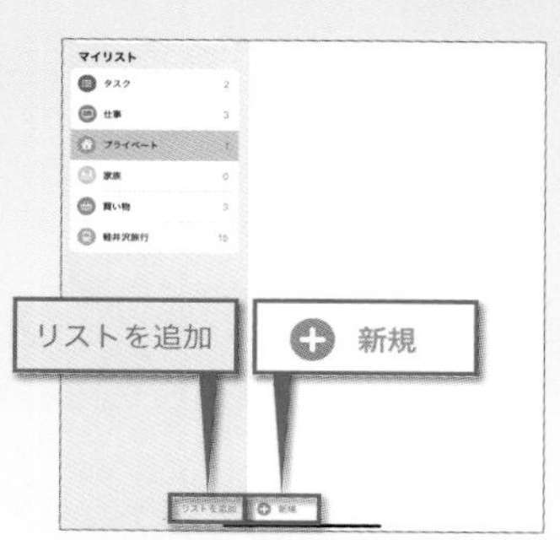

下部の「リストを追加」ボタンでリストを作成。作成したリストを開いて「新規」ボタンでリマインダーを作成できる。

忘れずに通知したい内容を入力しよう。改行すれば新しいリマインダーを追加できる。

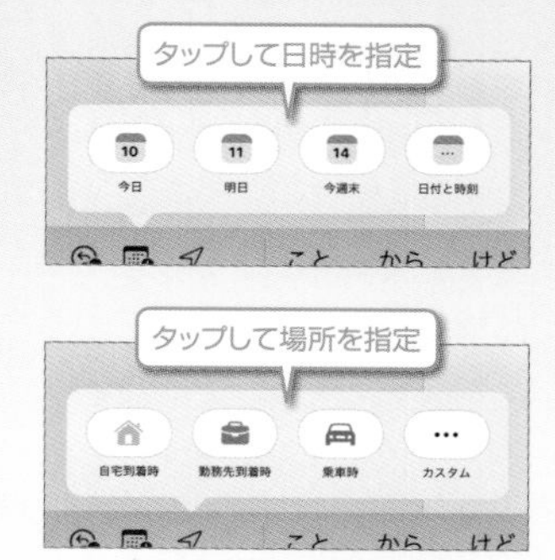

キーボード上部のボタンをタップすると、リマインダーを通知する日時や場所を指定できる。

操作❶ リマインダーの管理と編集

1 スマートリストで管理する

左欄上部のスマートリストでは、すべてのリストにあるリマインダーを、「今日」「日時設定あり」「フラグ付き」「すべて」の分類で横断表示できる。

2 リマインダーを編集する

リマインダーを選択して「i」ボタンをタップすると、詳細情報が開き、日時や場所の変更、リストの移動など内容を編集できる。

3 リマインダーを完了する

リマインダーの左端にある○をタップすると、このリマインダーは実行済みとしてマークされ非表示になる。

iTunes Store

音楽や映画をいつでも好きな時にダウンロード購入する

Appleの配信サービスで音楽や映画を楽しむ

「iTunes Store」は、オンラインで音楽を購入したり、映画を購入・レンタルできるAppleの配信サービスを利用するためのアプリだ。音楽は幅広いジャンルをカバーしており、購入前に曲の一部を試聴したり、アルバム内の聴きたい曲だけを選んで購入するといった、配信ならではの利用法が可能。また映画の場合も、購入前に予告編を再生したり、レビューをチェックできるほか、一定期間のみ再生できる「レンタル」を利用することもできる。

iTunes Storeでの購入にはApple IDが必要で、クレジットカード、もしくはコンビニなどで販売されているAppleのプリペイドカード「App Store & iTunesギフトカード」のコードを登録して決済する。一度購入したコンテンツは「購入済み」画面で確認でき、同じApple IDでサインインしておけば、パソコンのiTunesやiPhoneなど他のデバイスでも、無料でダウンロードして楽しむことができる。

使い始め POINT! iTunes Storeで音楽を購入する

音楽コンテンツをダウンロード購入するには、下部の「ミュージック」タブを開いて、上部の検索欄でアーティスト名などを検索しよう。価格ボタンをタップすれば、1曲単位やアルバム全体を購入できる。一部の曲を購入済みのアルバムは、差額を支払えば残りの曲を購入してアルバムを補完できる。

下部メニューで「ミュージック」タブを開き、右上の検索欄でアーティスト名などを入力して検索する。

欲しいアルバムや曲が見つかったら、価格ボタンをタップすると購入できる。曲名をタップすれば試聴も可能だ。

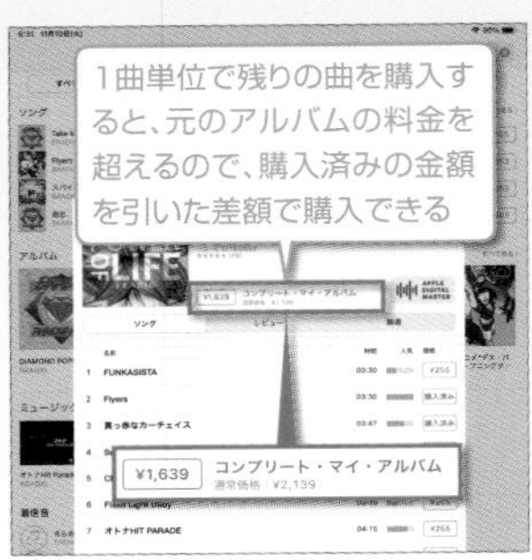

一部の曲を購入済みのアルバムは、「コンプリート・マイ・アルバム」と表示され、差額を支払えば残りの曲を購入できる。

操作① iTunes Storeのその他基本的な使い方

1 映画の購入とレンタル

映画の場合、「購入」した映画はいつでも楽しめるが、「レンタル」した映画の視聴期限は30日で、一度再生を開始すると48時間後に視聴期限が切れる。

2 ウィッシュリストを利用する

後で買いたい曲や映画は、共有ボタンから「ウィッシュリストに追加」をタップしておこう。上部のウィッシュリストボタンから素早く確認できる。

3 購入済みコンテンツを確認する

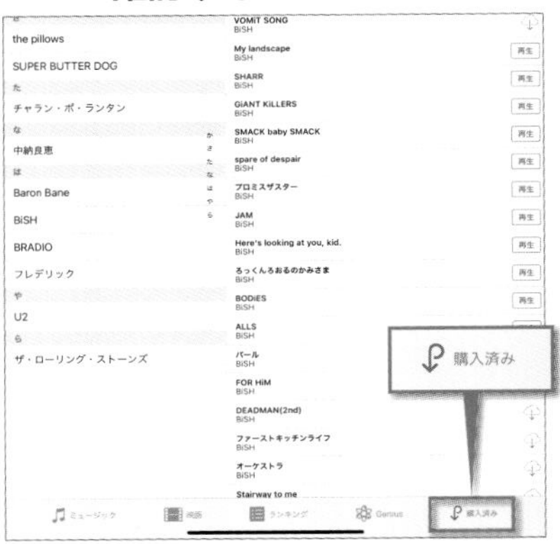

下部メニューの「購入済み」をタップすると、iTunes Storeで購入した音楽や映画が一覧表示される。iCloudボタンをタップすればダウンロードできる。

ボイスメモ

ワンタップでその場の声を録音できる

トリミングや自動補正などの編集機能も備える

「ボイスメモ」は、iPad本体のマイクを使って周囲の音声を録音できるアプリだ。アプリを起動したら、赤い丸ボタンをタップするだけですぐに録音が開始されるので、会議や打ち合わせの議事録に使ったり、思いついたアイデアを忘れないうちにさっと録音しよう。録音中はホーム画面に戻って別のアプリを操作できるほか、録音を一時停止してそれまでの録音内容を確認したり、録音を再開することも可能だ。また録音を完了したあとは、「編集」ボタンで不要な部分をトリミングしたり、ノイズとエコーを減らすように自動補正できる。言い間違えた箇所を修正したいときは、途中から上書き録音する機能もある。ボイスメモのデータはiCloudで同期されるので、iPhoneやMacでも同じボイスメモを再生可能だ。パソコンや他のユーザーに送る場合は、メールに添付するか、クラウドサービスなどにアップして共有しよう。

使い始め POINT!

ボイスメモの基本的な使い方

ボイスメモの使い方は非常にシンプル。アプリを起動して、左欄の赤丸ボタンをタップするだけで録音を開始できる。録音が終わったら「完了」ボタンをタップすればよい。「設定」→「ボイスメモ」→「位置情報を録音名に使用」をオンにしていると、録音した場所の名前をファイル名として保存する。

ボイスメモを起動したら、左下の赤丸ボタンをタップするだけで、すぐに録音が開始される。

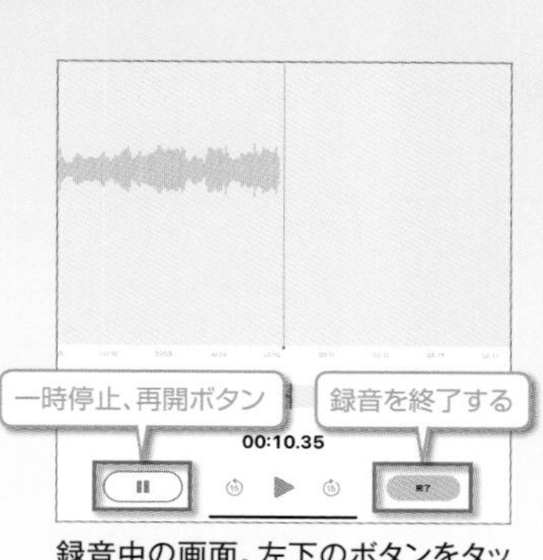

録音中の画面。左下のボタンをタップすると、録音を一時停止したり再開できる。録音を終える時は、右下の「完了」をタップ。

ホーム画面に戻ったり他のアプリを起動しても録音は継続する。上部の録音ボタンをタップすると元のボイスメモ画面に戻る。

操作❶ 録音したボイスメモを編集する

1 ボイスメモの編集画面を開く

録音の一覧画面で編集したいボイスメモを選択し、右上の「編集」ボタンをタップすると編集モードになる。

2 不要な部分をトリミングする

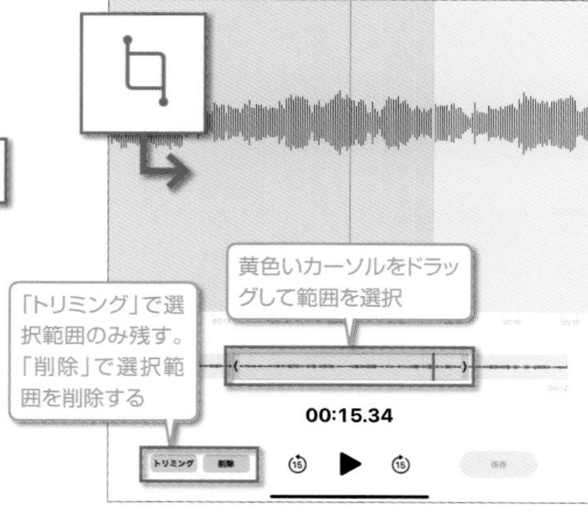

右上のトリミングボタンをタップし、黄色いカーソルで範囲選択したら、「トリミング」や「削除」ボタンで不要部分を削除しよう。

3 途中から上書き録音する

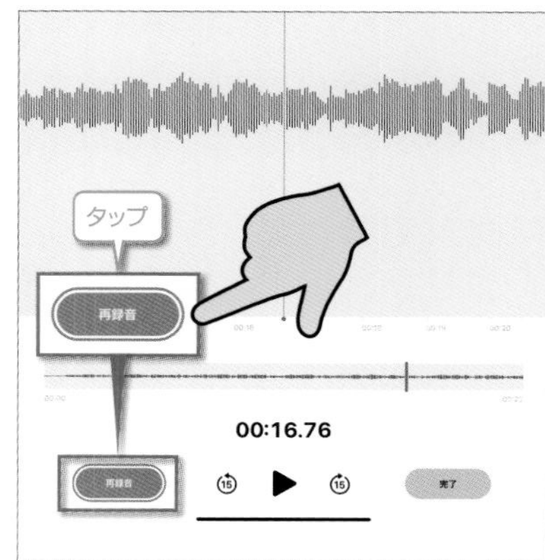

録音を途中からやり直したい時は「再録音」ボタンをタップ。現在再生中の箇所から上書きで録音できる。

設定

さまざまな設定を変更して使いやすくカスタマイズする

iPadを使いこなすために設定内容を把握しよう

「設定」アプリをタップして起動すると、iPadのさまざまな機能を変更する設定項目が表示される。主要な標準アプリやiCloudに関連する設定は、それぞれのページで解説しているので、ここではその他の設定項目について解説しよう。iPadをより快適に使いこなすには、この「設定」でどんな機能を利用できるか把握しておくことが重要だ。Wi-Fiやモバイルデータ通信などのネットワーク設定、画面やサウンドなどシステム周り、iPadOSのアップデートなど、iPadの使い勝手を左右する重要な設定や機能がまとめられているので、一通りチェックしておきたい。

使い始め POINT!

設定項目をキーワード検索する

「設定」アプリではiPadを便利に使うためのさまざまな項目が用意されているが、iPadを初めて使う人には、どこに何の設定項目があるのか分かりづらいだろう。そんな時は、左メニュー上部の検索欄にキーワードを入力してみよう。関連する設定項目がリスト表示され、タップすればその設定画面を開くことができる。

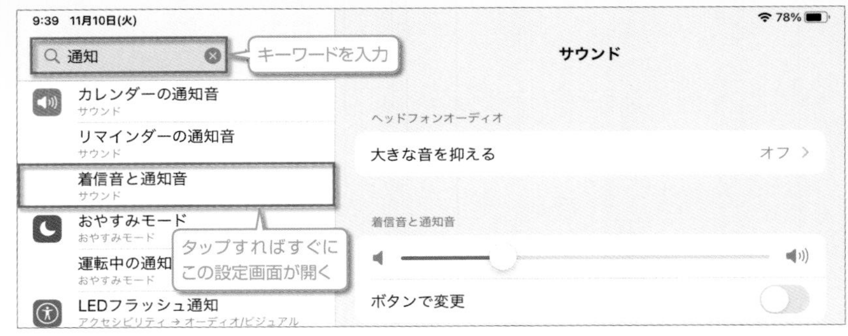

1 不要なWi-Fiに接続しないようにする

不安定なWi-Fiスポットに自動接続するのを防ぐ

不安定なWi-Fiスポットなどに一度接続すると、次からも検出と同時に自動で接続してしまう。Wi-Fiネットワークは自動接続機能を個別にオフにできるので、貧弱なWi-Fiスポットの自動接続は無効にしておこう。

「設定」→「Wi-Fi」で、接続が不安定なWi-Fiネットワークの「i」ボタンをタップし、「自動接続」のスイッチをオフにしておこう。

2 Bluetoothで機器を接続する

「Bluetooth」をオンにして対応機器を検出

iPadは、Bluetooth対応のヘッドセットやキーボードなどと無線で接続できる。設定で「Bluetooth」のスイッチをオンにすると、自動的に接続できるBluetooth機器が検出されるので、タップしてペアリングを完了しよう。

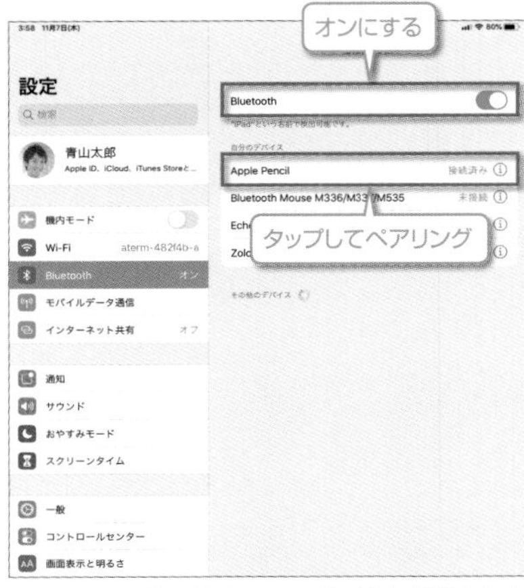

Bluetooth機器をペアリング可能な状態にした上で、「Bluetooth」をオンにし、検出されたデバイス名をタップすれば接続できる。

3 モバイルデータ通信をアプリごとに制限する

意図しない通信が発生しないよう事前に設定

モバイルデータ通信中にうっかりストリーミング動画などを再生しないよう、アプリごとにモバイルデータ通信の使用を禁止しておこう。「設定」→「モバイルデータ通信」で、禁止するアプリをオフにすればよい。

YouTubeなど通信量が増加しがちなアプリはオフに。なお、この画面には一度モバイルデータ通信を使ったアプリのみ表示される。

4 「おやすみモード」の各種設定を施す

指定した時間帯は
通知しないように設定できる

「おやすみモード」は、指定時間帯だけ通知をオフにしてくれる機能だ。単に通知されなくなるだけで、着信や新着の履歴はきちんと表示される。指定したグループの連絡先のみ着信を許可するなど、細かな設定も可能だ。

「時間指定」をオンにして、有効にする時間帯を設定しよう。「着信を許可」で、おやすみモード中に着信を許可する相手も指定できる。

5 Night Shiftで画面のブルーライトを低減する

夜間は画面を目に
優しい表示にしよう

ブルーライトを低減する「Night Shift」機能をオンにしておけば、設定した時刻になるとディスプレイが暖色系の表示に調整され、目への負担が軽減される。就寝前にSNSや電子書籍を利用するユーザーにおすすめ。

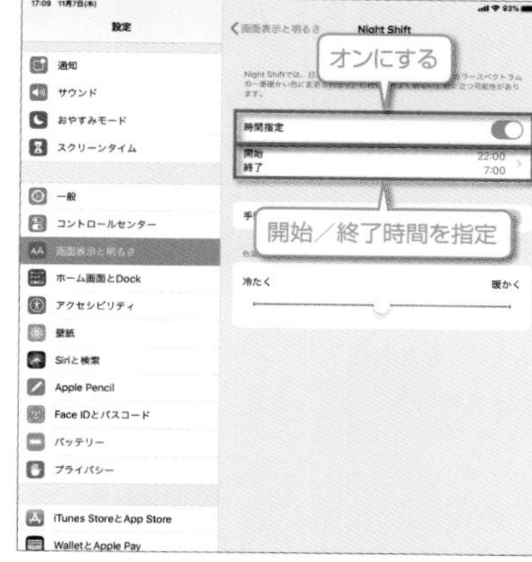

「画面表示と明るさ」→「Night Shift」で「時間指定」をオン。自動でNight Shift画面に切り替えるスケジュールを設定しよう。

6 アプリのアイコンの大きさを変更する

ホーム画面のアイコンサイズを
小さく／大きくする

iPadのホーム画面は、標準だと横6列×縦5段の合計30個までアプリを配置できるが、アイコンのサイズをもう少し大きくして、5×4=20個の配置にも変更できる。ただしこの画面だと、横向きにした際にウィジェットを固定表示できなくなる。

「ホーム画面とDock」で「多く」または「大きく」に変更できる。「大きく」の時は「"今日の表示"をホーム画面に固定」をオンにできず、ウィジェットをホーム画面に固定できない。

7 バッテリーの使用状況を確認する

何のアプリがどれくらい
バッテリーを使っているか確認

「バッテリー」では、24時間以内もしくは過去10日で、バッテリー使用率の高いアプリや使用時間など詳細な状況を確認できる。バッテリー使用率の高いアプリは、バックグラウンド動作をオフにするなどして対処しよう。

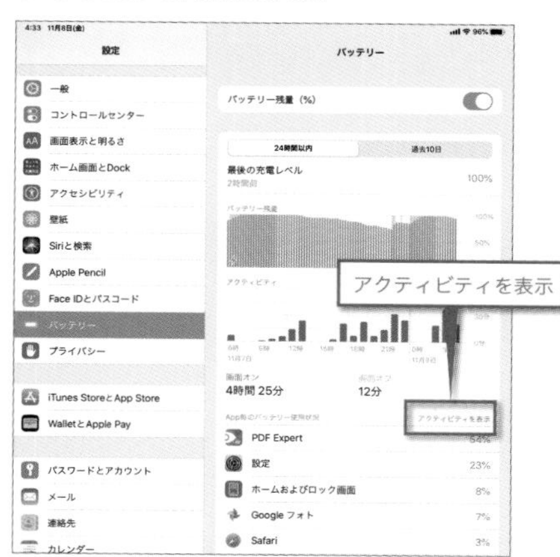

「アクティビティを表示」をタップすると、アプリの使用時間や、バックグラウンド動作時間などの表示に切り替えできる。

8 アプリ使用中はコントロールセンターを無効

ゲーム中などに意図せずコント
ロールセンターが開くのを防ぐ

コントロールセンターは主要な機能にすばやくアクセスできる便利な機能だが、ゲームのスワイプ操作などで、意図せずパネルを開いてしまうことがある。アプリの使用中はコントロールセンターが開かない設定にしておこう。

「コントロールセンター」→「App使用中のアクセス」をオフにする。無効時でも、ホーム画面ではコントロールセンターを開くことができる。

9 画面タッチの反応を調整する

感度が敏感過ぎたり反応が
悪い時にチェックしよう

「アクセシビリティ」→「タッチ」→「触覚タッチ」で触覚タッチ（画面を長押ししてメニューやプレビューを表示させる機能）のタッチ継続時間を変更できる。また画面タッチの反応が悪い時は、「タッチ調整」で保持継続時間を調整したり、複数回タッチを無視できる。

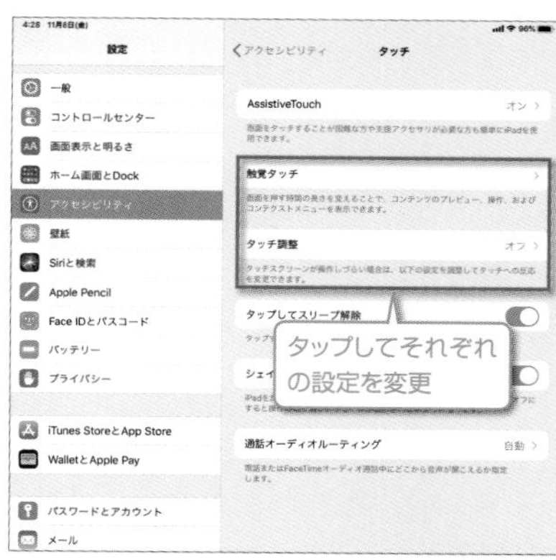

「アクセシビリティ」→「タッチ」で、触覚タッチの感度を調整しよう。「タッチ調整」ではより細かな調整も可能だ。

標準アプリ

その他の標準アプリ

Appleならではは洗練された便利ツールの数々を使ってみよう

シンプルながら十分な機能を備えた標準アプリ

iPadには、ここまで解説してきたアプリの他にも、さまざまな純正アプリがインストールされている。ルート検索や音声ナビも備えた「マップ」、紛失したiPhone／iPadを探したり友達と位置情報を共有できる「探す」、電子書籍やオーディオブックを読める「ブック」、Appleのオリジナルドラマや映画を視聴できる「Apple TV」など、iPadをより便利に活用できるアプリばかりだ。なお、標準アプリの一つである「ショートカット」についてはP091で解説する。また標準アプリが不要だと感じて削除してしまった場合は、App Storeから再インストールできる。「マップ Apple」など、標準アプリ名+Appleをキーワードに検索してみよう。目的のアプリがずばり見つからなくても、どれか標準アプリが一つヒットしたら、デベロッパ名の「Apple」をタップすればよい。Appleの純正アプリが一覧表示されるので、その中から再インストールしたいアプリを探せる。

電子書籍を購入して読める

ブック

電子書籍リーダー&ストアアプリ。キーワード検索やランキングから、電子書籍を探して購入できる。無料本も豊富に用意されている。またiCloud Driveの設定を有効にすれば、PDFやePubブックなどを他のiOSデバイスと同期できる。

iPadの便利技や知られざる機能を紹介

ヒント

iPadの使い方や機能を定期的に配信するアプリ。カメラを素早く開く、Webページを並べて表示する、「拡大鏡」で小さい字を読む方法など、ちょっとしたテクニックや便利なTipsがまとめられている。意外な機能を発見することも。

規則正しい就寝・起床をサポート

時計

世界時計、アラーム、ストップウォッチ、タイマー機能を備えた時計アプリ。また「ベッドタイム」を設定しておけば、毎日同じ時刻に就寝して同じ時刻に起床するよう通知してくれ、ヘルスケアアプリで睡眠分析を確認できる。

さまざまな標準アプリと連携できる

マップ

標準の地図アプリ。スポットの検索はもちろん、車／徒歩／交通機関でのルート検索を行えるほか、音声ナビや周辺施設の検索機能なども備えている。メッセージアプリで現在地を送信できるなど、他の標準アプリとの連携機能も便利だ。

Homekit対応機器を一元管理する

ホーム

「照明を点けて」「電源をオンにして」など、Siriで話しかけるだけで家電を操作できる「Homekit」を利用するためのアプリ。複数のHomekit対応機器を一元管理できる。家にHomekit対応の家電がなければ利用することはない。

さまざまな映画やドラマを楽しむ

Apple TV

オリジナルのドラマ作品など配信するサブスクリプションサービス「AppleTV+」を利用したり、映画やドラマを購入またはレンタルして、視聴できるアプリ。履歴から好みに合わせたおすすめの映画や番組も提案してくれる。

ルーペ機能で小さな文字を拡大

拡大鏡

「設定」→「アクセシビリティ」→「拡大鏡」をオンにすると、ホーム画面に追加されるアプリ。起動すると、iPadのカメラを使って細かい文字などを拡大表示できる。シャッターボタンをタップすると表示中の画面を固定して読める。

カメラが捉えた物体のサイズを計測

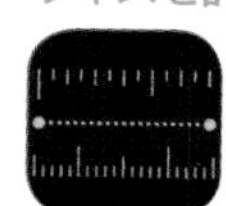

計測

AR機能を使って、カメラが捉えた被写体の長さや面積を測定できるアプリ。円の中の丸印を開始位置と終了位置に合わせて長さを計測できるほか、四角形の縦横の長さと面積なども計測できる。ただし数mmから数cmの誤差は発生する。

ラジオやビデオ番組を楽しめる

Podcast

ネット上で公開されている、音声や動画を視聴できるアプリ。主にラジオ番組やニュース、英会話などの教育番組が配信されており、バックナンバーも含めて視聴できる。キーワード検索やランキングから番組を探して登録しよう。

さまざまなエフェクトで写真を楽しむ

Photo Booth

サーモグラフィーやミラー、光のトンネル、渦巻き、引き延ばしなど、8種類のエフェクトを適用して、一風変わった写真を撮影できるアプリ。エフェクトを適用する位置と範囲も、画面内をドラッグして変更可能だ。

株価や市場ニュースをチェック

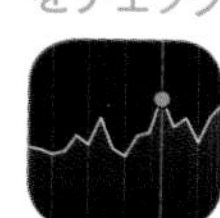

株価

銘柄を検索してウォッチリストに登録しておけば、日々の株価情報やチャートを素早くチェックできるアプリ。主な市場ニュースもアプリ内で読める。また、ドル円相場などを登録しておけば、現在の為替レートも調べられる。

紛失した端末や友達を探せる

探す

紛失したiPhoneやiPadを探したり、家族や友達の現在位置を調べることができるアプリ。紛失の際には、遠隔操作でサウンドを鳴らしたり、即座にロックして他人に使われるのを防いだり、データを消去してしまうこともできる。

Section 03

iPad活用テクニック

iPadOSの隠れた便利機能や必須設定、使い方のコツなど、さらに便利に快適に活用するためのテクニックが満載。また、Apple Pencilや外付けキーボードなどの周辺機器の使い方もしっかり解説している。

03

01 アクセサリ

一度使えば手放せなくなる
Apple Pencilで最高の手書き環境を手に入れよう

対応モデルのiPadを持っているなら、Apple Pencilを一度は試していただきたい。ちょっとしたメモから本格的なイラスト、書類への指示入力など、紙とボールペンに匹敵するスムーズな書き心地で手書き処理を行える。特に第2世代のApple Pencilは、本体側面に磁力で取り付けるだけでペアリングと充電を行えるほか、ダブルタップしてツールを切り替えられるなど、さらに劇的な進化を遂げている。

◉Apple Pencilの特徴と基本的な操作法

iPad側面に取り付けてペアリング&充電

Apple PencilをiPadの右側面に取り付けると、画面上部に「Apple Pencil」およびバッテリー残量が表示されペアリングが完了。すぐに使い始めることができる。取り付ける際、Pencilの向きは上下どちらでもよい。また、側面に取り付けることで充電も行われる。

Apple Pencil(第2世代)
価格／14,500円(税別)
対応モデル／iPad Air(第4世代)、12.9インチiPad Pro(第3、第4世代)、11インチiPad Pro(第1、第2世代)

※オンライン購入に限り、無料の刻印メッセージサービスを利用できる。

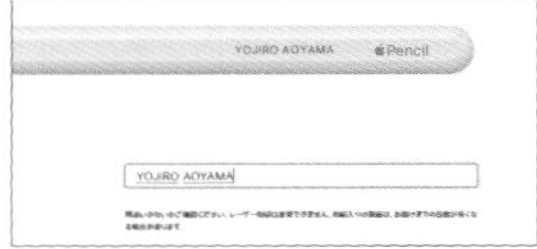

iPad側面に取り付けると「Apple Pencil」と表示され、続けてバッテリー残量を表示

使用中に電池残量を確認する方法

Apple Pencil使用中にバッテリーの残量を確認したい場合は、「バッテリー」のウィジェットをチェックしよう

第1世代では、尾軸キャップを外すとLightningコネクタが出現。iPadのコネクタに差し込むか、変換アダプタを使ってケーブル充電する。

第1世代もチェック

Apple Pencil(第1世代)
価格／10,800円(税別)
対応モデル／iPad Air(第3世代)、iPad mini(第5世代)、iPad(第6世代以降)、12.9インチiPad Pro(第1、第2世代)、10.5インチiPad Pro、9.7インチiPad Pro

ダブルタップでツール変更

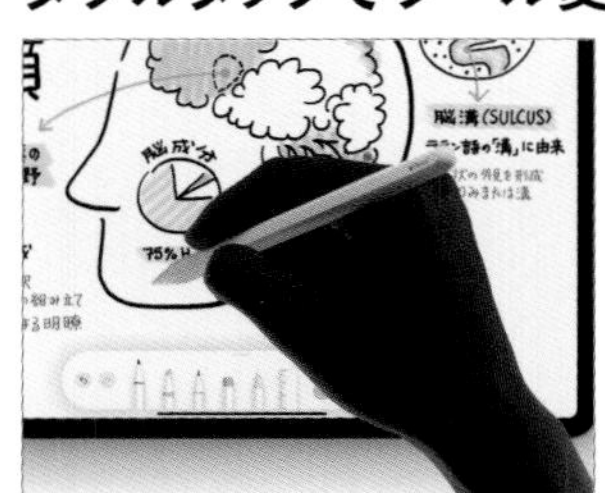

第2世代Apple Pencilでは、（対応アプリに限り）人差し指や親指で側面をダブルタップして、ペンと消しゴムなど使用ツールを切り替えることができる。「設定」→「Apple Pencil」でダブルタップ時の動作を選択できる。カラーパレットの表示に使用することも可能だ。

タイムラグゼロで圧力も繊細に感知

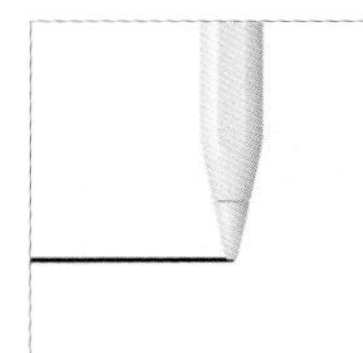

書き始めのタイムラグもほぼゼロで、紙にペンで書き込んでいるかのような書き心地を実現。

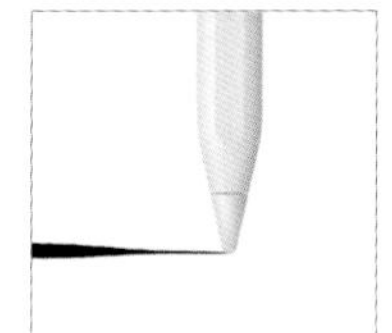

筆圧も感知するため、強めに押すと太めの線を、軽めに押すと細めの線を描ける。

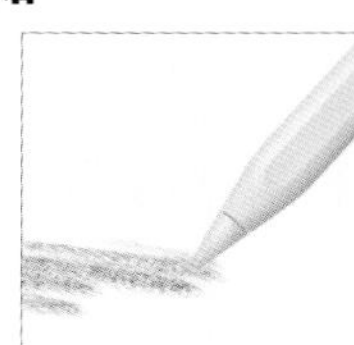

傾きも検知し、鉛筆ツールのブラシサイズや線の濃淡などをコントロールできる。

◉メモアプリでApple Pencilを使う

テキストや写真と手書きを混在

描画を挿入したい場所をApple Pencilでタップ。描画モードに切り替わり、メモなどを手書き入力できる。また、メモに挿入された写真をタップすると、マークアップ機能で写真上に手書きで文字や注釈を書き込むことができる。

スリープ中でもメモに素早くアクセス

スリープ画面やロック画面をApple Pencilでタップすると、すぐにメモアプリが起動し、手書きでメモを取ることができる。タップ時の動作は、「設定」→「メモ」→「ロック画面からメモにアクセス」で変更できる。

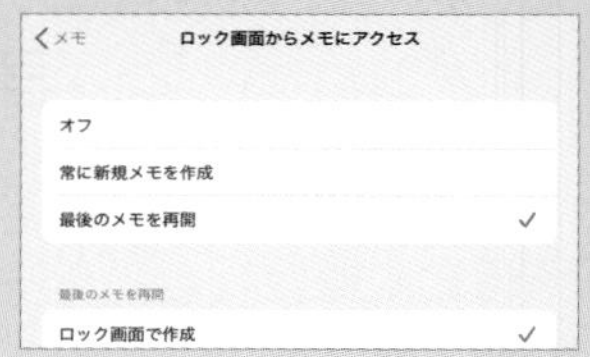

◉Apple Pencil対応のおすすめアプリ

PDFに注釈を加えるならこのアプリ!

PDF Expert
作者/Readdle Inc.
価格/無料

ビジネス書類の定番フォーマット「PDF」。この「PDF Expert」は、PDF上へフリーハンドで指示を書き込んだり、テキストへハイライトやラインを引くなど、さまざまな注釈を加えられるアプリだ。有料のプロ版へ登録すればPDF内のテキスト編集も行える。なお、本書の制作においても、ページラフの作成や校正でPDF Expertを多様している。Apple Pencilとの相性も抜群だ。

各種クラウドに対応
iCloud や Dropbox、Google ドライブ、OneDrive などのクラウドへもアクセス可能。書類の管理や共有もストレスなく行える。

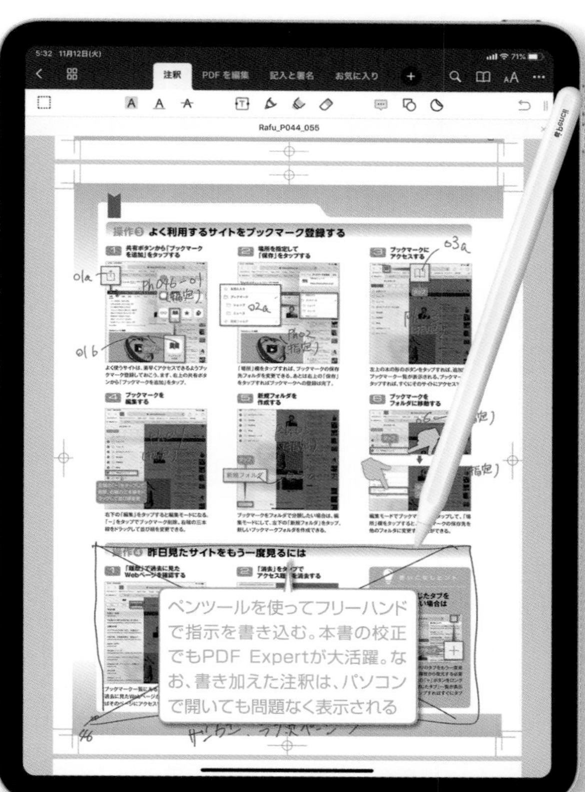

1 ペンとマーカーを利用できる

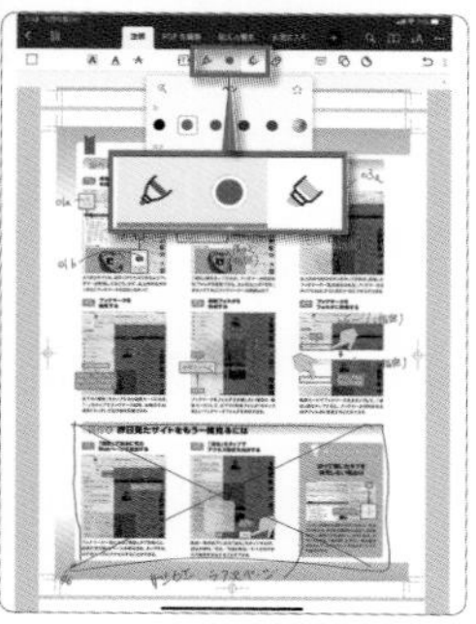

ペンとマーカーが用意されている。マーカーも太さを細くし、不透明度を100%にすれば、ペンと同様の線を描画できる。また、Apple Pencilのダブルタップで、消しゴムと切り替え可能だ。

2 範囲選択して線や文字を消去

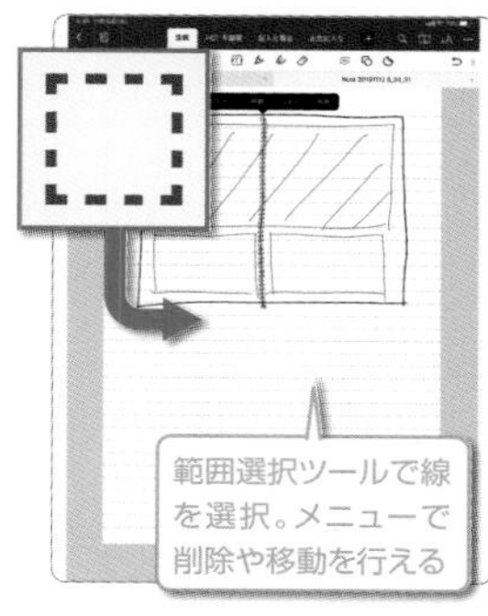

例えば黒い線と赤い線が交わっているような場合、消しゴムツールで片方の線だけ消すのは難しい。そんな時は、範囲選択ツールで線を選択し、「削除」をタップしよう。

3 文字にハイライトや取り消し線を加える

文字をなぞってハイライトや取り消し線を加えることも簡単。ツールの色も自由に変更できる。

4 ページの削除や追加並べ替えも可能

画面上部の四角が4つ並んだボタンから「編集」をタップすると、ページの削除や並べ替えなどを行える。

「スマート注釈」機能が秀逸!

Pages
作者/Apple
価格/無料

Apple 純正の文書作成アプリ。高機能なテキスト編集能力に加え、写真や図表などを挿入して柔軟なページレイアウトも行える。Word との互換性もある。

スマート注釈を利用

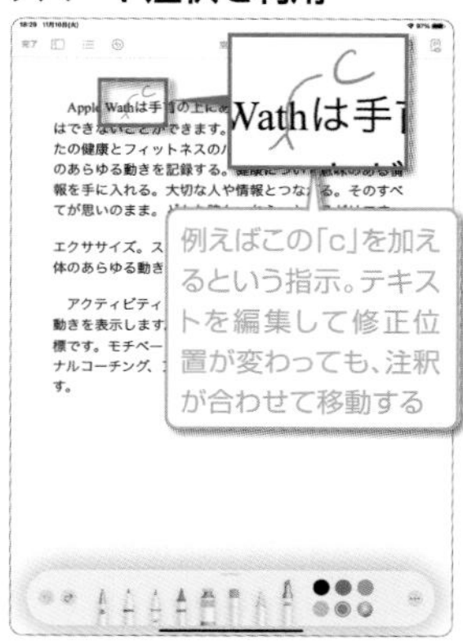

Apple Pencil で画面をタップすると、「スマート注釈」機能が起動。テキストを編集するに従い注釈も一緒に移動する、画期的な機能だ。

本格的なイラストレーションに!

Adobe Fresco
作者/Adobe Inc.
価格/無料

iPad Pro と Apple Pencil 用に開発された、アドビのイラストアプリ。プロ向けの多彩な機能を備え、アナログ感覚で本格的なイラストや油彩画や水彩画を描ける。

3タイプのブラシで描画

Photoshop のピクセルブラシ、Illustrator のベクターブラシに加え、にじみや混色や重ねも表現できるライブブラシを同時に扱える。

スクリプル

02 「スクリブル」で英語を入力しよう
Apple Pencilの手書き文字をテキストに変換する

Apple Pencilでは、手書き文字をテキストに自動変換する「スクリブル」という入力方法を利用できる。この機能は、Safariやメール、メモなどの標準アプリで使えるほか、他社製のアプリも対応しているものがある。テキストをこすって削除したり、テキスト内に手書きで文字を挿入することも可能だ。今のところ英語と中国語しか対応しておらず日本語は使えないが、英語の入力には便利な機能なので操作を覚えておこう。

1 スクリブル機能を有効にする

「設定」→「Apple Pencil」→「スクリブル」がオンになっていれば、スクリブルを利用できる。また「スクリブルを試す」で操作の練習も行える。

2 手書き文字が自動でテキスト化される

Safariの検索欄などにApple Pencilで手書きすると、テキストに自動変換される。手書き文字は、検索欄を多少はみ出しても認識される。

3 スクリブルで削除や挿入も行える

スクリブルの操作でテキストの削除や挿入が可能だ。他にテキストの選択や結合もできるので、設定の「スクリブルを試す」で操作を確認しよう。

4 メモアプリでスクリブルを使う

メモアプリでは、マークアップツールの「A」と表示されたペンで手書き文字を入力すると、自動的にテキストに変換される（P078で解説）。

アプリ

03 ChromeやGmailに変更できる
標準のWebブラウザやメールアプリを変更する

iPadにはWebブラウザとして「Safari」が、メールアプリとして「メール」が標準で用意されており、他のアプリでURLやメールアドレスをタップした時はこれらのアプリが起動するようになっている。ただ、普段はChromeやGmailなど別のアプリを使っているなら、デフォルトのアプリを普段使うものに変更しておくことが可能だ。URLやメールアドレスをタップした際は、デフォルトに設定したChromeやGmailが起動するようになる。

1 設定でデフォルトにしたいアプリをタップ

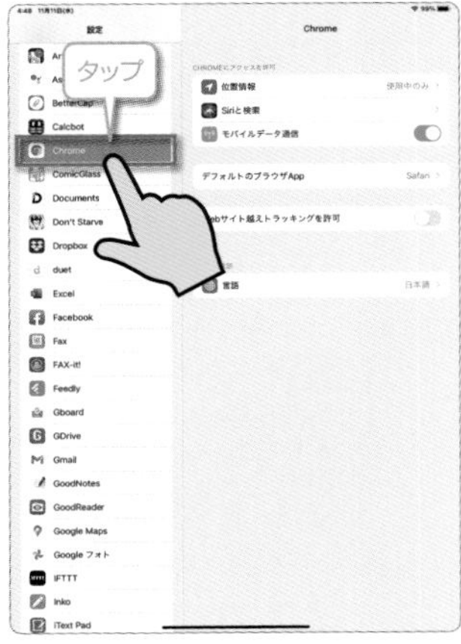

「設定」を下にスクロールし、デフォルトに設定したいWebブラウザやメールアプリ名をタップしよう。ここでは「Chrome」をタップ。

2 デフォルトのWebブラウザを変更する

「デフォルトのブラウザApp」→「Chrome」にチェックすると、デフォルトのWebブラウザがSafariからChromeに変更される。

3 デフォルトのメールアプリを変更する

標準メールをGmailに変更する場合も、同様に「設定」→「Gmail」→「デフォルトのメールApp」を開いて、「Gmail」にチェックすればよい。

4 デフォルトに設定したアプリで開く

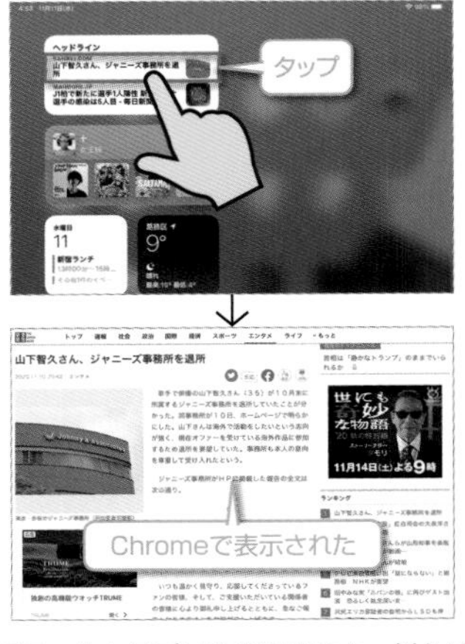

デフォルトアプリを変更すると、例えばウィジェットでニュース記事をタップした際に、Safariではなく Chromeが起動して表示されるようになる。

04 操作自動化

面倒な操作をまとめて実行

よく行う操作を素早く呼び出すショートカット

iPadで行う複数の操作をまとめて自動実行するためのアプリが、標準インストールされている「ショートカット」だ。他の標準アプリとの連携はもちろん、TwitterやEvernote、Dropboxなど、一部の他社製アプリとも連携できる。まずは「ギャラリー」画面のショートカットを登録すると、どんな事ができるかイメージしやすいだろう。変数や正規表現を使った、より複雑なショートカットも自作できる。

1 ギャラリーからショートカットを取得

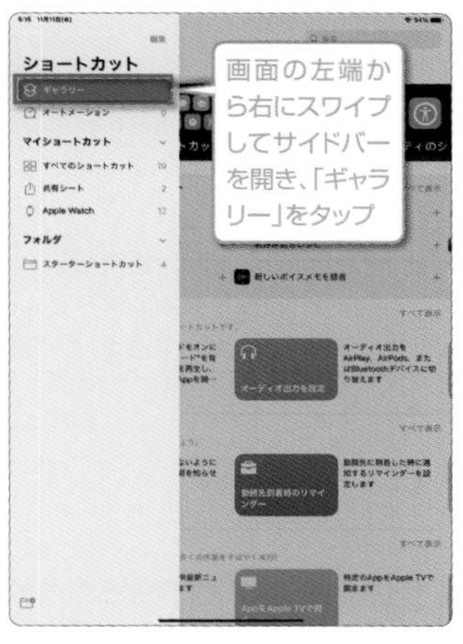

サイドバーの「ギャラリー」を開くと、Apple が用意したショートカットが一覧表示される。まずはこれらのショートカットを追加して使ってみるのがいいだろう。

2 マイショートカットで管理する

ギャラリーから取得したショートカットは、「すべてのショートカット」画面で管理する。上部の「+」ボタンで、自分で一から ショートカットを作成することも可能。

3 特定条件で自動実行するオートメーション

「オートメーション」画面では、時刻や場所や設定などの指定条件を満たした時に、自動的に実行するショートカットを作成できる。

4 ショートカットを実行する

ショートカットは、Siri の音声や作成したアイコン、共有メニューのほか、ウィジェットからも実行できる。横向きではウィジェットをホーム画面に固定しておくと便利だ。

05 Face/Touch ID

認識失敗をできるだけなくす

顔認証や指紋認証をよりスムーズにする設定法

iPadでは、顔認証の「Face ID」や指紋認証の「Touch ID」を登録することで、画面ロックの解除やアプリなどのアイテム購入時の認証などをスムーズに行えるが、たまに上手く反応してくれない時がある。このような認証失敗の機会をできるだけ減らすには、「もう一つの容姿をセットアップ」や「指紋の追加」で複数の顔や指紋を登録しておいたり、Face IDの「注視が必要」をオフにしておくといった対策が効果的だ。

1 Face IDでもう一つの容姿を登録する

Face ID を利用していて、メイクなどで大きく顔が変わることがある人は、「設定」→「Face ID とパスコード」→「もう一つの容姿をセットアップ」をタップしよう。

2 印象が大きく違う顔を登録しておこう

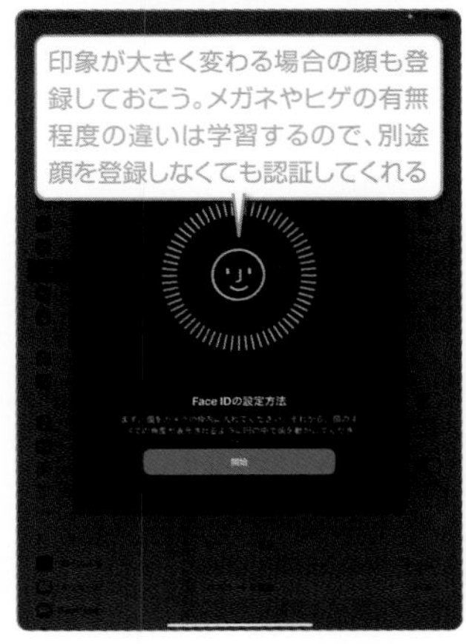

「開始」をタップすれば、普段と違う顔を登録して認証精度をアップできる。家族など別の人の顔を登録して、複数人で使うことも可能だ。

3 Face IDを使用する際の注視をオフにする

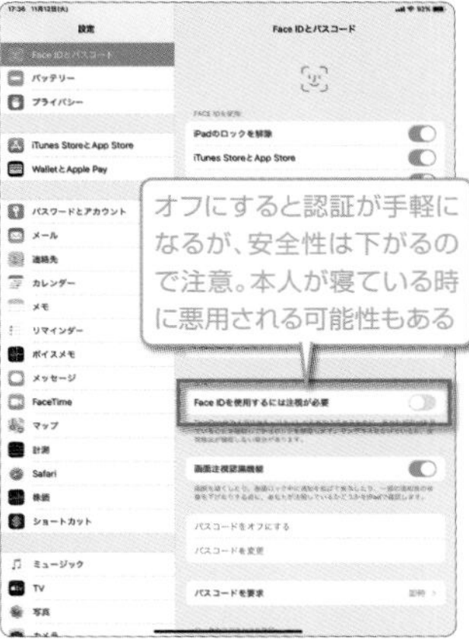

Face ID はカメラを注視しないと認証しない設定になっているが、これをオフにしておけば、カメラに目を向けることなくスムーズに認証できるようになる。

4 Touch IDに同じ指の指紋を複数登録する

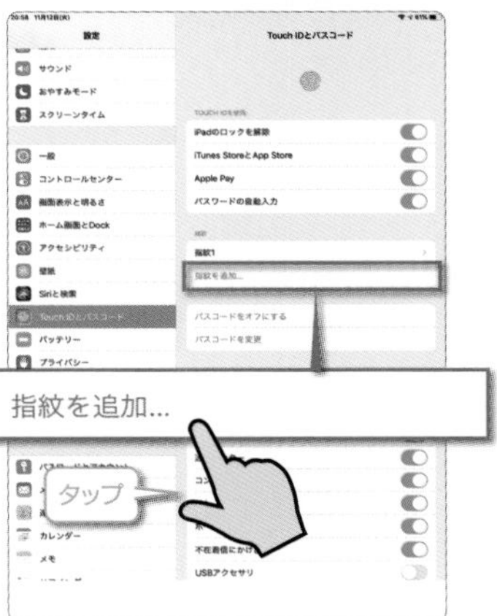

Touch ID の場合は、「設定」→「Touch ID とパスコード」→「指紋を追加」で最大5個まで指紋を登録できる。他の指ではなく、同じ指で複数登録しておけば認識率が上がる。

アクセサリ

06 カバーにもなるApple純正キーボード 文字入力が10倍はかどる専用キーボード活用法

iPadは画面が広い分ソフトウェアキーボードも大きめで文字を入力しやすいが、画面の半分近くが隠れるし、平置きの入力は姿勢も疲れる。iPadでの書類作成やメール作業には、外部キーボードがあった方が快適だ。おすすめは、Apple純正でiPad用に設計された「Magic Keyboard」や「Smart Keyboard Folio」、「Smart Keyboard」だ。それぞれ機能が異なるだけでなく対応モデルも違うので、自分のiPadで使える製品を選ぼう。

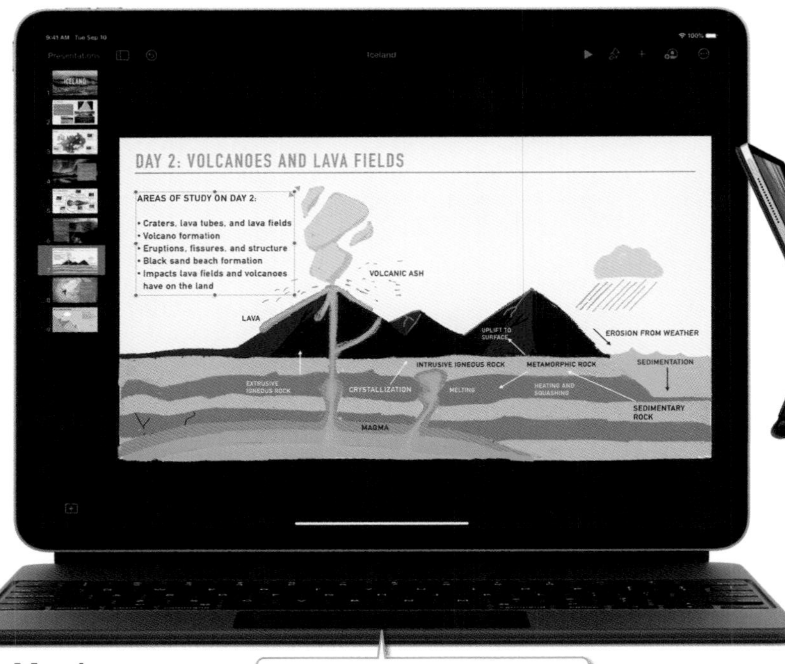

Magic Keyboard

対応モデル
iPad Air(第4世代)、
12.9インチiPad Pro
(第3世代と第4世代)、
11インチiPad Pro
(第1世代と第2世代)
価格 31,800円、37,800円(税別)

トラックパッド付きキーボードの便利な点は、iPadの画面をタッチ操作したい時に、いちいちキーボードから手を離さずに済むところ。トラックパッドに手を置くと画面上にカーソルが表示され、これをドラッグして画面をタップできるので、iPadの操作が手元で完結する。また複数の指を使えば、ロングタップメニューを表示したり、ホーム画面に戻ったり、アプリを切り替えることも可能だ

角度は最大130度まで調整できる

少し浮いた状態でiPadを接続し、無段階で最大130度まで傾きを調整できる。またヒンジ部には、iPad充電専用のUSB Type-C端子を搭載する。

トラックパッドやバックライトを搭載

キーボード手前にはトラックパッドが搭載されており、新しいスタイルでiPadを操ることができる。またバックライトを内蔵するほか、キーストロークも1mmあって打ちやすい。

前面と背面を守る保護カバーにもなる

前面と背面を保護するカバーにもなる。ただしSmart Keyboard Folioのように、付けたままでキーボード部を背面に折り畳んで使うことはできない。

◉ Apple純正キーボードに共通する便利な機能

1 ペアリング不要のワンタッチ着脱

Bluetoothキーボードと違い、iPad専用キーボードはペアリングも電源も不要となっている。iPadの本体にある小さなコネクタを、iPad専用キーボードのコネクタと磁石で吸着するだけで利用できる。

2 豊富なショートカットが便利

iPadで「Command」や「Control」、「Option」キーを使えるのは大きな魅力。これらのキーを使ったキーボードショートカットを覚えておけば、テキスト入力時などの作業効率が格段にアップするはずだ。

3 ロック解除がスムーズ

Face ID対応のiPadならロック解除も非常にスマート。カバーを開くか、何かキーを押すとスリープから復帰し、そのままFace IDによりすぐロックが解除される。さらに何かキーを押すだけでホーム画面が開く。

4 ソフトウェアキーボードも使える

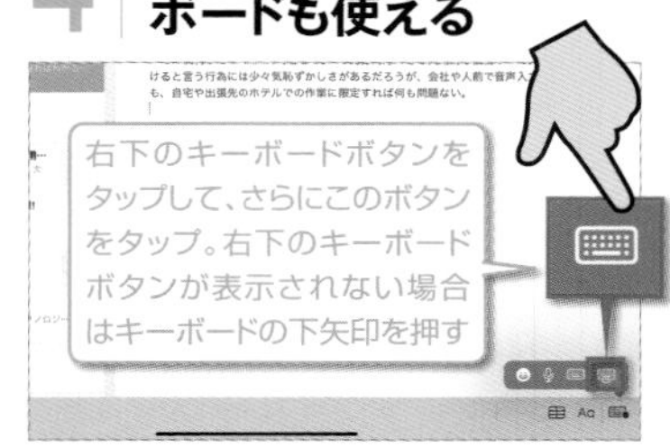

アクセント記号付きの文字を入力したり、音声認識を使いたい場合など、ソフトウェアキーボードを使ったほうが便利なシーンもある。文字入力画面の右下に表示されるキーボードボタンをタップして表示しよう。

◉ その他のiPad専用キーボード

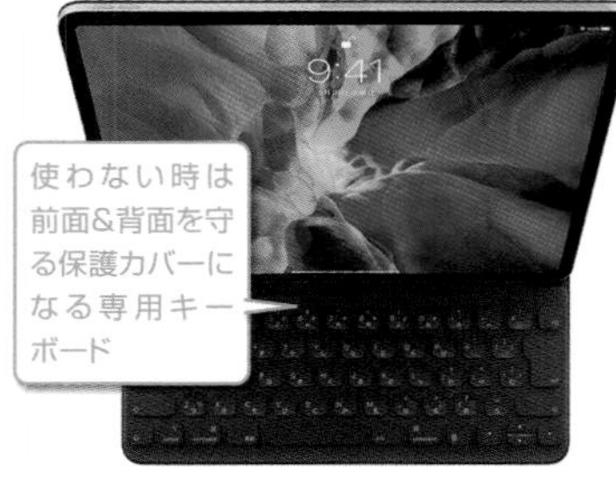

Smart Keyboard Folio

対応モデル
iPad Air(第4世代)、
12.9インチiPad Pro
(第3世代と第4世代)、
11インチiPad Pro
(第1世代と第2世代)
価格 19,800円、22,800円(税別)

Smart Keyboard

対応モデル
iPad(第7世代と第8世代)、
iPad Air(第3世代)、
10.5インチiPad Pro
価格 16,800円(税別)

◉キーボードで使える主なショートカットキー

どの画面からも使えるショートカット

キー	機能
Command + H	ホーム画面に戻る
Command + Tab	最近使ったアプリを選択
Command + スペース	Spotlight検索画面を表示
Command + Option + D	Dockを表示する
Command + Shift + 3	スクリーンショットを撮影

テキスト入力全般で使えるショートカット

キー	機能
Command + X	切り取り
Command + C	コピー
Command + V	ペースト
Command + Z	取り消し
Command + A	すべてを選択
Command + Delete	カーソルまでの1行を削除
Command + 上矢印	カーソルを文章先頭に移動
Command + 下矢印	カーソルを文章末尾に移動
Command + 左矢印	カーソルを文章左端に移動
Command + 右矢印	カーソルを文章右端に移動
Shift + カーソルキー	テキストを選択

主な対応アプリで使えるショートカット

メモ

キー	機能
Command + B	太字
Command + I	斜体
Command + U	斜体
Command + Shift + T	タイトル

メール

キー	機能
Delete	メッセージを削除
Command + R	返信
Command + Shift + R	全員に返信
Command + Shift + F	転送

Safari

キー	機能
Command + [	戻る
Command +]	進む
Command + T	新規タブ
Command + W	タブを閉じる

カレンダー

キー	機能
Command + N	新規イベント
Command + F	検索
Command + T	今日を表示
Command + R	カレンダーを更新

POINT 各アプリで使えるショートカットを確認する方法

現在使用中のアプリで使えるキーボードショートカットを確認したい時は、「Command」キーを長押ししてみよう。このアプリで使える主なショートカットのリストが、ポップアップで表示される。操作中の画面によっても表示されるリストが変わるので、さまざまなシーンで確認してみれば、思わぬ便利なショートカットキーの発見があるかもしれない。

Command の長押し

◉サードパーティー製のiPad向けおすすめキーボード

他社製のBluetoothキーボードも使える

Apple純正のiPad専用キーボードは非常に洗練された製品だが、いかんせん高額だ。特にトラックパッド付きのMagic Keyboardは3万円以上もする。また、古いモデルのiPadにはそもそも対応していない。もっと手頃な価格でiPad向けのキーボードを使いたいなら、サードパーティー製のiPad対応キーボードに目を向けてみよう。Bluetooth接続でトラックパッドも備えて5,000円以下のキーボードや、トラックパッドが不要ならより軽量で安価な製品もある。

サンワダイレクト
タッチパッド付きBluetoothキーボード 400-SKB066
実勢価格 4,980円(税込)

お手頃価格でトラックパッドを利用したいなら、このBluetoothキーボードがおすすめ。3台の機器をワンタッチで切り替えできる、マルチペアリング機能も搭載している。Magic Keyboard 非対応の iPad でも利用可能だ。

Anker
ウルトラスリム Bluetooth ワイヤレスキーボード
実税価格 2,000円(税込)

iPadOS や iOS、Android、Mac、Windows とマルチデバイスに対応する、軽量コンパクトなキーボード。ただし US キーボードなので、日本語キーボードとは少しキー配列が違う点に注意。

07 セキュリティ

ロック画面を中心に設定を見直す
プライバシーを完全保護するセキュリティ設定

iPadは、プライバシー情報が漏れないようにさまざまなセキュリティ機能が搭載されているが、それでも万全ではない。例えば、ロックを解除しない状態でも通知の内容が表示されたり、Siriが他人の声で反応してしまうことがある。利便性を重視するならそのままの設定でよいが、プライバシー保護を優先するなら、各種設定を変更しておく必要がある。使いやすさとセキュリティのバランスを考えて、設定を見直してみよう。

◉はじめにチェックしておきたい設定項目

1 ロック画面での各種情報へのアクセスを制限

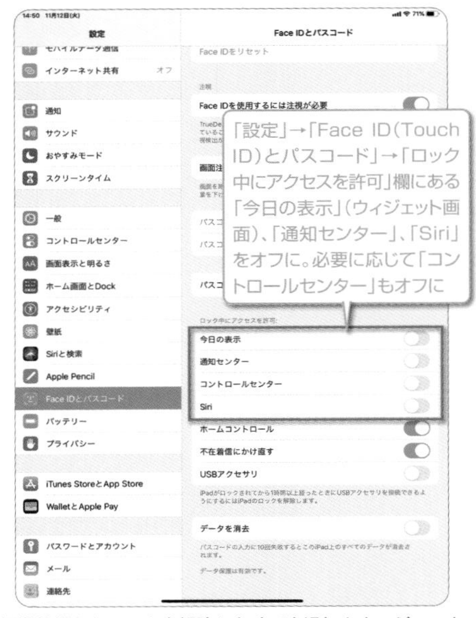

標準状態だとロックを解除しなくても通知やウィジェット、Siri にアクセスできる。通知内容を見られたくない場合や、ウィジェットにスケジュールやプライバシー情報が表示されている場合は、ロック画面からのアクセスをオフにするか表示を適切に設定しよう。

2 ロック画面での通知を適切に設定する

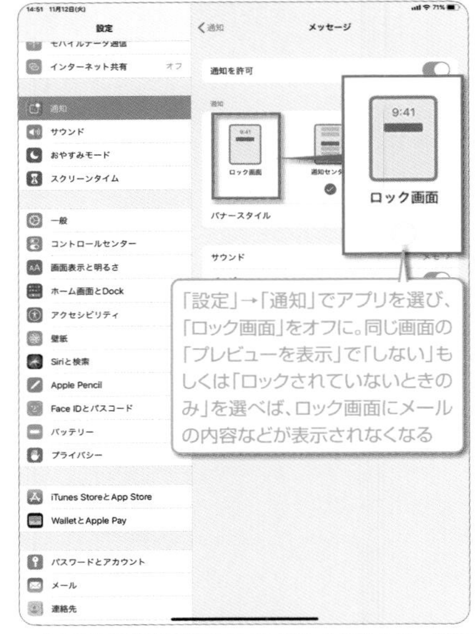

ロック画面での通知を完全にオフにしたい場合は、対象アプリの通知設定で「ロック画面」をオフに。過去の通知を表示させたくない場合は、手順１の設定を行う。通知にメールやメッセージの内容を表示させたくない場合は、プレビュー表示の項目もチェックしておこう。

3 Siriを自分の声だけで起動するようにする

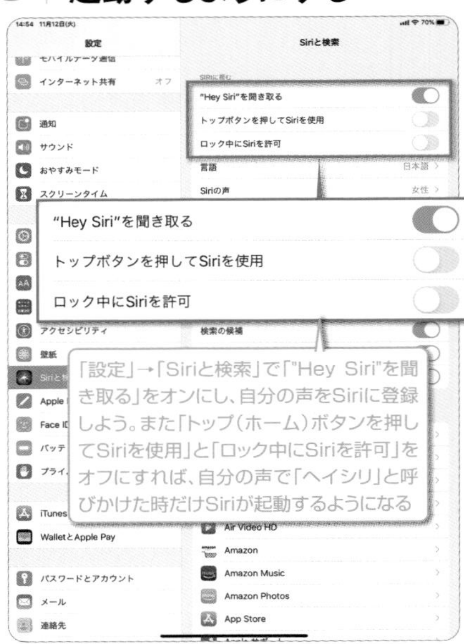

iPad のセキュリティ強化にともない、以前のようにロック画面で他の人が Siri を使ってプライバシー情報を聞き出すことはできなくなっている。ただし、ロック解除中は Siri を使われることもあり得るので、念のため設定を見直しておこう。

◉さらに細かく設定を見直そう

4 ロックまでの時間を短く設定する

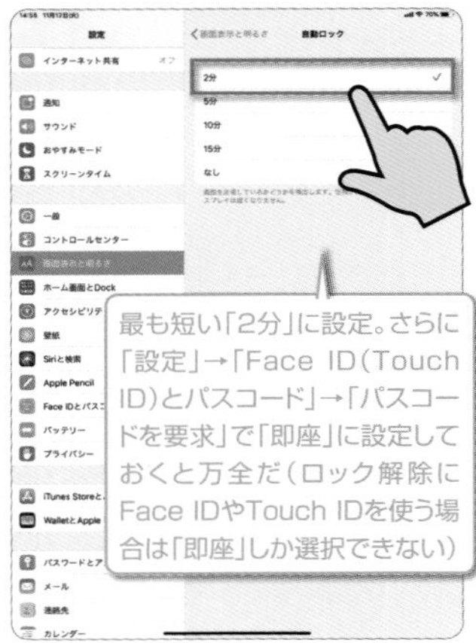

一定時間操作しない時にロックがかかるまでの時間は短いほど安全。セキュリティ重視なら「設定」→「画面表示と明るさ」→「自動ロック」で「2分」に設定しよう。

5 パスコードを複雑にしてセキュリティを強化

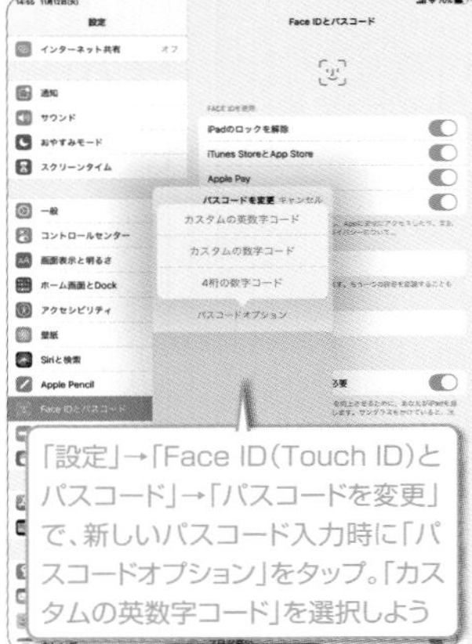

ロック解除のパスコードは、標準では６桁の数字を使用するが、アルファベットも混在させたものに変更すると、セキュリティを劇的に強化できる。

6 AirDropの使用を制限しておく

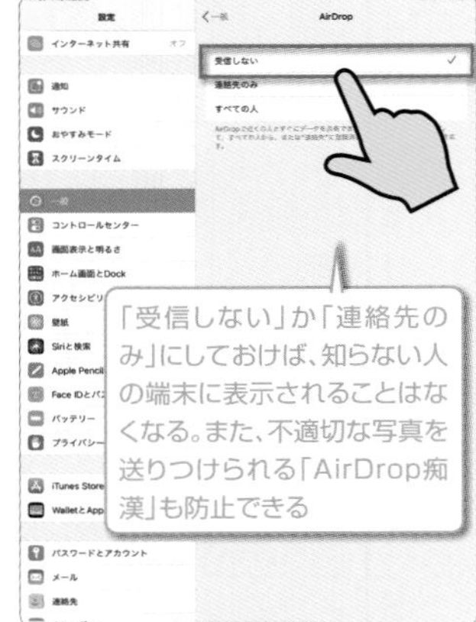

AirDrop を有効にしていると、知らない人の iPhone や iPad に自分の iPad の名前が表示されることも。「設定」→「一般」→「AirDrop」で設定を確認しておこう。

7 iPadの表示名を変更する

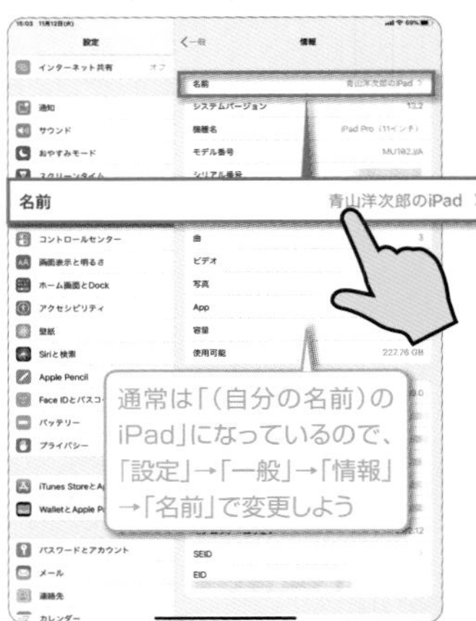

iPad に設定している名前は、テザリング使用時や AirDrop の検出時に表示され、他人に知られてしまうこともある。気になるなら、設定で変更しておこう。

08 パスワード管理

パスワードを自動で入力

パスワードの管理はiPadにまかせてしまおう

iPadでは、一度ログインしたWebサイトやアプリのIDとパスワードを「iCloudキーチェーン」に保存し、次回からはワンタップで呼び出して素早くログインできる。他にも、Webサービスなどの新規登録時に強力なパスワードを自動生成したり、セキュリティに問題のあるパスワードを警告したり、「1Password」など他社製パスワード管理アプリと連携できるなど、さまざまな機能を備えているので、ぜひ活用しよう。

●iPadでパスワードを作成・管理する

1 自動生成されたパスワードを使う

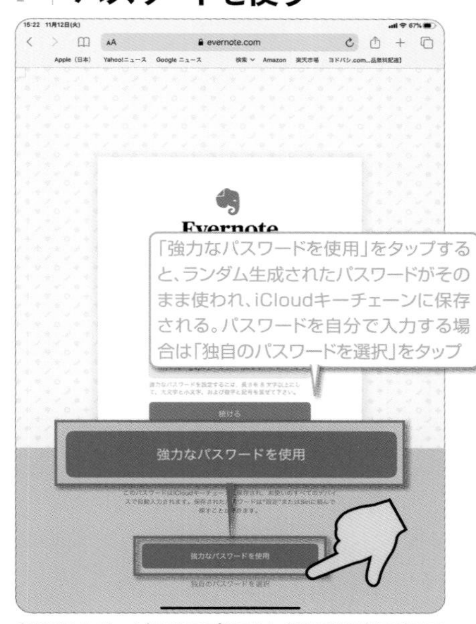

一部のWebサービスやアプリでは、新規登録時にパスワード欄をタップすると、強力なパスワードが自動生成され提案される。このパスワードを使うと、そのままiCloudキーチェーンに保存される。

2 ログインに使ったIDやパスワードを保存する

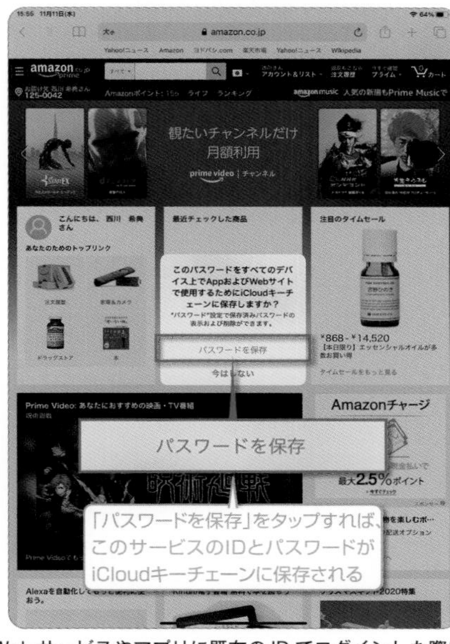

Webサービスやアプリに既存のIDでログインした際は、そのログイン情報をiCloudキーチェーンに保存するかどうかを聞かれる。保存しておけば、次回以降は簡単にIDとパスワードを呼び出せるようになる。

3 パスワードの脆弱性を自動でチェックする

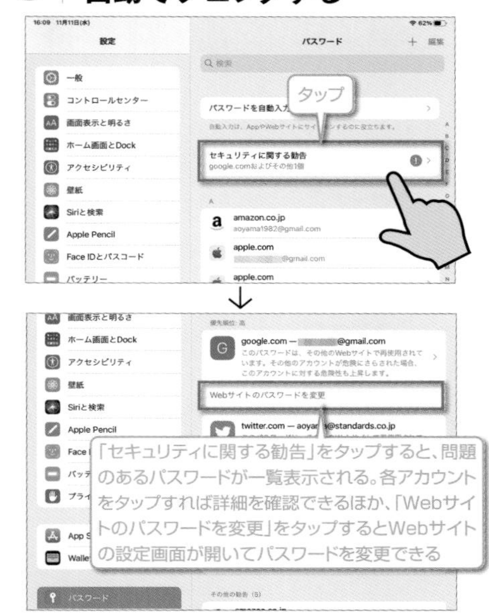

iCloudに保存されたパスワードは「設定」→「パスワード」で確認できる。また「セキュリティに関する勧告」をタップすると、漏洩の可能性があるパスワードや、複数のアカウントで使い回されているパスワードが表示され、その場でパスワードを変更できる。

●保存したパスワードで自動ログインする

1 自動入力をオンにし他の管理アプリも連携

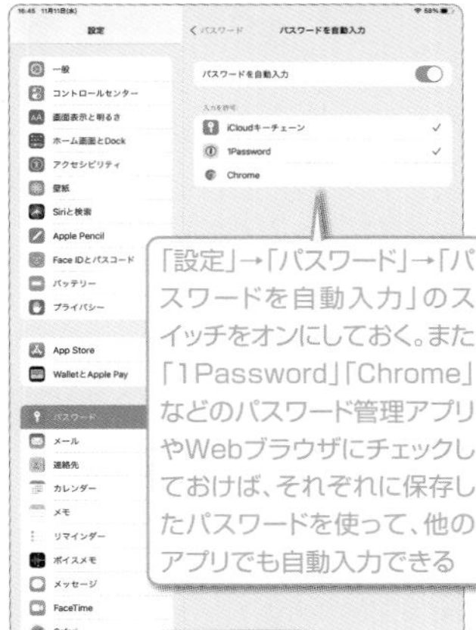

設定で「パスワードを自動入力」のスイッチをオンにし、「1Password」など他のパスワード管理アプリを使う場合はチェックを入れ連携を済ませておこう。

2 候補をタップするだけで入力できる

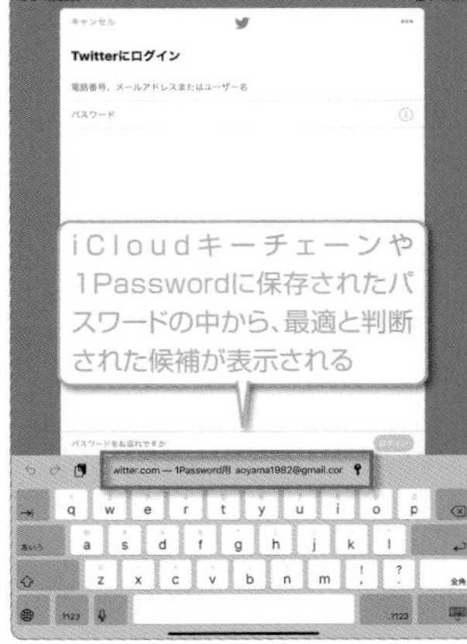

Webサービスやアプリでログイン欄をタップすると、キーボード上部にパスワードの候補が表示され、タップするだけでID／パスワードを自動入力できる。

3 候補以外のパスワードを選択する

表示された候補とは違うパスワードを選択したい場合は、候補右の鍵ボタンをタップ。このサービスで使う、他の保存済みパスワードを選択して自動入力できる。

POINT

連絡先やカード情報を自動で入力する

「設定」→「Safari」→「自動入力」で「連絡先の情報を使用」と「クレジットカード」をオンにしておけば、Safariでメールアドレスや住所、クレジットカード情報なども自動入力できるようになる

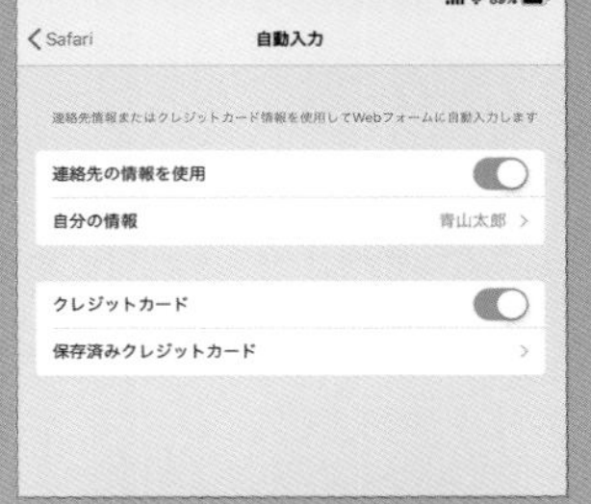

09 Siri どんどん賢くなる音声アシスタント Siriの真価を引き出す隠れた利用法

電源ボタンの長押しや「Hey Siri」の呼びかけで起動する音声アシスタント機能「Siri」は、バージョンアップのたびに機能が追加され、より賢く便利になっている。「Siriショートカット」でSiriに複雑な操作を実行してもらったり、日本語から英語に翻訳したり、パスワードを調べてもらうなど、さまざまな使い方ができるのでぜひ覚えておこう。Siriは「設定」→「Siriと検索」で有効にできる。

●Siriショートカットを使ってみよう

1 Siriショートカットを設定する

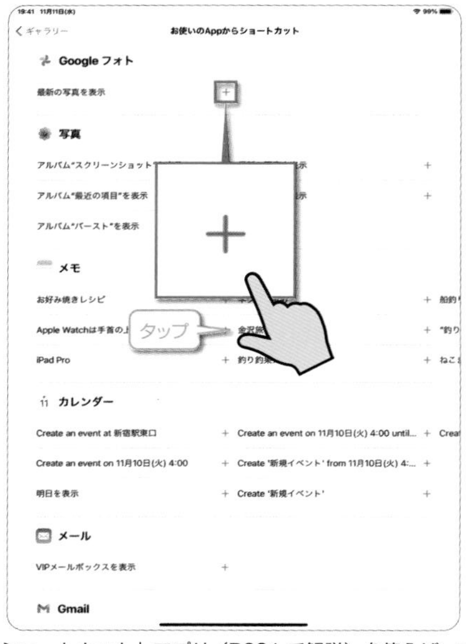

「ショートカット」アプリ（P091で解説）を使えば、アプリでよく行う操作を、Siriに頼むだけで自動実行できる。まず「ギャラリー」で「お使いのAppからショートカット」にある「すべて表示」をタップし、よく使うアプリの操作の「＋」をタップしよう。

2 音声コマンドを確認してSiriに追加

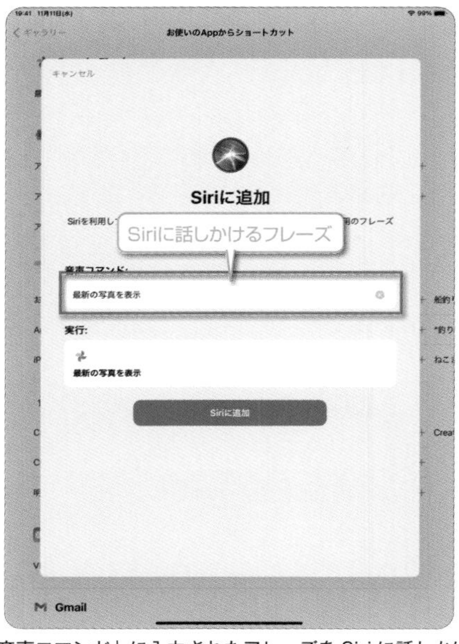

「音声コマンド」に入力されたフレーズをSiriに話しかけると、「実行」の操作が自動的に実行されるようになる。音声コマンドを自分で覚えやすく言いやすいものに変更し、「Siriに追加」をタップして登録しておこう。

3 自分で作成したショートカットの音声コマンド

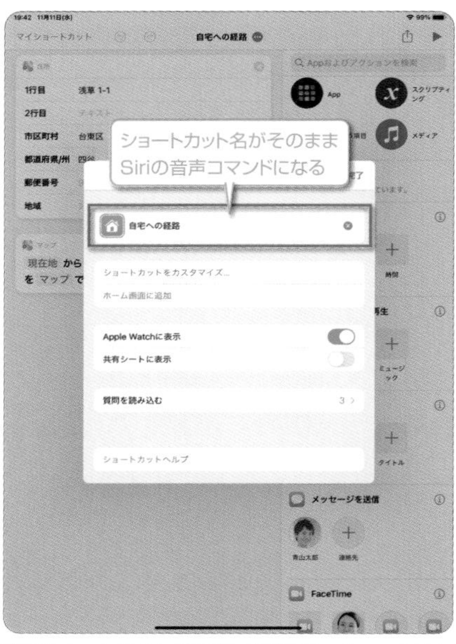

自分でショートカットを作成した場合は、ショートカットに付けた名前が、そのままSiriの音声コマンドになる。Siriに呼びかけやすいよう、シンプルで分かりやすいショートカット名にしておこう。

●Siriの意外な使い方も覚えておこう

日本語を英語に翻訳

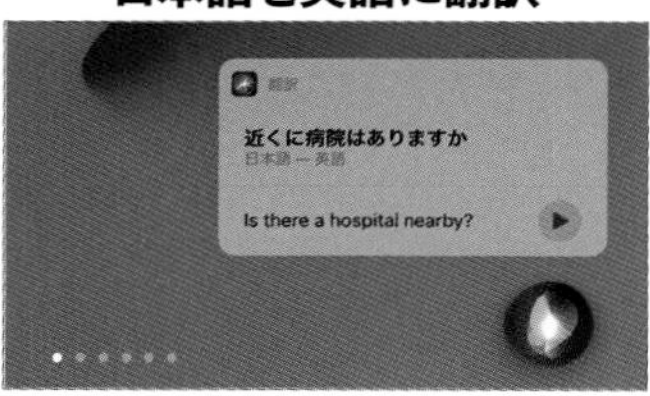

「(翻訳したい言葉）を英語にして」と話しかけると、日本語を英語に翻訳し、音声で読み上げてくれる。

パスワードを調べる

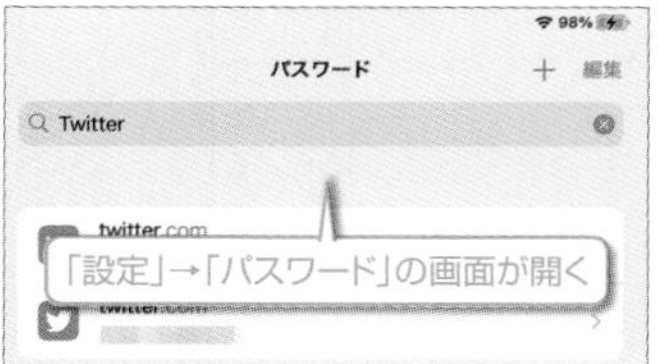

「(Webサービスやアプリ）のパスワード」と話しかけると、iCloudキーチェーンに保存されたパスワードを教えてくれる。

通貨を変換する

例えば「60ドルは何円？」と話しかけると、最新の為替レートで換算してくれる。また各種単位換算もお手の物だ。

流れている曲名を知る

「この曲は何？」と話かけ、音楽を聴かせることで、今流れている曲名を表示させることができる。

曲をリクエスト

「おすすめの曲をかけて」などで曲を再生してくれる。Apple Musicを利用中なら、Apple Music全体から選曲する。

リマインダーを登録

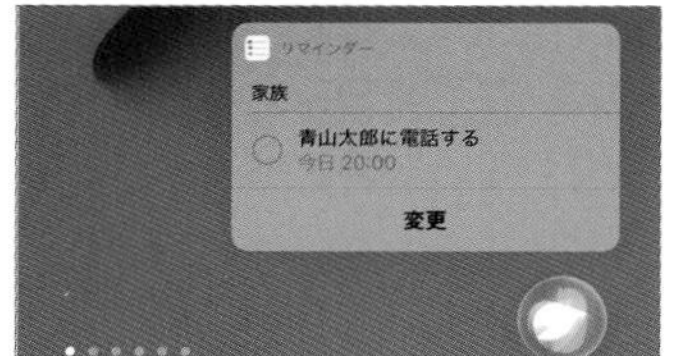

「8時に○○に電話すると覚えておいて」というように「覚えておいて」と伝えると、用件をリマインダーに登録してくれる。

アラームを全て削除

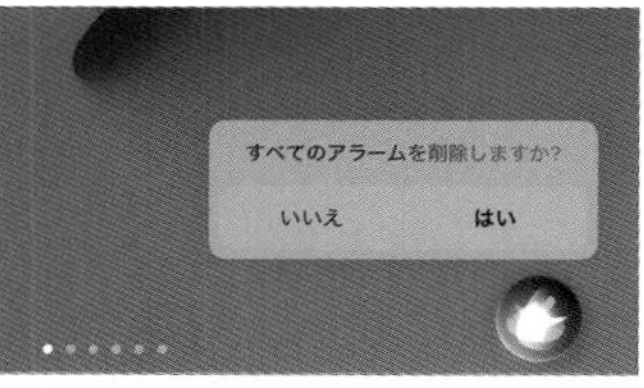

ついついアラームを大量に設定してしまう人は、Siriに「アラームを全て削除」と話しかければ簡単にまとめて削除できる。

「さようなら」で終了

Siriを終了させるには電源ボタンやホームボタンを押せばよいが、「さようなら」と話しかけることでも終了可能だ。

10

ファイル操作

ロングタップで簡単に移動できる

別のアプリへファイルやテキストをドラッグ&ドロップする

P028で解説している通り、Split Viewなどで2つのアプリの画面を同時に表示させると、ファイルや写真、テキストをドラッグ&ドロップで簡単にコピー&ペーストできる。ただ、画面を分割しなくても、2本の指を使って受け渡す方法もあるので覚えておこう。ファイルをロングタップして選択した状態で、他の指を使って別のアプリを起動すると、ファイルの選択状態はキープされたままになり、ドロップで移動や貼り付けができる。

1 テキストを選択してロングタップ

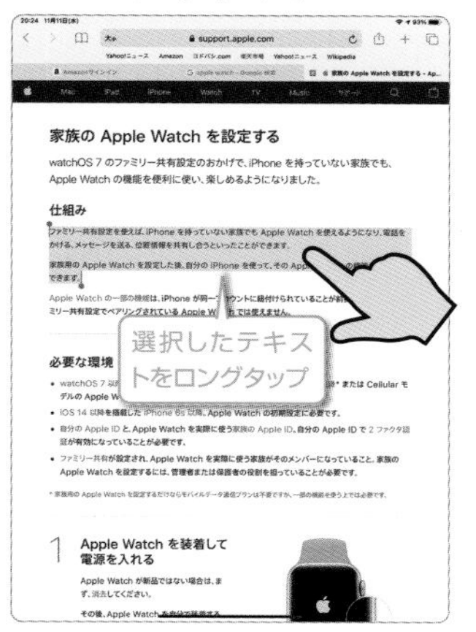

例えば、テキストをドラッグ&ドロップでメールに貼り付けたい時は、まずテキストを選択した状態で、テキストをロングタップしよう。

2 テキストをドラッグで移動できる

選択したテキストが浮かび上がり、そのままドラッグで移動できるようになる。この指は離さずに、他の指でホーム画面に戻ってみよう。

3 別の指で他のアプリを起動する

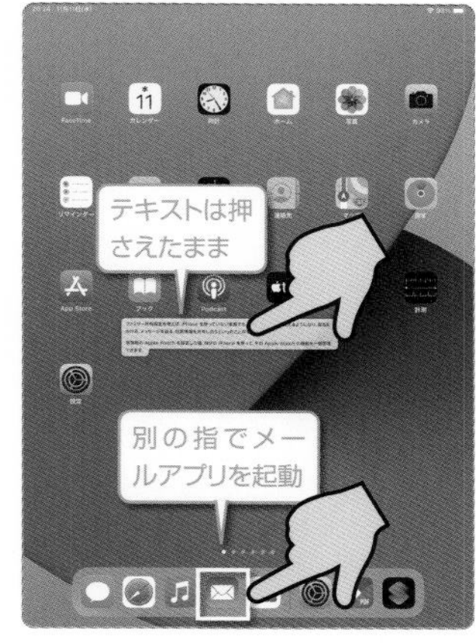

このように、テキストをドラッグした状態をキープしたままで、別の操作が可能になる。別の指でメールアプリを起動しよう。

4 メールの作成画面にドロップで貼り付け

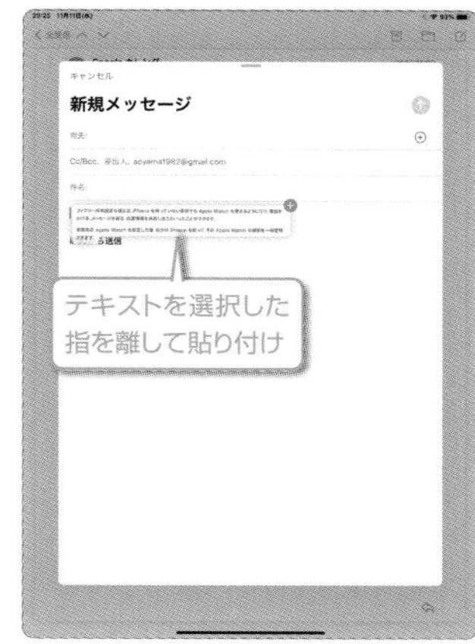

他の指で新規メールの作成画面を開き、選択状態のテキストを本文内にドロップしよう。テキストが貼り付けられる。

11

AirDrop

iPadやiPhoneで使える共有機能

AirDropで他のユーザーと簡単にデータを送受信

「AirDrop」機能を使えば、近くのiPadやiPhone、Macと手軽に写真や連絡先などのデータを送受信できる。自分のiPhoneやMacにデータを送りたいときにも便利な機能だ。利用するには、双方の端末が近くにあり、それぞれWi-FiとBluetoothがオンになっている必要がある。ただしAirDropを有効にすると、設定しているiPadの名前が漏洩するなどのリスクもある。気になる場合は、P094を確認し設定を変更しよう。

1 受信側でAirDropの検出を許可する

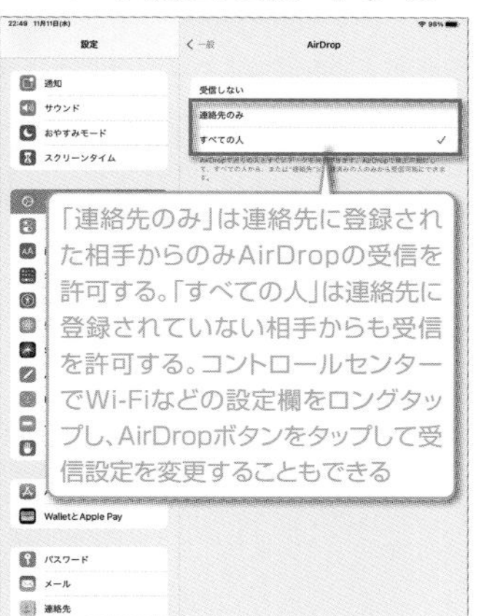

AirDrop でファイルを受信可能な状態にするには、「設定」→「一般」→「AirDrop」で「連絡先のみ」か「すべての人」にチェックしておく必要がある。

2 送信側で送りたいデータを選択する

写真を送信したい場合は、写真を選択した状態で共有ボタンをタップ。複数同時に送信することも可能。連絡先の場合は、各連絡先の「連絡先を送信」をタップしよう。

3 共有メニューで相手の名前をタップ

相手が AirDrop でファイルを受信できる設定になっていれば、共有メニューに AirDrop ユーザーボタンが表示されるので、これをタップして送信する。

4 受信側でデータを受け入れる

受け取った側は「受け入れる」をタップすれば受信できる。なお、同じ Apple ID を使った iPhone や Mac から送った場合はこの画面は表示されず、自動的に受信される。

12 メール VIPフォルダを活用しよう
重要な相手のメールを自動的に振り分ける

メールアプリで重要度の高い相手をあらかじめ登録しておけば、「VIP」フォルダへ自動で振り分けることができる。VIPのみ通知するといった設定も可能だ。大量のメールから、必ずチェックすべきものだけをすぐにリストアップできる便利な機能だ。

1 重要な相手をVIPに追加する

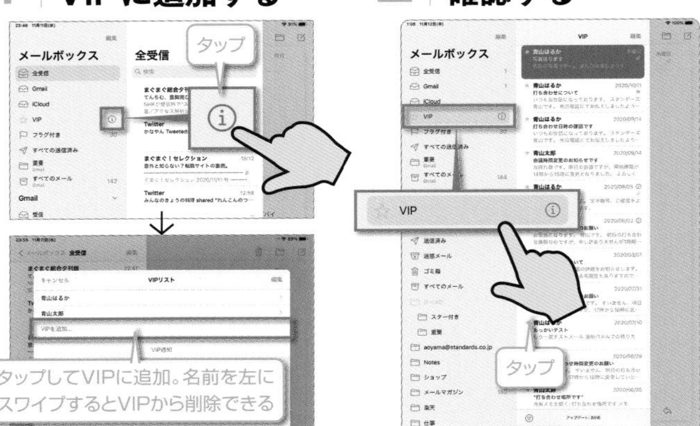

メールボックス一覧の「VIP」(VIP リストを作成済みなら「i」ボタン)をタップ。「VIPを追加」で連絡先から VIP リストに登録したい相手を追加する。

2 VIPからのメールを確認する

メールボックスの「VIP」フォルダで、VIP に追加した相手からのメールのみを確認できる。「VIP 通知」で VIP からの通知設定を変更しておくこともできる。

13 メッセージ メッセージ画面を左にスワイプ
メッセージの詳細な送受信日時を確認する

メッセージアプリで、同じ相手と短時間に連続してやりとりすると、最初のメッセージの上部にしか送受信時刻が表示されない。残りのメッセージの送受信時刻を確認するには、画面を左にスワイプしよう。吹き出し横で送受信時刻を確認できる。

1 メッセージの画面を左にスワイプする

連続してやり取りしたメッセージの送受信時刻は、表示されないだけで、きちんと記録されている。これを確認するには、メッセージ画面を左にスワイプすればよい。

2 吹き出しの横で送受信時刻を確認

それぞれの吹き出しの右端に、送受信時刻が表示されるはずだ。指を離せば、送受信時刻が隠れて元の画面に戻る。

14 画面録画 操作中の画面を録画できる
iPadの画面の録画機能を利用する

iPadには画面収録機能が用意されており、アプリやゲームなどの映像と音声を動画として保存できる。またマイクをオンにしておけば、画面の録画中に自分の声も録音できるので、ゲーム実況やアプリの解説動画を作るのにも使える。

1 画面収録を追加して画面を録画する

「設定」→「コントロールセンター」で「画面収録」を追加しておくと、コントロールセンターの画面収録ボタンで表示中の画面を録画できる。

2 マイクのオンと画面収録の停止

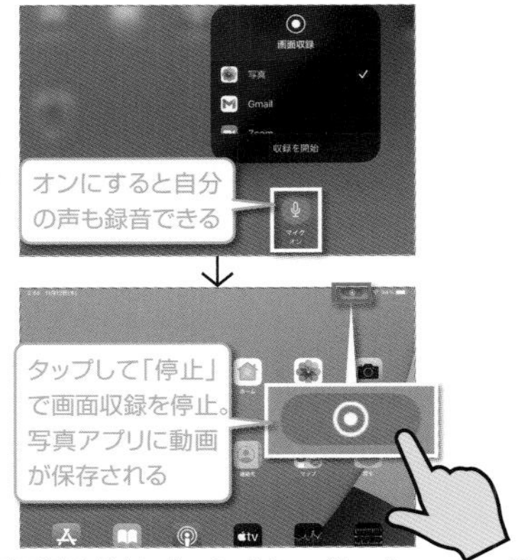

画面録画ボタンをロングタップし、「マイク」をオンにすると、自分の声も収録されるようになる。収録を終了するには、画面右上の赤いマークをタップ。

15 Wi-Fi 端末同士を近づけるだけでOK
Wi-Fiのパスワードを一瞬で共有する

iPadやiPhone、Mac相手なら、自分の端末に設定されているWi-Fiのパスワードを一瞬で相手の端末にも設定できる。操作手順は簡単だが、利用条件として、お互いのApple IDのメールアドレスがお互いの連絡先に登録されている必要がある。

1 Wi-Fiのパスワード入力画面を表示

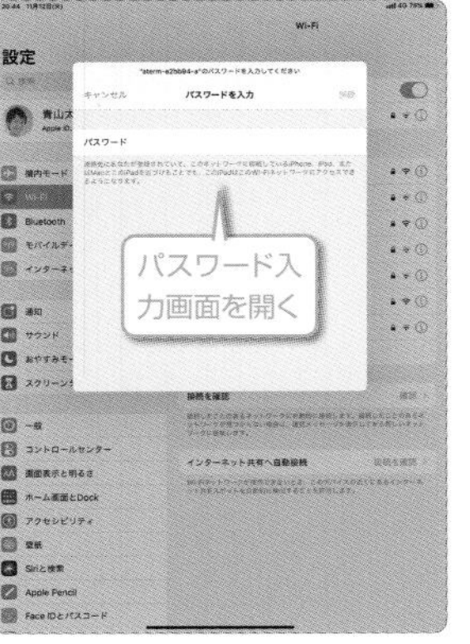

Wi-Fi 接続したい iPhone や iPad で、「設定」→「Wi-Fi」を開き、接続するネットワーク名をタップ。パスワード入力画面を表示する。

2 パスワードを共有をタップ

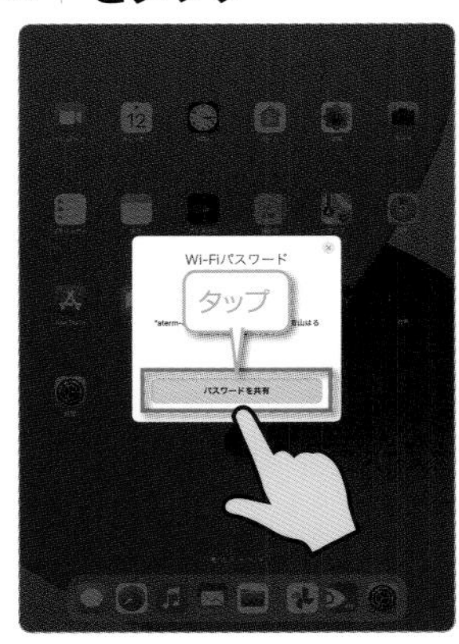

Wi-Fi パスワード設定済みの自分の端末を相手端末に近づけると、このような画面が表示される。「パスワードを共有」をタップすれば、一瞬で接続が完了する。

16 メール

Mail Drop機能を利用する

大きなサイズのファイルをメールで送りたい時は

標準のメールアプリを使えば、最大で5GBまでのファイルを送信することが可能だ。添付ファイルは一時的にiCloudに保存され、相手には30日以内ならいつでもファイルをダウンロードできるリンクを送信するので、受信側の環境も選ばない。

1 Mail Dropでファイルを送信する

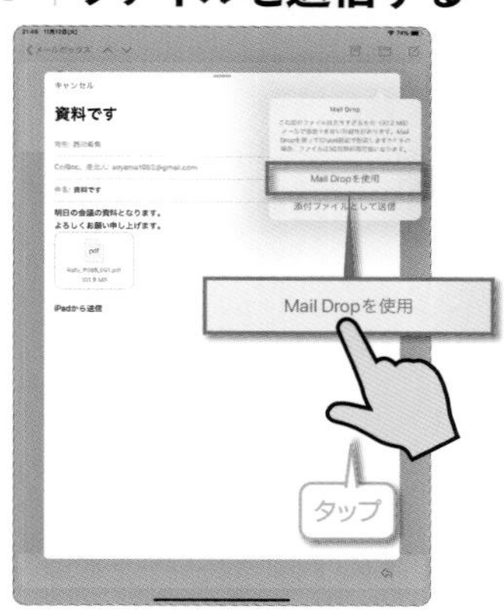

大容量のファイルを添付して送信ボタンをタップすると、「Mail Dropを使用」というメニューが表示されるので、これをタップ。

2 ファイルへのリンクが送信される

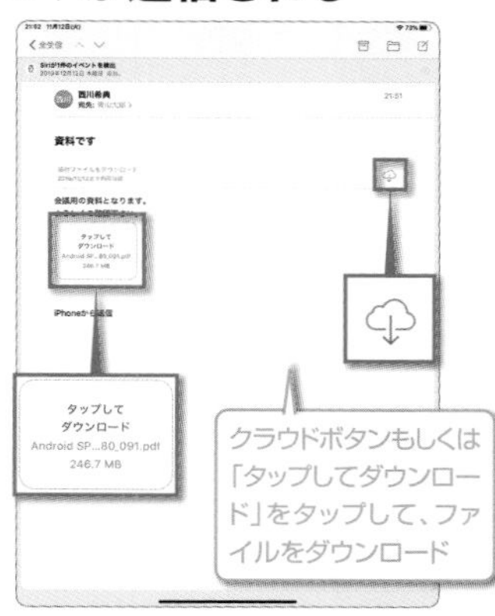

受信側には「タップしてダウンロード」というiCloudのリンクが送信される。30日以内ならいつでもダウンロード可能だ。

17 スクリーンショット

左下または右下からドラッグ

Apple Pencilのドラッグでスクリーンショットを撮影

画面のスクリーンショットは、通常電源ボタンと音量を上げるボタンもしくはホームボタンの同時押しで撮影できるが、Apple Pencilを使えばもっと手軽に撮影できる。画面を左下または右下の角から、斜め上に向かってドラッグするだけでよい。

1 Apple Pencilで斜めにドラッグ

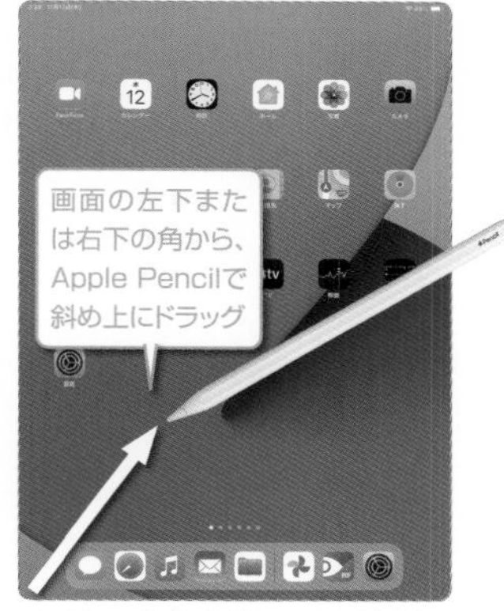

Apple Pencilをを使ってスクリーンショットを撮るには、画面の左下または右下の角から、斜め上に向かってドラッグすればよい。

2 スクリーンショットを保存できる

すぐにスクリーンショットが撮影され、編集画面で画面内に書き込みもできる。「完了」→「"写真"に保存」で保存しよう。

18 電話

iPadから電話の発信も可能

iPhoneの電話をiPadから利用する

iPadには電話機能がないが、iPhoneも持っているなら、iPhoneにかかってきた電話をiPadで受けたり、iPadのFaceTimeアプリからiPhoneを経由して固定電話や携帯電話に電話をかけるといったことができる。iPadとiPhoneで同じApple IDを使ってiCloudとFaceTimeにサインインし、同じWi-Fiに接続。さらに、いくつかの設定を済ませれば利用可能となる。「あとで通知」やテキストメッセージでの返信も行える。

1 同じApple IDでサインイン

↓

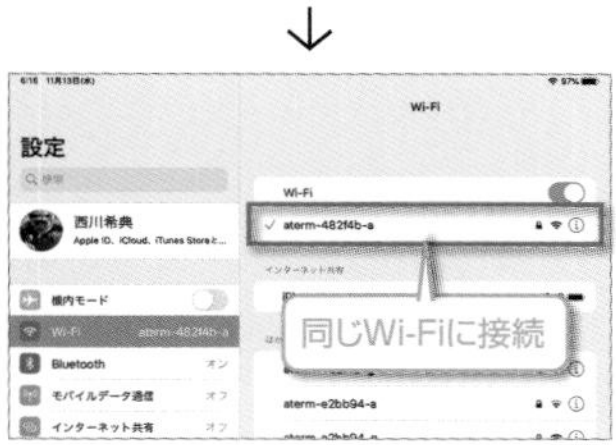

まずiPhoneとiPadの両方で同じApple IDを使ってiCloudとFaceTimeにサインインしておこう。また、同じWi-Fiネットワークに接続しておく必要がある。

2 iPadの設定を有効にする

続けて、iPad側の事前設定を済ませる。「設定」→「FaceTime」を開き、「iPhoneから通話」のスイッチをオンにしておこう。

3 iPhoneの設定を有効にする

また、iPhone側では「設定」→「電話」→「ほかのデバイスでの通話」で「ほかのデバイスでの通話を許可」をオンにし、通話を許可の「iPad」もオンにする。

4 iPhoneを経由してiPadで通話ができる

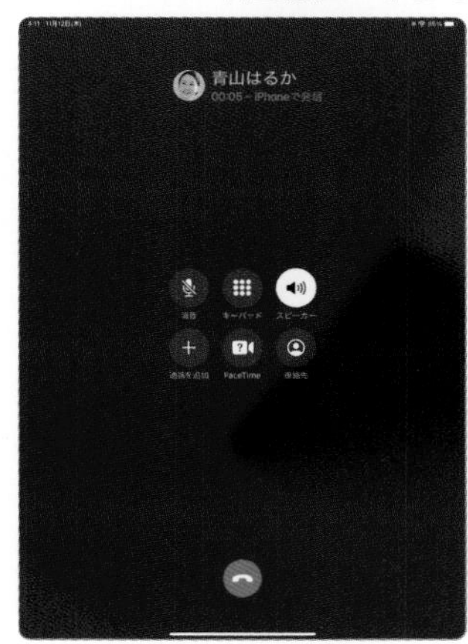

以上で準備は完了。iPadのFaceTimeアプリからiPhone経由で電話したり、iPhoneにかかってきた電話をiPadでも着信して応答できるようになる。

19 ストレージ
足らなくなったらココをチェック
容量不足を解決するデータ削除術

iPadの空き容量が少ないなら、「設定」→「一般」→「iPadストレージ」を開こう。iPadの空き容量を増やすための方法が提示され、簡単に不要なデータを削除できる。使用頻度の低いアプリを書類とデータを残しつつ削除する「非使用のAppを取り除く」や、ゴミ箱内の写真を完全に削除する「"最近削除した項目"アルバム」、サイズの大きいビデオを確認して削除できる「自分のビデオを再検討」などの実行がおすすめだ。

1 非使用のアプリを自動的に削除する

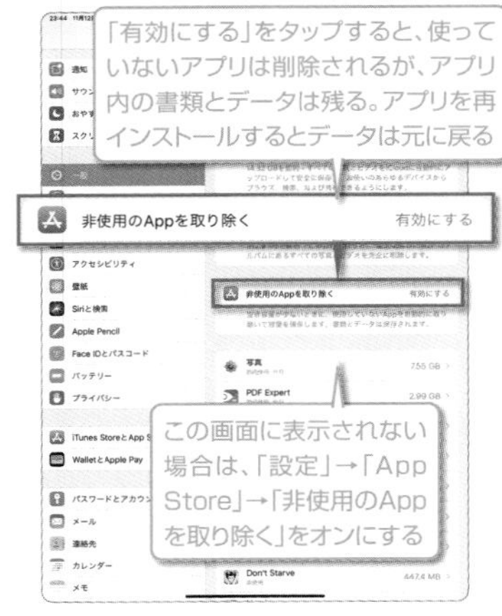

「設定」→「一般」→「iPad ストレージ」→「非使用の App を取り除く」の「有効にする」をタップ。iPad の空き容量が少ない時に、使っていないアプリを削除する。

2 最近削除した項目アルバムから完全削除

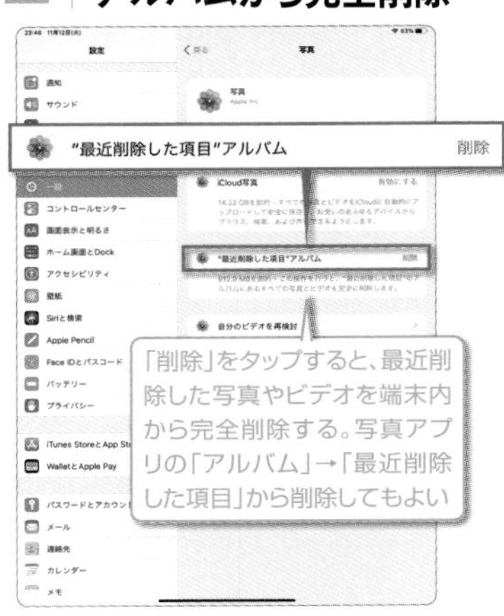

同じく「iPad ストレージ」画面で「写真」をタップ。「"最近削除した項目"アルバム」の「削除」で、端末内に残ったままの削除済み写真を完全に削除できる。

3 サイズの大きい不要なビデオを削除する

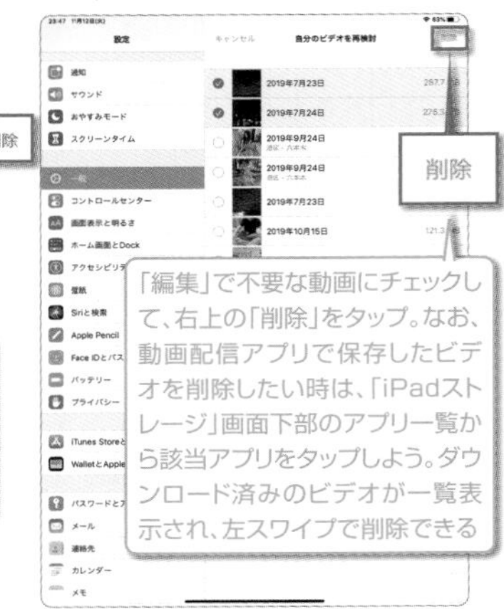

「iPad ストレージ」画面で「写真」→「自分のビデオを再検討」をタップすると、端末内のビデオがサイズの大きい順に表示されるので、不要なものを消そう。

POINT
その他の不要なデータもチェック

●曲を自動的に削除
Apple Musicの利用中は、「設定」→「ミュージック」→「ストレージを最適化」をオンにしておくと、しばらく再生していない曲を自動的に削除してくれる。

●保存した動画を削除
Amazonプライムビデオなどで、オフラインで再生できるようダウンロードした映画やTV番組は、見終わったら削除。

●保存した電子書籍を削除
Kindleなどでダウンロードした電子書籍も、読み終わったら削除しておこう。

20 音声入力
iPadで音声入力してパソコンで修正
音声入力をさらに快適にする連携技

iPadの音声入力は実用的なレベルで使えるが、音声でテキストの編集はできないため、誤字脱字などの修正が面倒だ。そこで、iPadとパソコンで「Googleドキュメント」の同じファイルを開き、音声入力と同時にパソコンでリアルタイム編集する連携技を覚えておこう。パソコンにマイクがあればChromeで直接音声入力もできるが、変換が確定するまで少しタイムラグがあるので、音声入力はiPadと連携させたほうがスムーズだ。

1 Googleドキュメントで音声入力する

Google ドキュメント
作者／Google LLC
価格／無料

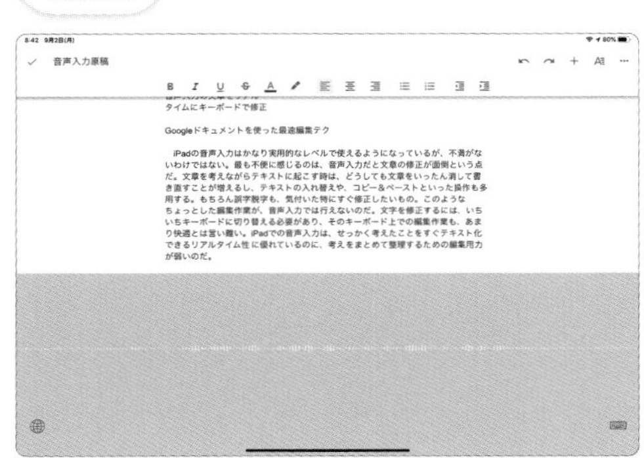

iPad 側では、「Google ドキュメント」アプリを起動して Google アカウントでログイン。新規ドキュメントを作成して、音声入力でテキストを入力していこう。

2 同じドキュメントをパソコンで開いて修正

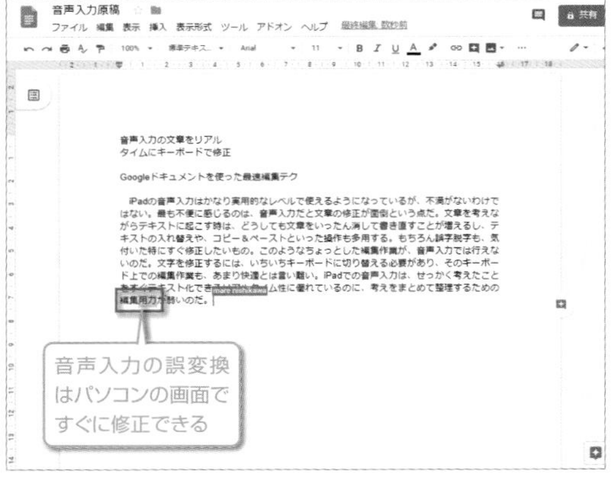

パソコン側では、Webブラウザで Google ドキュメント(https://docs.google.com/document/) にアクセスし、同じ Google アカウントでログイン。iPad で作成したドキュメントを開くと、音声入力したテキストがリアルタイムに表示される。入力ミスや誤変換はパソコンの画面で修正しよう。

POINT
連絡先を音声入力の辞書代わりに使う

音声入力時は自分で変換候補を選べず、ユーザ辞書に登録した単語も反映されない。そこで連絡先アプリを使おう。「性」に単語、「性(フリガナ)」によみをカタカナで入力。音声入力で、「性(フリガナ)」に入力したよみを話すと、「性」の単語に変換されるようになる。

21

SIM

セルラー版のiPadを格安で運用しよう

iPadに最適な格安SIMを選ぶ

セルラーモデルを買ってキャリアと契約したけどあまりモバイルデータ通信を使ってないなら、格安SIMも検討して通信料を見直そう。基本は自宅や会社のWi-Fi接続で利用し、いざというときだけ外出先でネット接続できればいいなら、1～3GB程度の低容量プランで安く運用できる。特に「mineo」は他社と比べて動作確認済みiPadの機種が多く、3キャリアの回線から選べるのでSIMロック解除も不要（auの一部機種は必要）で使える。

1 動作確認済みのiPadを調べておく

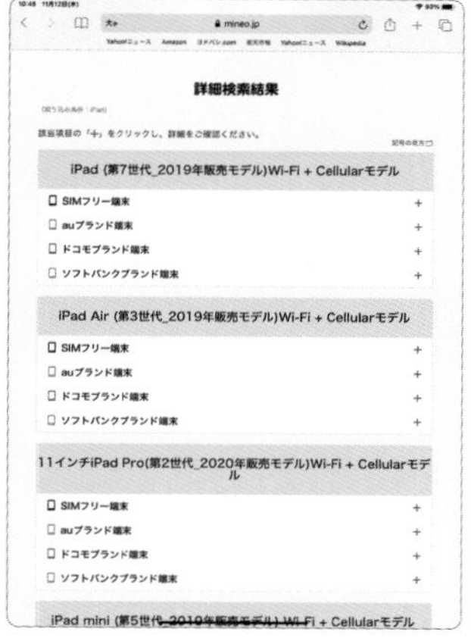

格安SIMによって動作を保証するiPadが異なる。動作確認されていなくても使える場合もあるが、各社のサポートページで対応機種を確認した方が安心だ。

2 必要ならSIMロックを解除しておく

ドコモ、au、ソフトバンク版のiPadは、他社のSIMを使えないようにロックされているので、格安SIMを使うにはSIMロック解除の手続きが必要な場合がある。

mineoの「シングルタイプ 3GB」がおすすめ

mineo
https://mineo.jp/

シングルタイプ（データ通信のみ）	
3GB	900円／月

※ソフトバンク回線のSプランのみ990円

mineoは動作確認されているiPadの機種が多く、OSアップデート時の動作確認も早い。またドコモ、au、ソフトバンク回線から選べるので、iPadのキャリアと同じ回線を選択しておけば、基本的にSIMロック解除も不要で利用できる。SIMフリー版iPadの場合は、利用エリアなどにもよるが、ドコモ回線のDプランが無難だろう。

22

LINE

iPhoneと同じアカウントで使える

iPadでもLINEを利用しよう

通常、LINEは一つのアカウントにつき一つの端末でしか使えないが、iPad版のLINEでは、iPhoneやスマートフォンと同じLINEアカウントでログインして、同時に利用することができる。iPhoneのLINEが使えなくなった場合に、非常用としてiPadでも確認できるので、ぜひ活用しよう。あらかじめiPhoneやスマートフォンのLINEで生体認証ログインを許可しておけば、スマートフォン側の顔や指紋認証でログインできる。

1 スマホ版LINEで生体認証を許可

iPhoneやスマートフォンのLINEで、「ホーム」→「設定」→「アカウント」→「Face ID」（またはTouch IDや生体情報）をタップして「許可する」をタップ。

2 iPad版LINEで電話番号を入力

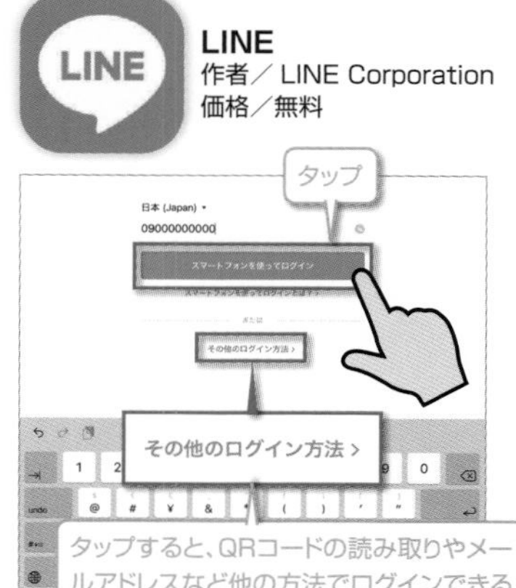

iPad版LINEを起動したら、LINEアカウントに登録している電話番号を入力して「スマートフォンを使ってログイン」をタップする。

3 初回ログイン時は認証番号が必要

生体認証で初めてログインする場合は、「認証番号を確認する」をタップする必要がある。6桁の認証番号が表示されるので確認しよう。

4 スマホ版LINEで認証を済ませる

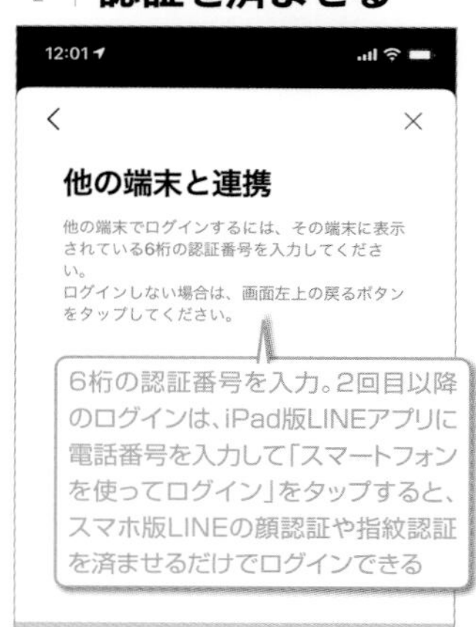

スマホ版LINEで「ホーム」→「設定」→「アカウント」→「他の端末と連携」をタップし6桁の数字を入力すると、iPad版LINEでログインされる。

23 Dropbox

Dropboxでデスクトップを同期

パソコン上のファイルをいつでもiPadで扱えるようにする

会社のパソコンに保存した書類をiPadで確認したり、途中だった作業をiPadで再開したい場合は、クラウドサービスのDropboxを利用しよう。特に、仕事上のあらゆるファイルをデスクトップ上に保存している人は、Dropboxの「パソコンのバックアップ」機能をおすすめしたい。パソコンのデスクトップ上のフォルダやファイルが丸ごと自動同期されるので、特に意識しなくても、会社で作成した書類をiPadでも扱えるようになる。

1 Dropboxの基本設定を開く

パソコンにDropboxをインストールすると、システムトレイにDropboxアイコンが常駐するので、これをクリック。続けて右上のユーザーボタンで開いたメニューから「基本設定」をクリックする。

2 バックアップの設定ボタンをクリック

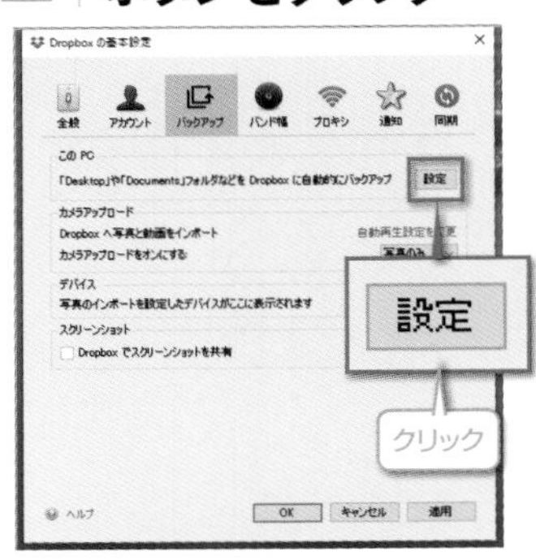

Dropboxの基本設定画面が開くので、「バックアップ」タブをクリック。続けて「このPC」欄にある「設定」ボタンをクリックしよう。

3 バックアップフォルダを作成する

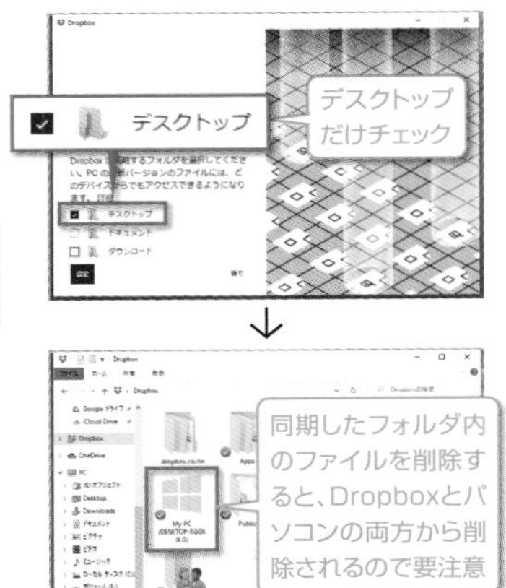

仕事の書類をデスクトップのフォルダで整理しているなら、「デスクトップ」だけチェックして設定を進めよう。Dropboxの「My PC（デバイス名）」→「Desktop」フォルダに、パソコンのデスクトップにあるファイルやフォルダがすべて同期される。

4 Dropboxアプリでアクセスする

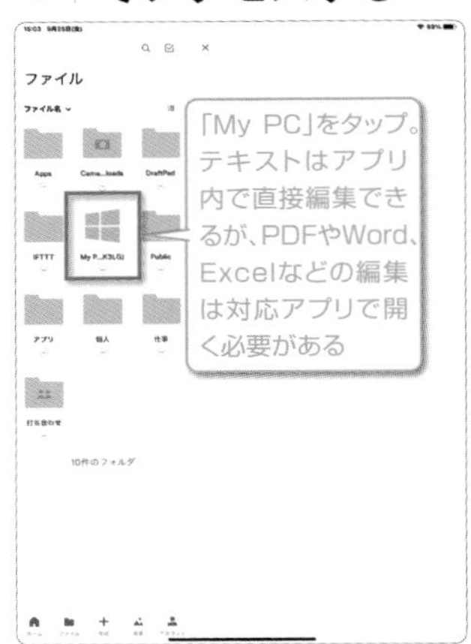

iPadのDropboxアプリで「My PC」を開くと、会社のパソコンでデスクトップなどに保存した書類を確認できる。

---

24 Handoff

あっという間に連携できる

iPadとiPhoneで操作中の作業を相互に引き継ぐ

「Handoff」機能を使えば、iPadで作成中のメモやメールをiPhoneで引き継いで続きを入力するといった連携作業を簡単に行える。もちろん、iPhoneで行っている作業をiPadへ引き継ぐこともできる。Handoffを利用するには、iPadとiPhoneが同じApple IDでiCloudにサインインしており、HandoffとBluetooth、Wi-Fiがオンになっている必要がある。また、アプリもHandoffに対応していなければならない。

1 Handoff機能を有効にしておく

2 iPhone側のアプリで作業を行う

iPadとiPhoneで「設定」→「一般」→「AirPlayとHandoff」をタップし、「Handoff」のスイッチをオンにする。BluetoothとWi-Fiも有効にしておこう。

3 iPadのアプリにHandoffマークが表示

iPadのDock右端に、iPhoneで作業中の（画面を開いている）アプリが表示。アイコン右上にHandoffマークも表示される。タップして起動し、作業を引き継ごう。

4 iPhoneと同じ状態で作業を引き継げる

25 Sidecar Sidecar機能でMacの画面を拡張 iPadをMacのサブディスプレイとして利用する

Macを持っているなら、ぜひ利用したい機能が「Sidecar」だ。iPadの画面をMacの2台目のディスプレイとして使えるので、単純に作業スペースが広がるし、MacのアプリをiPadのApple Pencilで操作できるようにもなる。両方のデバイスで利用条件さえ整っていれば、MacのAirPlayボタンから簡単に接続が可能だ。Macの表示エリアを拡張する使い方と、Macの画面をミラーリングする使い方の2通りがある。

◉個別のディスプレイとして使用

iPad の画面を Mac の画面の延長として使うモード。余分なウインドウを iPad 側に置いて画面を広く使えるほか、Mac の画面にはアプリのメイン画面だけ配置して、ツールやパレットを iPad 側に配置したり、ファイルを２つ開いて見比べながら作業したい時にも便利。

◉内蔵Retinaディスプレイをミラーリング

Mac と同じ画面を iPad にも表示するモード。プレゼンなどで相手に同じ画面を見せたい時などに役立つほか、iPad をペンタブレット化できる点も便利。Mac でイラストアプリを起動し、iPad 側では Apple Pencil を使ってイラストを描ける。

Sidecarの利用条件

- ●macOS Catalina以降をインストールしたMac
- ●iPadOS 13以降およびApple Pencil(第1世代、第2世代どちらでも)に対応したiPad
- ●両方のデバイスとも同じApple IDでサインイン
- ●ワイヤレスで接続する場合は、10メートル以内に近づけ、両デバイスでBluetooth、Wi-Fi、Handoffを有効にする。また、iPadはインターネット共有を無効にする
- ●ケーブルで有線接続する場合は、両デバイスともBluetooth、Wi-Fi、Handoffがオフでもよい。iPadでインターネット共有中でも利用できるが、その場合iPadのWi-FiとBluetoothはオンにする必要がある

POINT

iPadの画面はApple Pencilで操作できる

Sidecarで接続中は、iPadの画面を指でタッチ操作できないが、Apple Pencilを使う場合のみタッチ操作できる。イラストを描いたり手書き文字を入力することもできるので、Sidecarを使うならApple Pencilもあったほうが便利だ。

◉iPadをサブディスプレイとして使う手順

1 AirPlayボタンから iPadに接続する

Mac のメニューバーに表示されている AirPlay ボタンをクリックすると、「接続先：」欄に接続可能な iPad 名が表示される。これをクリックすると Sidecar で接続できる。

2 ディスプレイの 接続方法を選択する

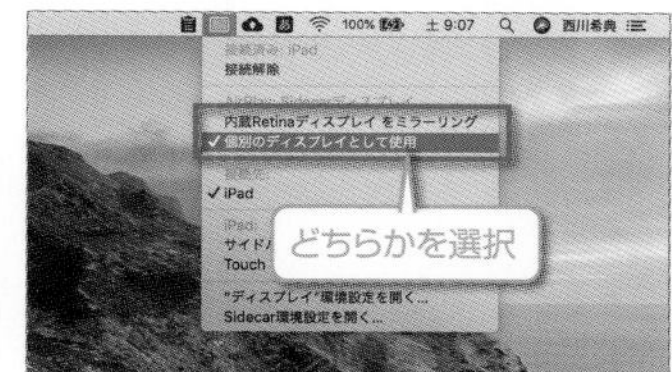

Mac の画面の延長先に iPad の画面があるように使うなら「個別のディスプレイとして使用」を選択。Mac と同じ画面を iPad に表示させるなら「内蔵 Retina ディスプレイをミラーリング」を選択しよう。

3 Sidecarの接続を 解除する

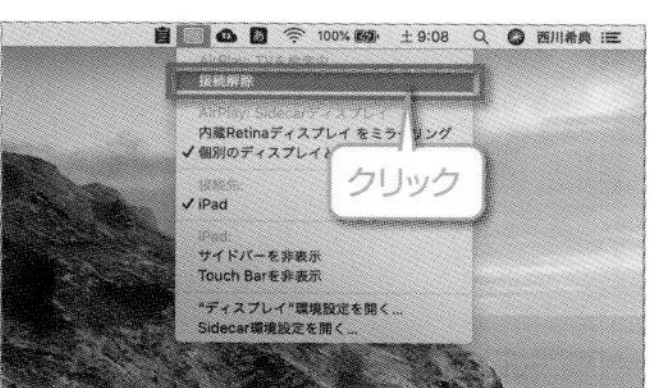

Mac で AirPlay ボタンのメニューから「接続解除」をクリックするか、iPad のサイドバーにある接続解除ボタンをタップすると、Sidecar の接続を解除できる。

4 Sidecar利用中に iPadアプリを使う

Sidecar を利用中でも、ホーム画面に戻れば iPad のアプリを利用することが可能だ。Dock に表示される Sidecar のアイコンをタップすると、Sidecar の画面に戻る。

26 ディスプレイ

Sidecarと似た機能を実現
iPadをWindowsのサブディスプレイとして利用する

「Sidecar」（P103で解説）と似た機能を、Windowsパソコンでも実現するアプリが「Duet Display」だ。Windows側で専用ソフトを起動し、iPadにもアプリをインストールして起動しておけば、あとはUSBケーブルで接続するだけで、iPadをWindowsパソコンの2台目のディスプレイとして利用できる。余分な画面をiPad側に置いて画面を広く使ったり、ファイルを2つの画面で開いて見比べながら作業したい時などに便利だ。

1 Windowsにソフトをインストールする

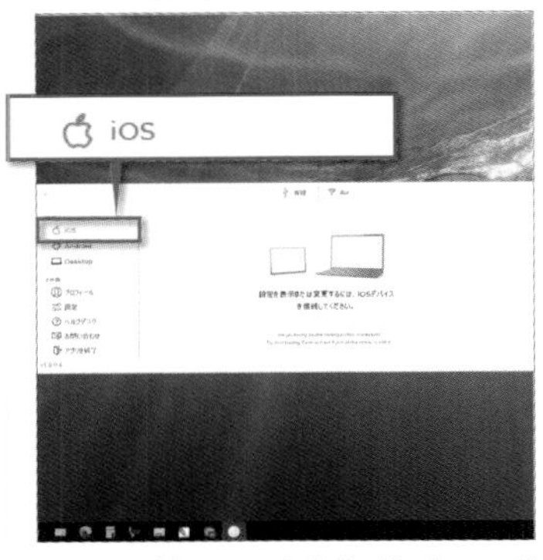

パソコン側では、公式サイト（https://ja.duetdisplay.com/）からWindows用ソフトをダウンロードしインストールを済ませておこう。パソコンを再起動するとタスクトレイに常駐するので、アイコンをクリックして設定画面を開き、左メニューの「iOS」を選択しておく。

2 iPadにアプリをインストールする

Duet Display
作者／ Duet, Inc.
価格／ 1,220円

iPad側にもDuet Displayのアプリをインストールし、起動する。初回起動時はユーザー登録を求められるが、ケーブルで接続して使うだけなら登録は不要だ。

3 WindowsとiPadをケーブルで接続

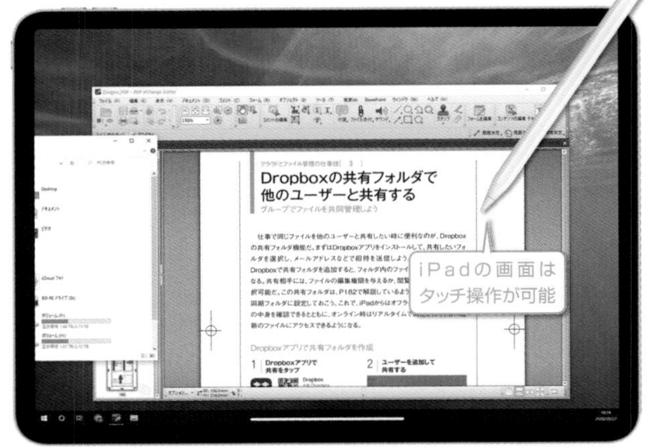

あとはUSBケーブルで接続すると、iPadがWindowsのサブディスプレイになる。Windows側ですぐに使わないウインドウなどを、右端までドラッグしてiPadの画面に移動させれば、Windowsの画面を広く使える。また、Windowsにはソフトのメイン画面だけ置いてツールやパレットをiPad側に配置するなど、さまざまな利用法が考えられる。

---

27 ビデオ通話

テレワークに必須のツール
iPadでビデオ会議に参加する

テレワークの普及によりビデオ通話を使ったオンライン会議が一般的になり、オンライン飲み会などの楽しみ方も定着した。そんなビデオ通話でよく使われるアプリが「ZOOM」だ。いつ招待されてもいいように基本的な使い方を覚えておこう。ただZOOMは、無料だと3人以上でグループ通話する際に最大40分の制限がある。もし参加者が全員iPhoneやiPad、Macを使っているなら、FaceTimeのグループ通話（P060で解説）もおすすめだ。

1 ミーティングを開始する

ZOOM Cloud Meetings
作者／ Zoom
価格／無料

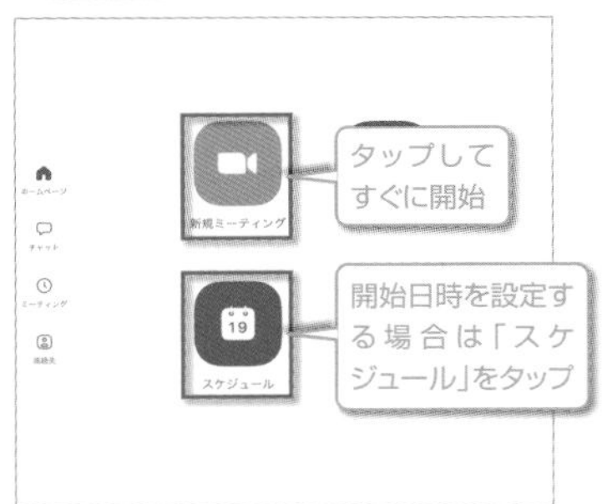

自分でミーティングを主催する場合は、「新規ミーティング」→「ミーティングの開始」をタップするとすぐに開始できる。

2 ミーティングに他のユーザーを招待する

他のユーザーをミーティングに招待するには、「参加者」→「招待」→「招待リンクをコピー」をタップ。コピーされたURLをLINEやメールで送信しよう。

3 他のユーザーのミーティングに参加

招待URLを受け取った側は、URLをタップするとZOOMが起動してこのような画面になる。「ビデオ付きで参加」か「ビデオなしで参加」をタップして参加しよう。

4 参加したユーザーを許可する

招待したユーザーがURLをタップすると、ホスト側には「許可する」ボタンが表示される。これをタップすると招待したユーザーが通話に参加できる。

Section 04

トラブル解決総まとめ

電源が入らない、アップデートしたアプリが起動しない、パスコードを忘れてしまった…など、想定されるトラブルの解決法をまとめてフォロー。iPadの紛失対策もあらかじめチェックしておこう。

04

トラブル 01

動作にトラブルが発生した際の対処方法

解決法 まずは機能の終了と再起動を試そう

iPadはかなり動作の安定したハードウェアと言えるが、iPadOSアップデートの影響などで突然アプリが起動しなくなったり、通信が切れたり、動作が重くなったり、動かなくなるといったトラブルに見舞われる可能性はゼロではない。いざという時のために、基本的なトラブル対処法を覚えておこう。まず、各アプリをはじめ、Wi-FiやBluetoothなどの機能が動作しなかったり調子が悪いときは、該当するアプリや機能をいったん終了させて再度起動させるのが基本だ。強制終了してもまだ調子が悪いアプリは、一度削除してから再インストールし直してみよう。

iPadの画面が、タップしても何も反応しない「フリーズ」状態になってしまったら、本体を再起動してみるのが基本だ。電源／スリープボタン（＋音量ボタン）の長押しが効くなら、「スライドで電源オフ」で電源を切る。「設定」→「一般」→「システム終了」でも「スライドで電源オフ」を表示することができる。効かないなら、一定の操作を行うことで、強制的に電源を切って再起動できる。再起動してもまだ調子が悪いなら、「設定」→「一般」→「リセット」で、「すべての設定をリセット」や、「ネットワーク設定をリセット」といった項目を試してみる。または、P111の手順のとおり、「すべてのコンテンツと設定を消去」を実行して初期化してしまえば、本体に関するほとんどのトラブルは解決するはずだ。

まず試したいトラブル解決の基本対処法

通信トラブルは機能をオンオフ

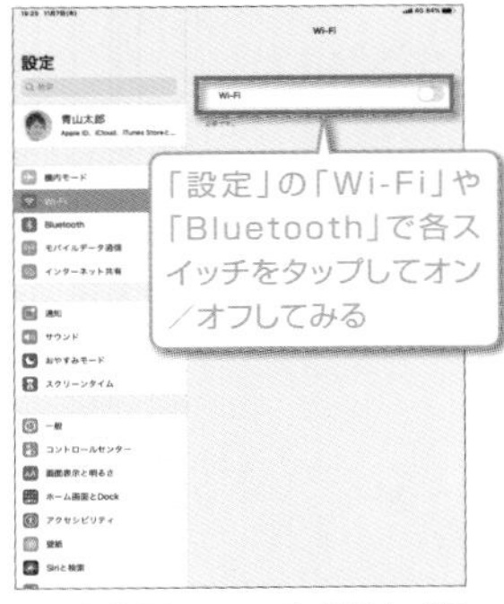

Wi-FiやBluetoothがうまく通信できなかったり、接続が途切れたりする場合は、Wi-FiやBluetoothのスイッチを一度オフにしてからオンにしてみよう。

アプリを一度完全終了してみる

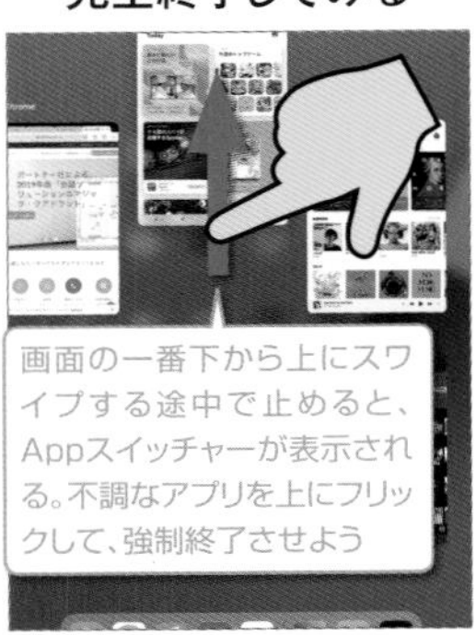

アプリの動作がおかしいなら、画面の一番下から上にスワイプしてAppスイッチャー画面を開き、該当アプリを完全終了させてから再起動してみよう。

アプリを削除して再インストールする

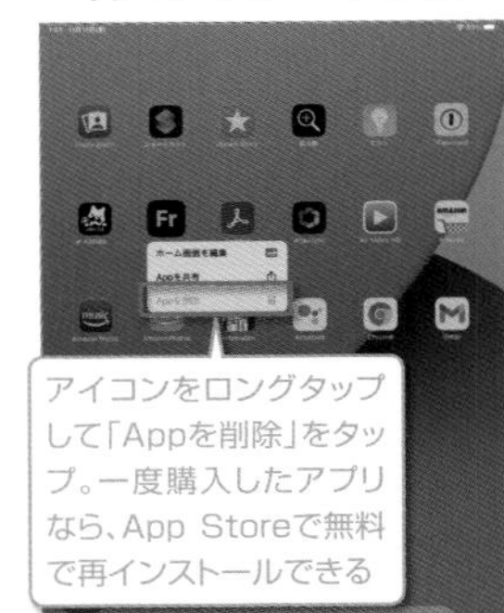

アプリを再起動しても調子が悪いなら、一度アプリを削除し、App Storeから再インストールしてみよう。これでアプリの不調が直る場合も多い。

本体の動作がおかしい、フリーズした場合は

本体の電源を切って再起動してみる

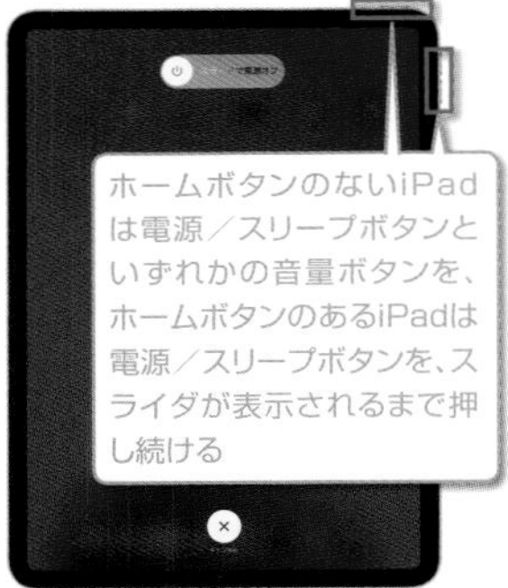

電源／スリープボタン（＋音量ボタン）の長押しで表示される、「スライドで電源オフ」を右にスワイプして、一度本体の電源を切り再起動してみよう。

本体を強制的に再起動する

ホームボタンのないiPadの場合、音量上ボタンを押してすぐ離し、次に音量下ボタンを押してすぐ離し、電源ボタンを推し続ければ強制再起動する。ホームボタンのあるiPadは、電源ボタンとホームボタンを同時に押し続ければ、強制再起動する

「スライドで電源オフ」が表示されない場合は、デバイスを強制的に再起動することも可能だ。機種によって手順は異なる。

それでもダメなら各種リセット

まだ調子が悪いなら「設定」→「一般」→「リセット」の各項目を試してみよう。データが消えてもいいなら、P111の通り初期化するのが確実だ。

iPadの電源が入らない時の確認

iPadを充電したのに電源が入らない時は、ケーブルや電源アダプタを疑おう。正規品を使わないとうまく充電できない場合がある。また、一度完全にバッテリー切れになると、ある程度充電してからでないと電源を入れることができない。

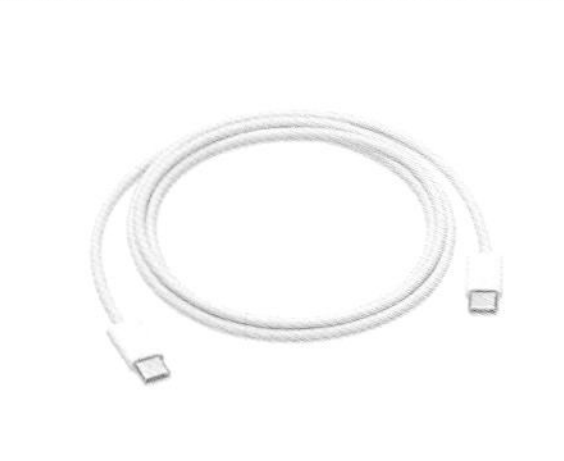

トラブル 02

紛失したiPadを見つけ出す方法

解決法 「探す」アプリで探し出せる

iPadの紛失に備えて、iCloudの「探す」機能を有効にしておこう。設定を済ませておけば、紛失したiPadが発信する位置情報をマップ上で確認できるようになる。探し出す際は、iPadやiPhone、Macの「探す」アプリを使うか、Windowsなどの場合はWebブラウザでiCloud.comへアクセスし、「iPhoneを探す」メニューを利用しよう。

紛失した端末のバッテリーが切れたりオフラインであっても諦める必要はない。バッテリー切れ直前の位置情報を発信したり、オフラインでも位置情報を取得できる高度な仕組みが採用されている。iCloudの「探す」機能を有効にすれば、オフラインでも暗号化した位置情報をBluetoothで発信するようになる。これを近くにいる第三者ユーザーのiPhoneが受信して、Appleに送信。その情報を使って位置情報を確認できるのだ。

また、「紛失としてマーク」を利用すれば、即座にiPadをロック(パスコード非設定の場合は遠隔で設定)したり、画面に拾ってくれた人へのメッセージと電話番号を表示して、連絡してもらえるようにお願いできる。地図上のポイントを探しても見つからない場合は、「サウンドを再生」で徐々に大きくなる音を鳴らしてみる。発見が絶望的で情報漏洩阻止を優先したい場合は、「このデバイスを消去」をタップしてすべてのコンテンツや設定を削除してしまおう。

事前の設定と紛失時の操作手順

1 Apple IDの設定で「探す」をタップ

設定のApple IDをタップして「探す」→「iPadを探す」をタップ。なお「設定」→「プライバシー」→「位置情報サービス」のスイッチもオンにしておくこと。

2 「iPadを探す」の設定を確認

「iPadを探す」がオンになっていることを確認しよう。また、「"探す"のネットワーク」と「最後の位置情報を送信」もオンにしておく。

3 「探す」アプリで紛失したiPadを探す

iPadを紛失した際は、同じApple IDでサインインした他のiPhoneやiPad、Macで「探す」アプリを起動。Windowsの場合は、WebブラウザでiCloud.comへアクセスし、「iPhoneを探す」メニューを開こう。紛失したiPadを選択すれば、現在地がマップ上に表示される。

4 サウンドを鳴らして位置を特定

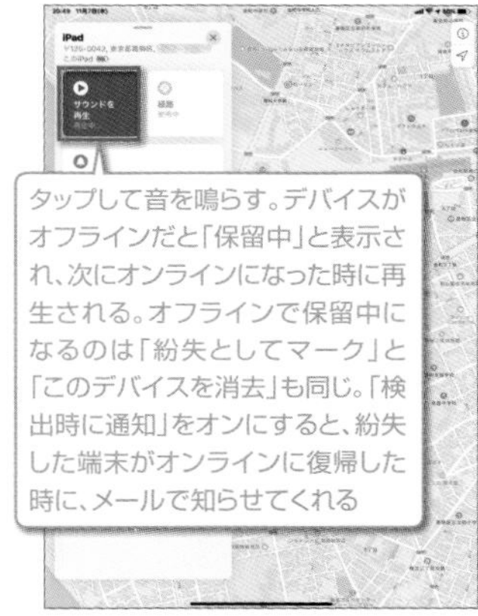

マップ上のポイントを探しても見つからない時は、「サウンド再生」をタップ。徐々に大きくなるサウンドが約2分間再生される。

5 紛失としてマークで端末をロックする

「紛失としてマーク」の「有効にする」をタップすると、端末が紛失モードになり、iPadは即座にロックされる。またApple Payも無効になる。

6 情報漏洩の阻止を優先するなら端末を消去

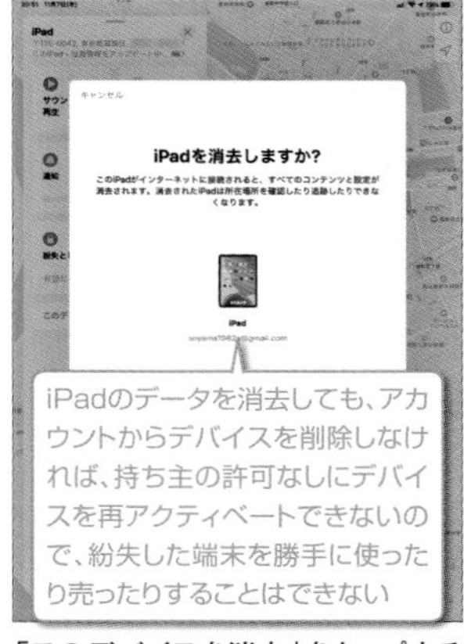

「このデバイスを消去」をタップすると、iPadのすべてのデータを消去して初期化できる。消去したiPadは現在地を追跡できなくなるので慎重に実行しよう。

iCloud.comでも探せる

パソコンのWebブラウザおよびiPadやiPhoneのSafariでiCloud.com(https://www.icloud.com/)にアクセスし、「iPhoneを探す」画面を開いても、紛失した端末を探すことが可能だ。サウンドの再生や紛失モードなども実行できる。

トラブル 03

破損などの解決できないトラブルに遭遇したら

解決法 「Appleサポート」アプリを使ってトラブルを解決しよう

どうしても解決できないトラブルに見舞われたら、「Appleサポート」アプリを利用しよう。Apple IDでサインインし、サイドバーを開いて端末と症状を選択すると、主なトラブルの解決方法が提示される。さらに、電話サポートに問い合わせしたり、アップルストアなどへの持ち込み修理を予約することも可能だ。

Appleサポート
作者／Apple
価格／無料

まずは、Appleサポートアプリをインストールして起動。Apple IDでサインインしたら、トラブルが発生した端末と、その症状を選んでタップしよう。

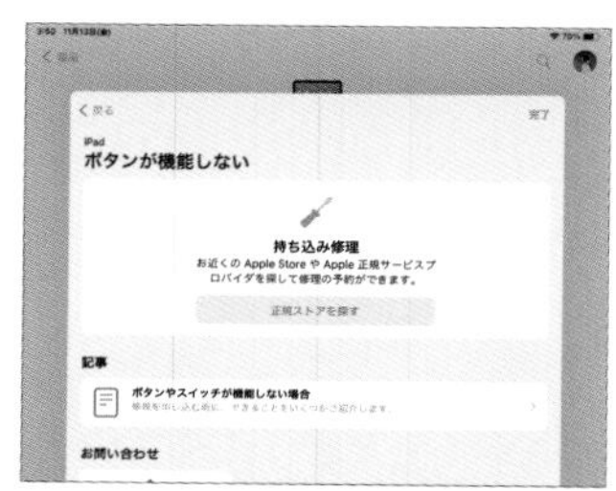

アップルストアなどに持ち込み修理を予約したり、サポートに電話して問い合わせたり、トラブル解決に役立つ記事を読むなどの方法で解決できる。

トラブル 04

誤って「信頼しない」をタップした時の対処法

解決法 「位置情報とプライバシーをリセット」をタップする

iPadをパソコンに初めて接続すると、「このコンピュータを信頼しますか?」の警告が表示され、「信頼」をタップすることでiPadへのアクセスを許可する。この時、誤って「信頼しない」をタップした場合は、「位置情報とプライバシーをリセット」を実行することで警告画面を再表示できる。

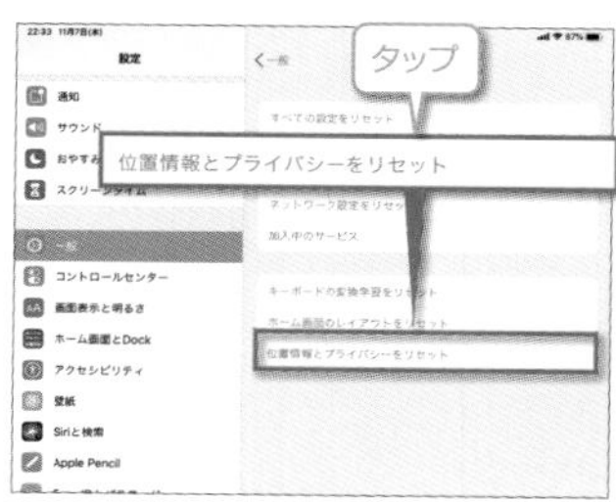

「設定」→「一般」→「リセット」→「位置情報とプライバシーをリセット」をタップし、続いて表示される「リセット」をタップする。

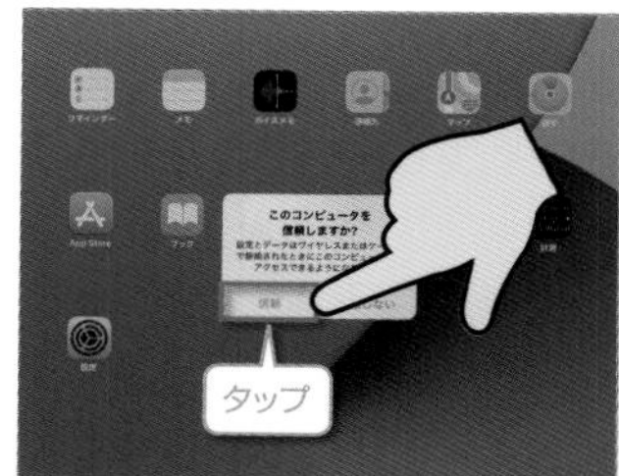

パソコンなどとケーブルで接続すると、「このコンピュータを信頼しますか?」の警告が再表示されるようになるので、「信頼」をタップしよう。

トラブル 05

パスコードを忘れてしまった

解決法 一度消去してバックアップから復元すればリセットされる

画面ロックのパスコードをうっかり忘れても、「iCloudバックアップ」(P030)さえ有効なら、そこまで深刻な状況にはならない。「探す」アプリやiCloud.comでiPadのデータを消去したのち、初期設定中にiCloudバックアップから復元すればいいだけだ。ただし、iCloudバックアップが自動作成されるのは、電源とWi-Fiに接続中の場合のみ。最新のバックアップが作成されているか不明なら、電源とWi-Fiに接続された状態で一晩置いたほうが安心だ。

1 「探す」アプリなどでiPadを初期化

他にiPhoneやiPadやMacを持っているなら、「探す」アプリで完全にロックされたiPadを選択し、「このデバイスを消去」で初期化しよう。また、WebブラウザでiCloud.comにアクセスし、「iPhoneを探す」画面から初期化することもできる。

2 iCloudバックアップから復元する

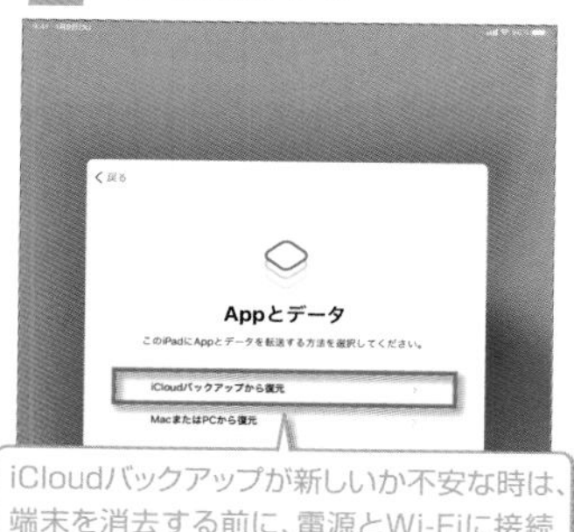

iCloudバックアップが新しいか不安な時は、端末を消去する前に、電源とWi-Fiに接続した状態で一晩置いておこう。iCloudバックアップの自動作成タイミングは分からないので確実ではないが、最新のバックアップが作成される可能性がある

初期設定中の「Appとデータ」画面で「iCloudバックアップから復元」をタップして復元しよう。前回iCloudバックアップが作成された時点に復元しつつ、パスコードもリセットできる。

3 同期済みのパソコンがある場合は

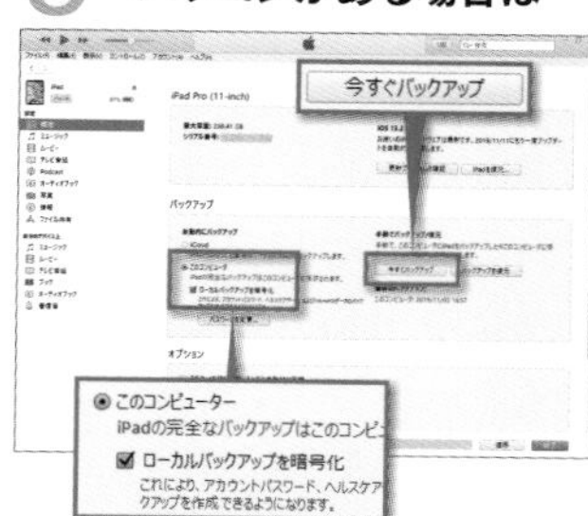

一度iPadと同期したパソコンがあれば、iPadがロック中でもパソコンと接続でき、「今すぐバックアップ」で最新のバックアップを作成できる。念の為、「このコンピューター」と「ローカルバックアップを暗号化」にチェックして、各種IDやパスワードも含めた暗号化バックアップを作成しておこう。あとは「探す」アプリなどでiPadを初期化し、初期設定で「MacまたはPCから復元」を実行すればよい。

トラブル 06

iPadOSの自動アップデートを設定する

解決法 電源とWi-Fiに接続中の夜間に自動更新させよう

iPadの基本ソフト「iPadOS」は、アップデートによってさまざまな新機能が追加されるので、なるべく早めに更新したい。設定で「自動アップデート」をオンにしておけば、電源とWi-Fiに接続中の夜間に、自動でダウンロードおよびインストールを済ませてくれる。自分のタイミングで更新したい人はオフにしておこう。

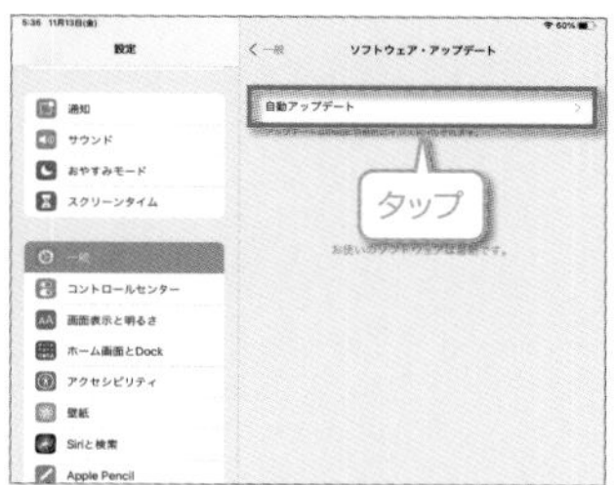

新しいiPadOSが配信されたら自動で更新させるには、まず「設定」→「一般」→「ソフトウェア・アップデート」→「自動アップデート」をタップ。

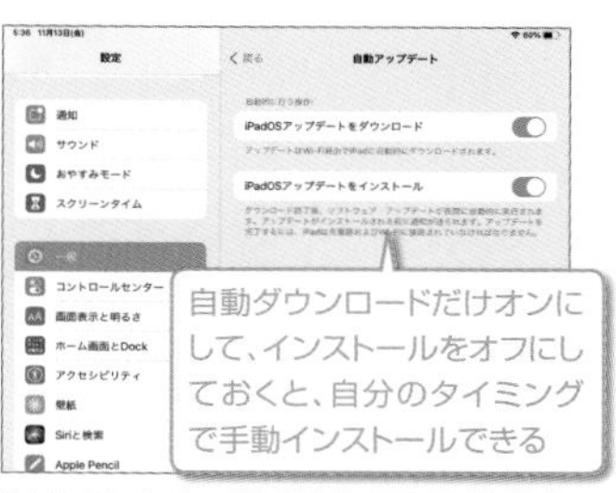

両方オンにしておけば、Wi-Fi接続中に更新ファイルを自動ダウンロードし、電源とWi-Fi接続中の夜間に自動でインストールしてくれる。

トラブル 07

誤って登録された予測変換を削除したい

解決法 キーボードの変換学習を一度リセットしよう

タイプミスなどの誤った単語を学習してしまい、キーボード入力時の変換候補として表示されるようになったら、「一般」→「リセット」→「キーボードの変換学習をリセット」を実行して、一度学習内容をリセットさせよう。ただしこの操作を実行すると、削除したい変換候補以外もすべて消えてしまうので注意。

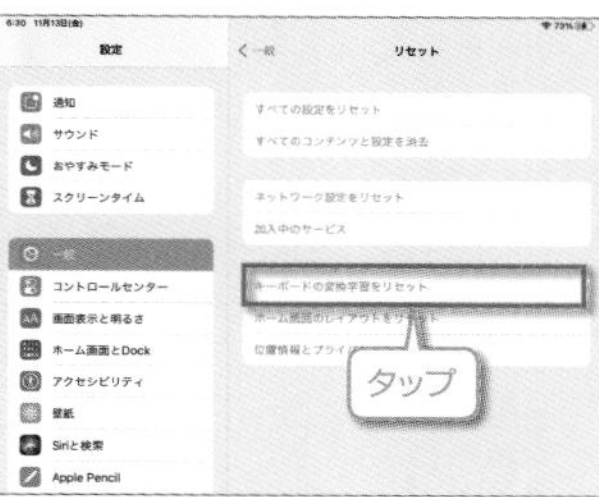

「設定」→「一般」→「リセット」をタップし、続けて「キーボードの変換学習をリセット」をタップしよう。

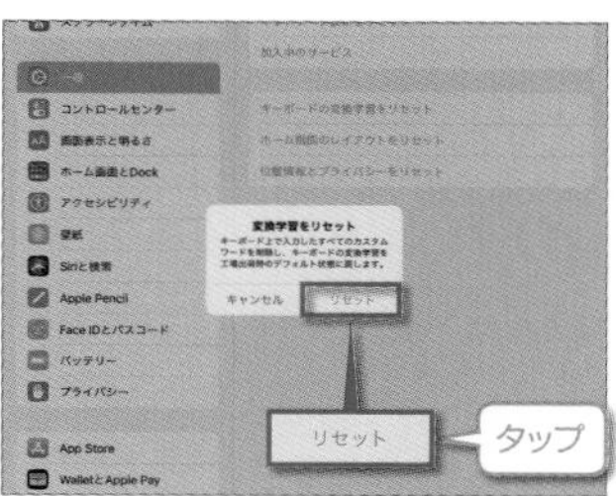

本体のパスコードを入力して、「リセット」ボタンをタップすれば、学習した予測変換候補が消えて表示されなくなる。

トラブル 08

アップデートしたアプリが起動しない

解決法 一度削除して再インストールしてみよう

アップデートしたアプリがうまく起動しなかったり強制終了する場合は、そのアプリを削除して、改めて再インストールしてみよう。これで動作が正常に戻ることが多い。一度購入したアプリは、購入時と同じApple IDでサインインしていれば、App Storeから無料で再インストールできる。

アプリの動作がおかしかったりうまく起動しない場合は、一度削除してみよう。ホーム画面でアプリアイコンをロングタップし、「Appを削除」をタップすれば、アンインストールできる。

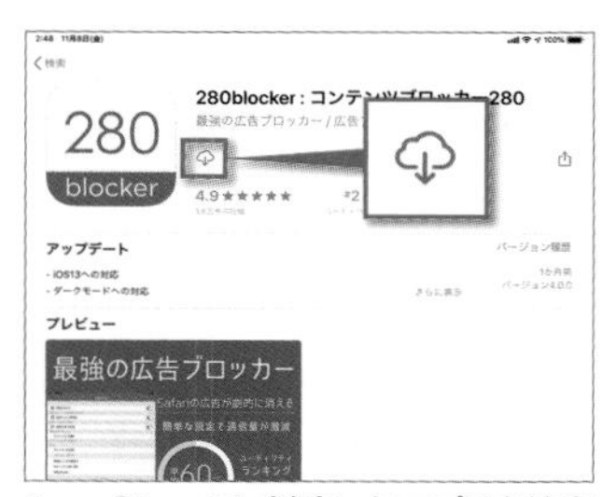

App Storeで、削除したアプリを検索して再インストールしよう。一度購入したアプリは、インストールボタンがクラウドアイコンになり、これをタップすれば無料で再インストールできる。

トラブル 09

Appleの保証期間を確認、延長したい

解決法 AppleCare+ for iPadで2年まで延長可能

すべてのiPadには、製品購入後1年間のハードウェア保証と90日間の無償電話サポートが付く。自分のiPadの残り保証期間はAppleのサイトで確認しよう。保証期間を延長したい場合は、有料の「AppleCare+ for iPad」に加入すれば、ハードウェア保証/電話サポートとも2年まで延長される。

「設定」の「一般」→「情報」でシリアル番号をコピーし、https://checkcoverage.apple.com/jp/ja/でシリアル番号を入力すれば、自分のiPadの残り保証期間を確認できる。

有料の「AppleCare+ for iPad」に加入すれば、ハードウェア保証と電話サポートの期間を2年に延長できる。iPad本体だけでなく、付属品にも延長保証が適用される。

トラブル 10

Apple IDのIDやパスワードを変更する

解決法 設定のApple ID画面から変更が可能

App StoreやiTunes Store、iCloudなどで利用するApple IDのID（メールアドレス）やパスワードは、「設定」の一番上のApple IDから変更できる。IDを変更したい場合は、「名前、電話番号、メール」をタップ。続けて「編集」をタップして現在のアドレスを削除後、新しいアドレスを設定する。ただし、Apple IDの末尾が@icloud.com、@me.com、@mac.comの場合は変更できない。パスワードを変更したい場合は、「パスワードとセキュリティ」→「パスワードの変更」をタップしよう。

1 Apple IDの設定画面を開く

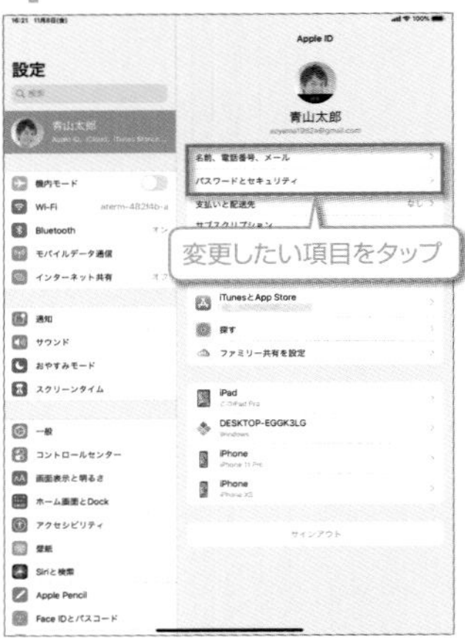

「設定」の一番上のApple IDをタップしよう。続けて登録情報を変更したい項目をタップする。

2 Apple IDのアドレスを変更する

IDのアドレスを変更するには、「名前、電話番号、メール」をタップし、続けて「編集」をタップ。現在のアドレスを削除後、新しいアドレスを設定する。

3 Apple IDのパスワードを変更

「パスワードとセキュリティ」で「パスワードの変更」をタップし、本体のパスコードを入力後、新規のパスワードを設定することができる。

トラブル 11

気付かないで払っている定期購読をチェック

解決法 設定のApple ID画面で確認とキャンセルが可能

月単位などで定額料金が必要な「サブスクリプション」契約のアプリやサービスは、必要な時だけ利用できる点が便利だが、うっかり解約を忘れると、使っていない時にも料金が発生するし、中には無料を装って月額課金に誘導する悪質なアプリもある。いつの間にか不要なサービスに課金し続けていないか、確認方法を知っておこう。

「設定」の一番上のApple IDをタップし、続けて「サブスクリプション」をタップする。

現在利用中や有効期間が終了したサブスクリプションのサービスを確認できる。この画面から、サービスのキャンセルも行える。

トラブル 12

Apple IDの90日間制限を理解する

解決法 複数アカウントの使い分けに注意しよう

Apple Musicの利用やiTunes StoreやApp Storeでの購入済みアイテムのダウンロード、自動ダウンロードの有効化といった操作を行うと、このiPadとApple IDは関連付けられる。以後90日間は、他のApple IDに切り替えても、購入済みアイテムをダウンロードできなくなる場合があるので注意しよう。

自動ダウンロードをオンにするなどの操作を行うと、このiPadに購入済みアイテムをダウンロードできるApple IDは、基本的にiTunes／App Storeにサインイン中のものだけになる。

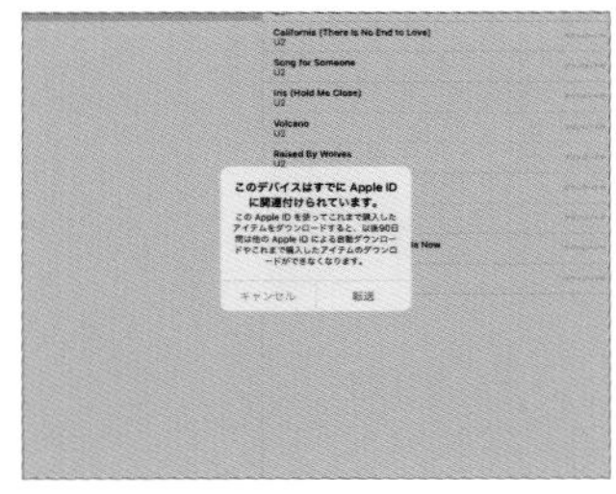

他の Apple ID でサインインし直して購入済みのアイテムをダウンロードしようとすると、「すでにApple ID に関連付けられている」と警告される。

トラブル 13

トラブルが解決できない時のiPad初期化方法

解決法 多くの問題は端末の初期化で解決する

P106で紹介したトラブル対処をひと通り試しても動作の改善が見られないなら、端末を初期化してしまうのが、もっとも簡単で確実なトラブル解決方法だ。ただし、初期化すると工場出荷時の状態に戻ってしまうので、当然iPad内のデータはすべて消える。初期化する前に、必ずバックアップを取っておこう。

iPadのバックアップには、iCloudを使う方法と、パソコンを使う方法の2種類がある。基本的にはiCloudバックアップ(P030で解説)さえ有効にしておけば、自動でバックアップを作成してくれるので、突然iPadが動かなくなった場合にも慌てる必要はない。ただし、iCloudは無料の容量が5GBまでなので、バックアップサイズが大きすぎるとすべてのデータをバックアップできない。また一部アプリは初期化され、履歴やパスワードも復元できない。可能であれば、パソコンの「このコンピュータ」と「ローカルバックアップを暗号化」にチェックし、暗号化バックアップを作成しておくのがおすすめだ。パソコンのHDD容量が許す限り完全なバックアップを作成できる。

なお、iPadがパソコンでも認識されないような深刻なトラブルであれば、最終手段として「リカバリモード」を試そう。リカバリモードを実行すると、完全に工場出荷時の状態に初期化されたのち、iTunesからデータを復元することになる。それでもダメなら、Appleサポートアプリ(P108)などで、持ち込み修理を予約しよう。

iPadを初期化してiCloudバックアップで復元

1 「すべてのコンテンツと設定を消去」をタップ

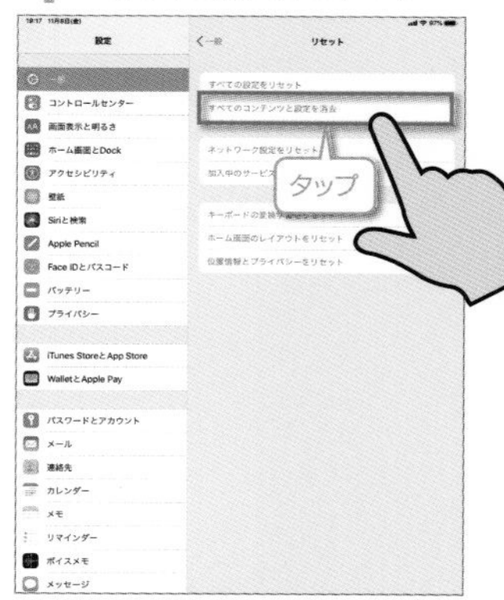

端末の調子が悪い時は、一度初期化してしまおう。まず、「設定」→「一般」→「リセット」を開き、「すべてのコンテンツと設定を消去」をタップする。

2 iCloudバックアップを作成して消去

消去前にiCloudバックアップを勧められるので、「バックアップしてから消去」をタップ。これで、最新のiCloudバックアップを作成した上で端末を初期化できる。

3 iCloudバックアップから復元する

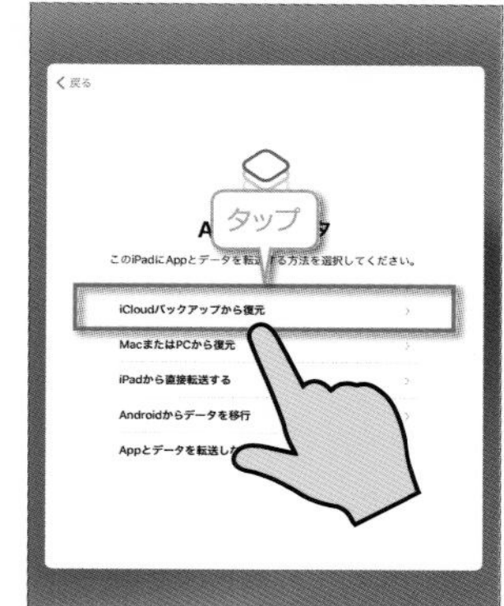

初期化した端末の初期設定を進め、「Appとデータ」画面で「iCloudバックアップから復元」をタップ。最後に作成したiCloudバックアップデータを選択して復元しよう。

パソコンのバックアップからの復元とリカバリモード

1 パソコンでバックアップを作成する

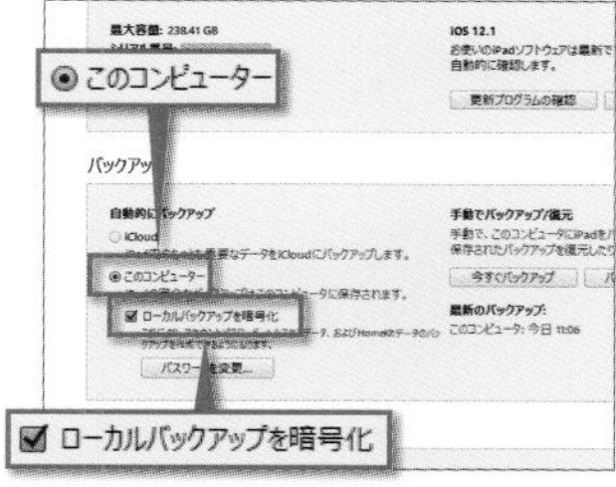

端末内に保存された写真やビデオ、音楽ファイルなども含めて復元したい場合は、パソコンへのバックアップがおすすめ。また暗号化しておけば、各種IDやパスワードも復元可能になる。iPadをパソコンと接続して、「このコンピューター」と「iPadのバックアップを暗号化」にチェックし、パスワードを設定しよう。パソコンで暗号化バックアップ作成が開始される。

2 パソコンのバックアップから復元する

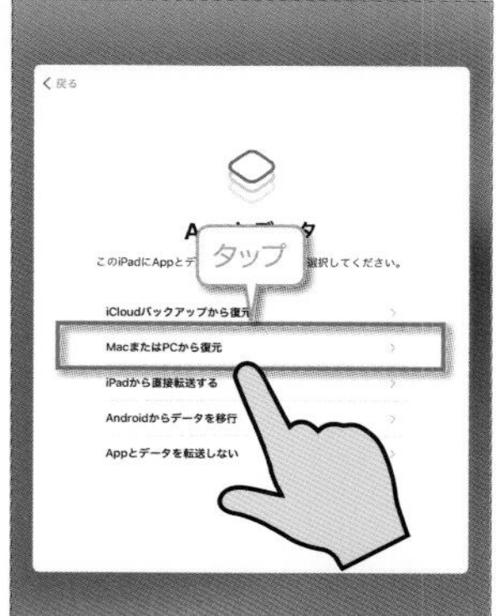

iPadを消去したら初期設定を進めていき、途中の「Appとデータ」画面で「MacまたはPCから復元」をタップ。パソコンに接続し作成したバックアップから復元する。

最終手段はリカバリモードで初期化

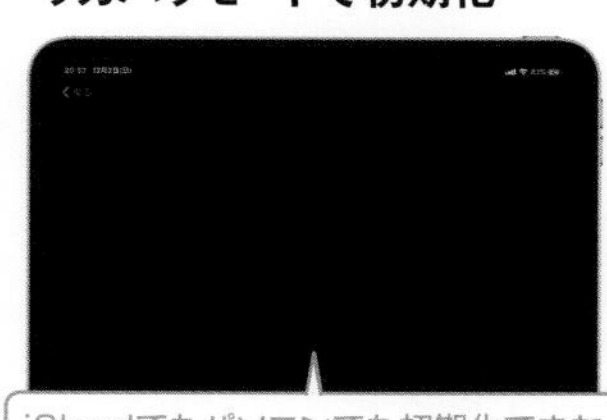

iCloudでもパソコンでも初期化できない時は、リカバリモードを使おう。iPadをパソコンとケーブル接続してiTunesを起動し、接続したまま音量を上げるボタンを押してすぐ離す、音量を下げるボタンを押してすぐ離す、最後にリカバリモードの画面が表示されるまで電源ボタンを押し続ける。パソコンでリカバリモードのiPadが検出されたら、まず「アップデート」をクリックして、iPadOSの再インストールを試そう。それでもダメなら「復元」をクリックし、工場出荷時の設定に復元する

写真やビデオをパソコンにバックアップ

iPadで撮影した写真やビデオを、iCloudにすべてバックアップするのは無理があるので、定期的にパソコンに手動バックアップしておこう。iTunesを使わなくても、ドラッグ&ドロップで簡単にパソコンに取り出せる。

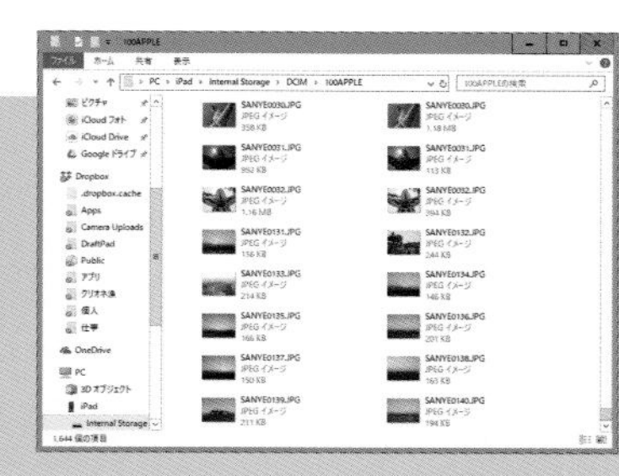

iPadとパソコンをケーブルで接続し、iPadの画面ロックを解除すると外付けデバイスとして認識される。「Internal Storage」→「DCIM」→「100APPLE」フォルダなどに撮影した写真やビデオが保存されているので、ドラッグ&ドロップでコピーしよう。

2020年12月5日発行

編集人　清水義博
発行人　佐藤孔建

発行・発売所　スタンダーズ株式会社
〒160-0008
東京都新宿区四谷三栄町
12-4 竹田ビル3F
TEL 03-6380-6132

印刷所　中央精版印刷株式会社

iPad Perfect Manual 2021

Staff

Editor
清水義博(standards)

Writer
西川希典

Cover Designer
高橋コウイチ(WF)

Designer
高橋コウイチ(WF)
越智健夫

本書の記事内容に関するお電話でのご質問は一切受け付けておりません。編集部へのご質問は、書名および何ページのどの記事に関する内容かを詳しくお書き添えの上、下記アドレスまでEメールでお問い合わせください。内容によってはお答えできないものや、お返事に時間がかかってしまう場合もあります。
info@standards.co.jp

ご注文FAX番号　03-6380-6136